A la sombra
de la Revolución Mexicana
Un ensayo de historia
contemporánea de México
1910-1989

A la sombra de la Revolución Mexicana

Héctor Aguilar Camín,
Lorenzo Meyer

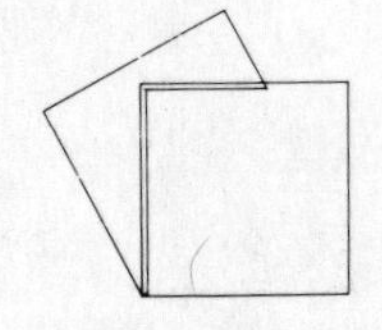

cal y arena

Primera edición: *Cal y arena*, 1989.
Cuarta edición: *Cal y arena*, julio de 1990.
Quinta edición: *Cal y arena*, agosto de 1991.
Sexta edición: *Cal y arena*, octubre de 1991.
Séptima edición: *Cal y arena*, junio de 1992.
Octava edición: *Cal y arena*, septiembre de 1992.
Novena edición: *Cal y arena*, enero de 1993.
Décima edición: *Cal y arena*, agosto de 1993.
Décimoprimera edición: *Cal y arena*, diciembre de 1993.

Diseño de la maqueta: *José González Veites.*
Ilustración: Rufino Tamayo, *El llamado de la Revolución.*
Fotografía: *Alejandro Mas.*

Mazatlán 119, Col. Condesa. Delegación Cuauhtémoc.
06140 México, D.F.

ISBN: 968-493-184-0

IMPRESO EN MEXICO

Noticia

Empezamos a escribir este libro, cada quien por su lado, hará unos seis años: Lorenzo Meyer para resolver el problema práctico de dar a sus alumnos un texto donde apoyar sus clases de historia contemporánea de México; Héctor Aguilar Camín para desahogar diversos compromisos académicos y periodísticos que iban exigiendo una perspectiva histórica sobre el presente en medio de la gran interrogación por el futuro que anunció en los ochenta un fin de época de la historia posrrevolucionaria mexicana.

Los esfuerzos paralelos confluyeron en una sola tarea por la iniciativa de Enrique Florescano, en 1984, de promover la relización de una historia gráfica de México, desde la época prehispánica hasta el sexenio de Miguel de la Madrid, patrocinada por el Instituto Nacional de Antropología e Historia. Nos fue asignado el volumen relativo al siglo XX que en México empieza, como se sabe, diez años después de iniciado, con la caída de Porfirio Díaz y la modesta insurrección que llevó a don Francisco I. Madero al poder y al sacrificio.

Reunimos entonces los textos que habíamos hecho por separado, repartimos nuevamente la tarea de periodos y temas, y escribimos y rescribimos todo el paquete de principio a fin. Un equipo simultáneo formado por Ema Yanes, Antonio Saborit, Sergio Mastretta y José Armando Sarignana, con el apoyo incesante de Jaime Bali en la Dirección de Publicaciones del INAH, avanzó en la investigación gráfica hasta reunir para nuestro periodo una colección de cerca de mil quinientas fotos, de las que fueron utilizadas sólo una pequeña parte y cuya riqueza restante espera en los archivos del INAH un editor complementario.

La primera edición de la *Historia ilustrada* del INAH empezó justamente por la parte del siglo XX y fue lanzada en forma de fascículos semanales en el año de 1987. Fue un fracaso espectacular entre otras cosas porque se cruzaron en el calendario de la obra los demonios de la inflación que fueron encareciendo excesivamente el costo de cada fascículo —la obra total debía tener, conforme al plan inicial, más de cien fascículos: sólo se editaron los primeros cuarenta, correspondientes al siglo XX. La segunda edición de la historia ilustrada fue hecha en 1988 por Editorial Patria en diez tomos delgados, baratos y manuables, que se vendieron cada semana en grandes almacenes y autoservicios con buen éxito de público y ventas.

Desde el principio de nuestro proyecto pensamos, no obstante que el texto mismo de la historia debía cumplir su propio destino como libro no ilustrado, accesible como tal a estudiantes, académicos y lectores en general, como volumen cómodo y a la vez riguroso donde leer la historia de los últimos ochenta años de nuestro país. No había tal libro en el medio intelectual y académico mexicano cuando empezamos a escribirlo, y no lo hay todavía, de ahí nuestra decisión de darlo a la imprenta en una nueva presentación, corregida y aumentada, sin material gráfico para que circule donde las anteriores ediciones no han podido circular: entre los lectores normales de libros, en librerías y bibliotecas, en las aulas y los centros de investigación y docencia donde se haya echado de menos un libro semejante.

A la sombra de la Revolución Mexicana empieza, como hemos dicho, con la caída de Porfirio Díaz en 1910 y termina con las elecciones de julio de 1989: setenta y nueve años de cambios y permanencias, de novedades y reiteraciones. Al terminar de escribirlo tenemos, como muchos mexicanos, la impresión de que México avanza hacia una nueva época histórica que dice adiós a las tradiciones más caras y a los vicios más intolerables de la herencia histórica que conocemos como Revolución Mexicana. No es fácil predecir a dónde va pero es posible reconocer de dónde viene la sociedad mexicana de fin de milenio con su rara y única mezcla de vejez y juventud, memoria y futuro, opresión y esperanza, autoritarismo y democracia.

La obra fue escrita como parte de las tareas académicas de los autores en sus respectivas instituciones: Lorenzo Meyer como Coordinador del Programa de Estudios México-EU, y Héctor Aguilar Camín en la Dirección de Estudios Históricos del Instituto Nacional de Antropología e Historia. Sin la comprensión y el apoyo de Mario Ojeda, presidente de El Colegio de México y de Enrique Florescano, director del Instituto Nacional de Antropología e Historia (1983-1988), esta obra no existiría. Y existe, en especial, para que pueda estar alguna vez en las manos de un grupo particular de lectores futuros a quienes está dedicado: Rosario, Lorenzo, Román, Mateo y Catalina.

México, D.F., 18 de julio de 1989

Héctor Aguilar Camín
Dirección de Estudios Históricos, INAH

Lorenzo Meyer
Coordinador del Programa de Estudios México-EU
El Colegio de México

I

Por el camino de Madero
1910-1913

No esperaban que llegara. El hábito de la paz era más fuerte que la evidencia del cambio. *El Imparcial*, primer diario industrial de México y símbolo él mismo de la enorme transformación en modos y volúmenes que el país había registrado, garantizaba a sus lectores en 1909: "Una revolución en México es imposible". Karl Bunz, el ministro alemán, escribía a su gobierno el 17 de septiembre de ese mismo año: "Considero, al igual que la prensa y la opinión pública, que una revolución general está fuera de toda posibilidad". No se llevó otra idea sobre el futuro el industrial del acero norteamericano, Andrew Carnegie, después de su visita al país en 1910: "En todos los rincones de la república reina una paz envidiable", a lo que añadió el poeta español Julio Sesto su propia certidumbre meteorológica: "Ninguna nube negra hay en el horizonte".

Pero el país había cambiado. Lo habían visitado en los últimos decenios más novedades de las que podía asimilar sin temblores una sociedad como la mexicana de principios de siglo. Hija contrahecha del proyecto liberal, esa sociedad había sido soñada cincuenta años antes republicana, democrática, igualitaria, racional, industriosa, abierta a la innovación y al progreso. Era entregada cincuenta años después oligárquica, caciquil y autoritaria, lenta, pero cada vez menos incomunicada, cerrada sobre sí misma, pero cada vez más sacudida por la innovación y el cambio productivo, eficientemente cosida por sus tradiciones coloniales. Era todavía, como a la hora de su independencia, cien años antes, una sociedad católica, ranchera e indígena, cruzada por fueros y privilegios corporativos, con una industria nacional encapsulada en las eficiencias productivas de los textiles y los reales mineros, y un comercio que empezaba a romper la inercia regional de los mercados. El federalismo había tomado la forma operativa del cacicazgo; la democracia, el rostro de la dictadura; la igualdad, el rumbo de la inmovilidad social; el progreso, la forma del ferrocarril y la inversión extranjera; la industriosidad, la forma de la especulación, la apropiación de bienes que agrandaron caudales sin capitalizar al país.

Pero había cambiado. Y sus novedades fueron permanentes.

México vivió en los treinta años previos a la revolución de 1910 una redefinición productiva que consolidó su frontera norte —vecindad decisiva con la expansión norteamericana— y definió su incorporación al mercado mundial. En consecuencia de ese cambio, la inversión extranjera pasó de 110 millones de pesos en 1884 a 3,400 en 1910. Una tercera parte de esa inyección fue para la revolución tecnológica mayor del México porfiriano: la construcción de veinte mil kilómetros de vías ferrocarrileras. Una cuarta parte corrió a la minería, cuya producción de 40 millones de pesos en 1893 se había cuadruplicado en 1906. Lo demás, de algún modo, se dio por añadidura. Escribe Ramón Eduardo Ruiz:

> La bonanza minera construyó ciudades, echó las bases para los ferrocarriles y ayudó a nacer la agricultura comercial. Minas de plata, oro y cobre, a las que se unieron después minas de plomo, zinc y otros metales industriales, puntearon el paisaje. La agricultura comercial para exportación alteró los territorios de Yucatán, (henequén), Morelos (azúcar), Coahuila y Sonora (algodón, hortalizas, garbanzo), y se erigieron imperios ganaderos orientados al mercado estadunidense. En el Golfo, ingleses y norteamericanos competían por la explotación de ricos depósitos petroleros. Las plantas textiles se alineaban en el corredor Córdoba-Puebla-Ciudad de México, y en Guadalajara, Durango, Nuevo León y Chihuahua, para una producción que llegó a ser de 45.5 millones de pesos en 1904. El humo negro de las fundidoras manchaba el cielo de Chihuahua y Monterrey, donde se producían 60 mil toneladas de hierro y acero. Aparecieron además fábricas de papel, cerveza y licores, tabacaleras que abastecían la demanda nacional, una industria azucarera financiada por extranjeros que compraron la tierra, plantaron caña y mecanizaron su cultivo, empacadoras de carne, fábricas de yute, glicerina, dinamita, cristales finos, vidrio, sogas de henequén, cemento y jabón.

Más: entre 1877 y 1911, la población de México creció a una tasa del 1.4 por ciento cuando desde principios del siglo XIX lo había hecho al 0.6 por ciento. La economía avanzó al 2.7 por ciento anual, cuando en los setenta años anteriores su promedio, fracturado aquí y allá, había sido negativo o de estancamiento. El ingreso nacional, de 50 millones en 1896, se duplicó en los siguientes diez años, y el ingreso per cápita, que en 1880 crecía al uno por ciento anual, alcanzó un ritmo de 5.1 por ciento entre 1893 y 1907. En ese mismo lapso, las exportaciones aumentaron más de seis veces mientras las importaciones sólo tres y media. La bancarrota crónica de las finanzas públicas llegó a su fin en 1895 en que por primera vez hubo superávit. México pudo colocar emisiones y bonos en los mercados internacionales y el presupuesto público, de 7 millones en 1896, llegó a ser casi de 24 en 1906.

Son las cifras del progreso porfiriano. Conviene subrayarlas para recordar que la revolución que Madero liberó no fue hija de la miseria y el estancamiento sino de los desarreglos que trajeron el auge y el cambio:

• La inversión extranjera desarrolló ciudades y fundó emporios productivos, pero provocó inflación que afectó el salario real de obreros y clases medias.

• La vinculación con el mercado norteamericano abrió fuentes de trabajo y aumentó las exportaciones (seis veces entre 1880 y 1910), pero hizo al país vulnerable a los vaivenes de la economía estadunidense cuya recesión de 1907, por ejemplo, implicó la repatriación de miles de trabajadores mexicanos despedidos de las fábricas y las minas del otro lado.

• El auge minero creó ciudades y pagó altos salarios, pero alteró regiones enteras, creó poblaciones flotantes, inestables, levantiscas, y sembró, con la discriminación laboral antimexicana, un nacionalismo explosivo.

• El ferrocarril acortó distancias, abarató fletes y unificó mercados, pero disparó los precios de tierras ociosas facilitando su despojo y segregó, al no tocarlos, centros tradicionales de producción y comercio, así como a las oligarquías que se beneficiaban de ellos.

• La modernización agrícola consolidó un sector extraordinariamente dinámico, pero colaboró a la destrucción de la economía campesina, usurpó derechos de pueblos y comunidades rurales y lanzó a sus habitantes a la intemperie del mercado, el hambre, el peonaje y la emigración.

Al celebrar el año de 1910 las fiestas del centenario de su independencia, el país vivía una mezcla de rupturas y novedades que habrían de precipitarlo durante los años siguientes en la vorágine de la guerra civil.

La ruptura agraria

La más vieja de esas rupturas era la de las comunidades campesinas tradicionales del centro y del sur del país. Era un pleito que venía de lejos, del litigio histórico del liberalismo contra el orden colonial de tenencia corporativa de la tierra que regía por igual el sistema de propiedad del clero y el de las comunidades indígenas.

La resistencia del clero había punteado de discordias civiles el siglo XIX. La resistencia de las comunidades lo había inundado de rebeliones agrarias (70 ha consignado en una revisión preliminar el historiador Jean Meyer). El clímax jurídico en la materia fueron las leyes de desamortización de 1856, sancionadas políticamente por el triunfo juarista contra la intervención francesa y la restauración de la República en 1867.

En 1895, estimulado por el impacto del ferrocarril sobre el valor de la tierra, el régimen porfiriano abrió una nueva oleada desamortizadora con la ley de baldíos y tierras ociosas que facilitaba el denuncio y la apropiación de terrenos improductivos. El efecto de esa nueva liberalización de la tierra sobre la organización social y la economía de las comunidades campesinas se hizo sentir con peculiar virulencia: el consumo anual de maíz por habitante en México bajó diez kilogramos entre 1895 y 1910 (de 150 a 140 kilogramos), el promedio de vida descendió en esos quince años de 31 a 30 1/2 años, en los cinco años finales del siglo XIX la mortalidad infantil subió de 304 a 335 por millar.

La alianza del establecimiento porfiriano con los hacendados y la modernización agrícola, quiso decir despojo, arrinconamiento y subsistencia precaria de los pueblos campesinos. Pero la resistencia fue del tamaño de la ofensiva e incubó en los primeros años de 1910 la mayor de las rebeliones campesinas de México. El litigio, empezado un siglo antes, encontró nombre y caudillo la tarde del 12 de septiembre de 1909 en que los hombres de Anenecuilco, un pequeño pueblo del estado de Morelos en el centro sureño de la República, eligieron nuevo dirigente. Acababa de cumplir los treinta años y de establecer relaciones con políticos de todo el estado a propósito de una reciente y desastrosa campaña electoral para un candidato semindependiente a gobernador de Morelos. Era aparcero de una hacienda, tenía un poco de ganado y algo de tierra, compraba y vendía caballos; cuando no había siembra recorría con mercancías los pueblos del río Cuautla en una recua de mulas. Se llamaba Emiliano Zapata y habría de convertirse con el tiempo en el dirigente, primero, y el símbolo legendario, después, del agrarismo mexicano.

La ley de baldíos y la huella especulativa del ferrocarril sometió también al despojo y al agravio a una franja agraria más reciente pero no menos reacia a la modernización que los campesinos morelenses: los miembros de las comunidades norteñas, herederas de las viejas colonias militares que poblaron los territorios de frontera durante el siglo XIX, secuela de los presidios coloniales que habían consolidado la expansión militar del virreinato. Eran pueblos que por generaciones habían luchado solos contra las acechanzas de forajidos y contra los indios bárbaros, hasta la pacificación definitiva de los apaches en 1880: comunidades construidas en el aislamiento, la autodefensa y el orgullo regional. En los últimos años del Porfiriato esos pueblos se vieron de pronto sometidos a la especulación de sus terrenos y la hegemonía de intereses oligárquicos regionales. La especulación provocada por el auge de las inversiones mineras y agropecuarias —generalmente extranjeras— les quitó tierras. El afianzamiento de nuevas oligarquías regionales, les quitó independencia política y autonomía municipal. Perdieron entonces aislamiento y territorio, independencia y seguridad en las reglas de su propio mundo, facultad de decisión sobre quiénes serían sus autoridades y de gestión sobre sus intereses inmediatos. Arrieros, agricultores, vaqueros, gambusinos, gente norteña de caballo y carabina, sonaban así sus quejas:

Namiquipa, Chihuahua: "Vemos con profundo pesar que esos terrenos que estimamos en justicia como nuestros, porque los hemos recibido de padres a hijos y los hemos fecundado con el trabajo constante de más de un siglo, van pasando a manos de extraños mediante un sencillo denuncio y el pago de unos cuantos pesos".

Janos, Chihuahua: "A dos leguas de Janos se encuentra la Colonia *Fernández Leal*, próspera pero cuyos dueños viven con toda comodidad en Estados Unidos mientras nosotros, que hemos sufrido con las invasiones de los bárbaros a los que nuestros padres desterraron, no podemos obtener el terreno".

Santa Cruz, Sonora: "El presidente y el tesorero principalmente, no soportamos las injusticias y abusos que cometen con nosotros. Hay hombre aquí que puede ser autoridad y en caso de que usted (el gobernador) deje esto desapercibido, ya veremos cómo lo quitamos nosotros. Somos hombres de familia que nos trastornamos habiendo algún desorden, pero si es necesario lo haremos".

Adicionalmente, la lucha contra los indios bárbaros en el norte incluyó durante el Porfiriato la "pacificación" de los indios mayos y yaquis de Sonora, una cruenta guerra que desbarató la forma organizativa de ambas tribus, desconoció sus derechos antiguos y trasladó a dominio blanco sus tierras, las más ricas del noroeste, fertilizadas por los únicos dos ríos con caudal cuasi permanente de las desérticas planicies sonorenses. Las tierras fueron colonizadas luego de una primera guerra contra los indios (1877-1880), pero la resistencia yaqui a la ocupación se mantuvo viva, irreductible e ininterrumpida a lo largo de todo el Porfiriato y de la Revolución, parte de la cual se libró con contingentes yaquis y parte, en Sonora, *contra* los yaquis insurrectos.

Caminos cerrados

A esa ruptura de fondo acumulada en las viejas vetas agrarias y rurales de México, los años previos a la explosión maderista sumaron otros desequilibrios.

Entre 1900 y 1910, varios factores confluyeron para hacer inseguro y difícil el horizonte de los sectores sociales medios y la incipiente clase obrera que el mismo desarrollo porfiriano había creado. La inversión extranjera redujo los ingresos de esos sectores por dos carriles: la alta inflación que produjo y los nuevos impuestos con que el gobierno tuvo que compensar los que dejaban de pagar las empresas y giros financieros desde afuera. La mencionada consolidación de oligarquías regionales, que a principios de siglo empezaron a aunar el monopolio del poder político al del poder económico, redujo también el ámbito de concurrencia natural de las capas medias. Las posiciones intermedias en los negocios, los servicios y, sobre todo, los empleos públicos, empezaron a ser ocupadas por ramificaciones amistosas o familiares de esas oligarquías. La pirámide del monopolio se reprodujo, grandes ciudades lo mismo que pequeños pueblos vieron obturarse los canales de ascenso y descomponerse los modos más elementales de la vida local.

Así sonaba, en 1908, Benjamin Hill, un prototipo sonorense de estos postergados ansiosos de encontrar una rendija:

> Es indispensable una oleada de sangre nueva que reponga la sangre estancada que existe en las venas de la República, enferma de viejos chochos, en gran parte honrosos restos del pasado, si se quiere, pero momias que estorban materialmente la marcha de nuestro progreso.

Y un pequeño comerciante, Salvador Alvarado, dejó este simple bosquejo de la coagulada descomposición local y la intención de cambiarla:

> Empecé a sentir la necesidad de un cambio de nuestra organización social desde la edad de 19 años cuando allá en mi pueblo Pótam, Río Yaqui, veía yo al comisario de policia embriagarse, casi a diario en el billar del pueblo y en compañía de su secretario, del juez menor que también lo era de lo civil y agente del timbre; del agente de correos y de algún comerciante o algún oficial del ejército, personas todas que constituían la clase influyente de aquel pequeño mundo.

Por su parte, el vértigo minero y la reactivación industrial hicieron nacer durante el Porfiriato los primeros batallones obreros de Mexico en el sentido moderno de la palabra. Los minerales norteños atrajeron, con sus altos salarios, emigrantes de todo el país; erigieron en meses, junto a los tiros, decenas de ciudades provisionales, desarregladas y bulliciosas, marcadas por la irregularidad, la discriminación y la voluntad indesafiable de los propietarios, generalmente norteamericanos o ingleses. Las compañías explotaban la mina y controlaban la vida municipal, nombraban al alcalde, pagaban la fuerza policiaca, sostenían la escuela, dominaban el comercio y a veces poseían también las zonas ganaderas y agrícolas circundantes que proveían la comida para los habitantes de la mina. El caso más notable de ese vértigo fue la sonorense ciudad de Cananea, casi en la frontera con Arizona. Las inversiones millonarias que hizo ahí un coronel aventurero, William C. Green, fundador de la Cananea Consolidated Cooper Company, transformaron ese pueblo semiabandonado de apenas 100 habitantes en 1891, en el centro de la producción cuprífera de México. En sólo seis años (1900-1906) el llamado del cobre metió en las lomas peladas de Cananea unos catorce mil habitantes (891 tenía al empezar el siglo, 14 mil 841 al fin del Porfiriato). Partiendo prácticamente de una producción cero, en esos seis años la veta dio para dieciséis minas activas y rindió 14 millones de pesos (el total de la minería porfiriana fue de 140 millones en 1906). En mayo de 1906, Cananea tenía 5,360 trabajadores mexicanos y 2,200 extranjeros, se pagaba ahí salario mínimo de dos pesos y máximo de seis, cuando en el Pacífico norte el jornal mínimo era del 1.21 y en el centro de 0.59.

Los trabajadores de Cananea habían iniciado su organización bajo el influjo del magonismo y de la ebullición radical que plagaba fábricas y minerales al otro lado de la frontera, en California y Arizona, sacudidos entonces por el anarcosindicalismo, y el auge de las corrientes socialistas en los Estados Unidos. A fines de mayo de 1906, agraviados en su nacionalismo por la discriminación laboral permanente en favor de norteamericanos y amenazados por un aumento súbito de la carga de trabajo, la incipiente organización de Cananea recogió los impulsos levantiscos acumulados y se lanzó a la huelga. Sus demandas: cinco pesos de salario por ocho horas de trabajo, destitución de un mayordomo, derecho a ascenso de mexicanos según aptitudes y ocupación de por lo menos 75 por ciento de trabajadores mexicanos en la compañía. Era el primero de junio de 1906. Los siguientes tres días fueron de huelga, lucha y represión; hubo motines, saqueos, incendios, diez muertos y cien presos. Acudieron a Cananea *rangers* y voluntarios de Arizona, 500 soldados mexicanos y el gobernador de Sonora, Rafael Izábal, que coordinó personalmente la pacificación.

Volvió la paz pero no el prestigio legendario del mineral en los círculos financieros norteamericanos. La contracción de los mercados estadunidenses del año siguiente hizo también su parte. Sin créditos ni mercado, Cananea, la fabulosa perla negra de la minería porfiriana, cerró totalmente sus operaciones en octubre de 1907 y empezó a despedir trabajadores en partidas de cien para restructurar la planta y sus instalaciones. Abrió en abril de 1908, pero no tuvo utilidades otra vez sino hasta principios de 1911, cuando estaba ya en marcha, irreversible, la rebelión maderista.

Naufragio en Río Blanco

No se había disipado el escándalo de la huega de Cananea en la punta de lanza de la minería porfiriana, cuando aparecía otro, ahora en el sector industrial tradicional, en los textiles de Río Blanco, en Veracruz.

Ahí, luego de un largo litigio con los patrones por condiciones de trabajo, los obreros rechazaron un laudo del presidente Díaz que reglamentaba favorablemente su relación con la empresa, pero la restringía particularmente en materia de derechos políticos. El 7 de enero de 1907 se rehusaron a volver a sus puestos fabriles y en la misma puerta de la empresa, acordonada por mujeres que frenaban a quienes sí volvían, empezó la agitación con vivas a Juárez y gritos contra los españoles y franceses que controlaban fábricas, comercios y privilegios en la región. El mitin siguió en la tienda vecina de la fábrica, donde un empleado derramó la gota disparando contra un trabajador. El trabajador murió, la tienda fue saqueada e incendiada. Vino la policía y fue rechazada. Los rurales cargaron machete en mano pero fueron repelidos también, a pedradas. El tumulto cundió. A la mañana siguiente, enardecidos y avituallados por el saqueo, los huelguistas liberaron a los presos de la cárcel y marcharon hacia el vecino pueblo de Nogales con la consigna de "buscar armas". Saquearon ahí el palacio municipal, echaron también fuera a los presos y siguieron su camino, guiados todavía por el estandarte de Juárez. "Caminábamos a gritos y cantando", recordaría un protagonista. "Nos sentíamos libres y dueños de nuestro destino después de tanta miseria y tanta opresión. Parecía un día de fiesta".

La fiesta terminó en la madrugada. A la una y media del día 9 de enero llegaron a Santa Cruz dos compañías del 24° Batallón del ejército, con el subsecretario de guerra Rosalino Martínez al frente. En el curso de esa noche los soldados peinaron las calles, contuvieron motines y amotinados e impusieron la paz porfiriana.

Escribe Bernardo García Díaz:

> En el amanecer del día 9, mientras los silbatos de las fábricas del distrito volvían a llamar a los obreros, sonaban las cerradas descargas. Sobre la siniestra escenografía de las tiendas quemadas se llevaban a efecto las ejecuciones ejemplares que la plutocracia porfirista había ordenado. De los 7,083 obreros que laboraban en las fábricas textiles hasta antes del paro, el día 9 sólo regresaron al trabajo 5,512. Los otros 1,571 huyeron de la región, fueron consignados, estaban heridos o definitivamente muertos.

Bajo los escombros y los muertos, las huelgas de Cananea y Río Blanco definieron la incapacidad porfiriana para digerir intentos modernos de organización y lucha sindical. Ante estos hijos de su propio desarrollo, los nuevos grupos de trabajadores que aparecían en las avanzadas productivas de la vieja sociedad, el establecimiento porfiriano no parecía tener más respuesta que intolerancia y represión.

La aparición del norte

En los treinta años de paz porfiriana, el norte de México sufrió cambios más definitivos que en toda su historia anterior. El auge capitalista del otro lado de la frontera y sus inversiones en éste, el ferrocarril que abatió las distancias, los bancos que agilizaron el crédito, el boom petrolero en el Golfo, el minero en Sonora, Chihuahua y Nuevo León, el industrial en Monterrey, el marítimo y comercial en Tampico y Guaymas, trajeron en esos años para el norte el impulso material de una doble y efectiva incorporación: por un lado, al pujante mercado norteamericano, por el otro, a la red inconclusa pero practicable de lo que podía empezar a llamarse República Mexicana. En esos años el norte fue un foco de inversiones y nuevos centros productivos que diversificaron notablemente su paisaje económico y humano. Ahí convergieron en rápida mezcla haciendas tradicionales y plantaciones de exportación, nuevas ciudades mineras y agrícolas, altos salarios, una capa próspera de rancheros, vaqueros y agricultores libres, una explosiva clase obrera en las minas, una banca incipiente, un comercio ramificado.

El llamado del norte y de la frontera con su promesa de mejores salarios y oportunidades, desató a partir de los años noventa del siglo pasado una corriente migratoria permanente del centro, el Bajío y el altiplano, hacia los campos agrícolas de La Laguna y El Yaqui, las explotaciones mineras de Sonora y Chihuahua, los campos petroleros de Tampico o las industrias en ascenso de Nuevo León. Una consecuencia decisiva de esa movilización fue la ruptura, en el norte, de la relación agrícola tradicional que había dominado el campo mexicano.

Nada ejemplifica tan bien este tránsito como el surgimiento de la zona algodonera de La Laguna, en Torreón, Coahuila, el foco de más alto crecimiento de todo el Porfiriato. Todavía un rancho de 200 habitantes en 1892, Torreón fue despertado en los noventa por el empalme ferrocarrilero que lo volvió estación distribuidora de todo el norte. Para 1895 los 200 habitantes se habían hecho 5 mil, y eran 34 mil en 1910. Se ganaban ahí los salarios agrícolas más altos de la República y los hacendados de la región, ajenos a los sistemas surianos del peonaje por deudas o la tienda de raya, pagaban en efectivo y no en vales, vendían en sus tiendas más barato que en el comercio local y competían por la retención de sus trabajadores ofreciendo estímulos y ventajas de diverso tipo.

Esa realidad laboral y social configuró la aparición de un nuevo tipo de trabajador emigrante que ejercía el libre tránsito de una zona a otra en busca de buen salario y mejores condiciones laborales. Inestable y sin arraigo local, cosechaba las ventajas de un mercado libre o semilibre de mano de obra bien pagada. Pero también sus desventajas: inseguridad en el empleo, carencia de familia, comunidad o vínculo tradicional donde cobijarse en las épocas de malas cosechas y poco trabajo, lo que sucedía en la comarca lagunera cada tres años en promedio. Ese tipo de trabajador libre del norte fue el que nutrió a los ejércitos norteños revolucionarios, frente a los cuales tuvo la doble disponibilidad del enlistamiento y la movilización militar fuera de su zona de reclutamiento, característica inencontrable de los ejércitos de más clara y tradicional procedencia agraria, como el zapatista.

El núcleo irreductible de la rebelión maderista fue el eje montañoso de la Sierra Madre Occidental, lo que entra a lado y lado en las estribaciones de los estados de Chihuahua y Sonora, Durango y Sinaloa. Ese norte serrano de la minas pequeñas y dispersas, resintió como ningún otro foco del país la crisis minera y la baja del precio de la plata de fines del Porfiriato. La primera afectó a miles de productores pequeños, los gambusinos de la sierra; la segunda, al afiliarse México al patrón oro en 1905, tendió a igualar a la baja el precio de la plata mexicana con los del mercado internacional.

Al desarreglo minero se sumó una crisis en la producción de alimentos. Malas cosechas provocaron que se dispararan los precios del maíz y el frijol, fundamentales para la subsistencia popular. El maíz prácticamente dobló su precio entre 1900 y 1910, y la mitad de la alza la tuvo en el último año. Ese norte minero era de por sí un territorio de zonas frágiles donde, persistentemente, a lo largo del Porfiriato, se habían registrado motines, rebeliones y bandas itinerantes. Las zonas montañosas situadas entre Rosario (Sinaloa), y Tamazula (Durango) habían sido el escenario de las hazañas del famoso bandolero de los ochenta del siglo anterior, Heraclio Bernal. La zona serrana comprendida entre Guanaceví (Durango), y Santa Bárbara (Chihuahua) es la que habían recorrido en los años noventa Ignacio Parra y Doroteo Arango, después Francisco Villa. En las zonas de los ranchos orientales de Sonora y occidentales de Chihuahua, el triángulo Cusihuiriachic, Pinos y Ascensión, se habían registrado motines mineros en los ochenta y rebeliones armadas por usurpaciones municipales en los noventa. Había habido conflictos periódicos en otros centros mineros norteños como Matehuala, Charcas y Catorce, en San Luis Potosí, o la Velardeña, en Durango. A esos terrenos se refería premonitoriamente un capitán Scott, a cargo de tropas estadunidenses en la frontera, en el mes de agosto de 1907: "Existe, en particular en los estados del norte de México, un gran descontento debido a las situaciones actuales. Si se produjera una explosión revolucionaria, un líder hábil tendría numerosos partidarios".

Nuevas ramas, añosos troncos

El líder que preveía el capitán Scott fue Francisco Madero, encarnación quintaesenciada y, al final explosiva, de la última gran ruptura que el Porfiriato había inyectado en la sociedad mexicana: el descontento de algunas de las grandes familias patriarcales, consolidadas penosamente a lo largo del siglo XIX y triunfantes con la causa liberal juarista en los años sesenta, pero desplazadas en los ochenta y los noventa por la mano centralizadora del porfirismo, la alianza del régimen con los intereses extranjeros y su patrocinio de una nueva generación oligárquica.

Venidos al poder por una rebelión militar en 1876, el camino de los porfirianos hacia la estabilidad política fue la destrucción de los enclaves caciquiles, desarrollados a partir del triunfo juarista en las distintas regiones del país. Uno por uno y estado por estado, los viejos caciques liberales y los grupos económicos construidos en torno a ellos, fueron reemplazados por incondicionales del porfirismo o por cuadros emergentes de los sectores medios locales, cuyas aspiraciones de ascenso habían sido bloqueadas por el establecimiento oligárquico de cuño juarista. Trinidad García de la Cadena en Zacatecas, Ramón Corona en Jalisco, Ignacio Pesqueira en Sonora, Luis Terrazas en Chihuahua: todos y cada uno de los hombres fuertes y los intereses que habían creado en su torno, fueron domeñados durante la década de los ochenta y hasta finales del siglo. Al empezar el siglo XX se habían consolidado grupos gobernantes de relevo en casi todas las regiones del país. Para esas mismas fechas, las familias y los patriarcas desplazados en los años ochenta, tenían ya renuevos generacionales. Los hijos y los nietos de aquellos caciques juaristas, ramas ansiosas de apellidos célebres, pugnaban ahora por rehacer el curso de las cosas y abrirse camino hacia una nueva preponderancia o por lo menos hacia una participación menos subordinada en los asuntos locales y en los nacionales.

Pero en vez de oportunidades, encontraban clausuras, dinastías y redes porfirianas que empezaban a perpetuarse en el poder y a servir como socios o intermediarios de inversiones extranjeras que transformaban sin consultar territorios, ciudades y mercados. La consolidación de estas oligarquías regionales en los estados norteños lanzó a la oposición a muchos poseedores de apellidos ilustres.

Francisco I. Madero era la encarnación misma de esta historia de agravios y repudios que la nueva generación de los viejos árboles patriarcales había vivido durante el Porfiriato. Escribe Friedrich Katz:

> A finales del siglo, Madero había formado y encabezado una coalición de hacendados para oponerse a los intentos de la compañía angloamericana de Tlahualilo por monopolizar los derechos sobre el agua en esa zona, enteramente dependiente de la irrigación. Cuando los Madero cultivaron guayule, sustituto del caucho, se enfrentaron a la Continental Rubber Company. Otro conflicto se desarrolló en 1910 debido a que los Madero tenían el único horno de fundición en el norte de México, que era independiente de la American Smelting and Refining Company.
>
> Los Madero no se hallaban solos en su rebeldía. Muchos otros miembros de la clase alta nororiental estaban interesados en los derechos sobre el agua en La Laguna, en el cultivo del guayule y en la operación independiente de hornos de fundición en el norte de México.

Los vástagos inquietos de estas familias fueron la verdadera correa de transmisión de la debacle porfirista, el cauce de las muchas fuerzas que engrosaron el caudal de la Revolución Mexicana.

Y fue así, entre otras cosas, porque frente a estos ánimos nuevos, el ocaso porfiriano atestiguaba el envejecimiento de una clase dirigente que no pensaba en el retiro y que había perdido sensibilidad ante las fuerzas que su propia gestión había desatado como lo probaron las huelgas obreras. En junio de1904 Porfirio Díaz fue reelecto por sexta vez, a los 75 años, con un vicepresidente norteño, Ramón Corral, que tenía 56. Escribe Luis González y González:

> Don Porfirio cumplía los 75 años muy derecho y solemne, mas no sin la fatiga, los achaques, la grietas y las cáscaras de la senectud. Ya no era el roble que fue. Aun el cacumen y la voluntad se reblandecieron. Las ideas se le iban y no le venían las palabras. En cambio, afloraban las emociones. Dio en ser sentimental y lacrimoso y, con ello, malo para expedir úcases. Y a medida que se le escapaba el talento ejecutivo, lo oprimía la suspicacia senil y desconfiaba de sus colaboradores más que nunca.
>
> Junto al jefe menguante, en los puestos visibles del aparador político pululaban otros ancianos no menos achacosos. La edad promedio de ministros, senadores y gobernadores, era de 70 años. Los jovenazos del régimen, apenas sesentones, constituían la cámara baja. Los de más larga historia, tan larga como la república, eran jueces de la Suprema Corte de Justicia. En otros términos, los báculos de la vejez del dictador eran casi tan viejos como él y algunos más chochos. Varios de los ayudantes de don Porfirio fueron sus compañeros de armas y no tenían por qué ser más jóvenes que él. Otros, los científicos, nacieron en la franja temporal 1841-1856, y por esa causa pertenecían, casi sin excepción, al 8 por ciento de sus compatriotas de más de medio siglo. Entonces la mitad de los mexicanos tenía menos de 20 años y el 42 por ciento entre 21 y 49. La República era una sociedad de niños y jóvenes regida por un puñado de añosos que ya habían dado a la nación y a sí mismos el servicio que podían dar.

1908: La siembra del derrumbe

Ninguno de los factores mencionados —las rupturas agrarias, las novedades laborales, la obturación oligárquica o la vejez porfiriana— habrían podido desencadenar en 1910 la rebelión maderista sin que distintas conjunciones de la política, la economía y en general el azar de la historia sumaran sus malos efectos a los desacomodos de fondo sembrados por el progreso.

El año de 1908 condensa y dispara esa conjunción de adversidades que detonan los cimientos erosionados del antiguo régimen. Fue un año fatal para la economía porque, como dice el propio Luis González, "la naturaleza tomó el partido de los pobres", no de la estabilidad:

> En unas partes llovió más de la cuenta y en otras menos. Hubo, además, temblores nefastos y heladas terribles. La producción de maíz, de por sí insuficiente, bajó. La escasez de gordas y frijoles produjo una situación crítica en el campo, quizás no tan profunda como la de quince años antes pero sí en un momento en que cualquier rasguño causaba honda irritación. En el bienio 1908-1909 la valía anual de los productos industriales se detuvo en 419 millones de pesos, la rama manufacturera se precipitó de 206 millones a 188. La minero-metalúrgica subió ligeramente en volumen pero no en precios. Los metales preciosos y en especial el blanco, se depreciaron [....]. Con los metales industriales, fuera del fierro, pasó lo mismo. La producción de zinc, tan importante en 1906-1907, se fue a pique. [...]. Incluso se llegó a la junta de mercancías que no tenían compradores. Se debilitaron igual las demandas interna y externa, las compras al exterior descendieron en valor y volumen. Los precios de los productos exportables conocieron una baja de ocho por ciento. La balanza comercial tuvo un saldo adverso en 1908. La crisis económica afectó, como de costumbre, a los más amolados, el deterioro de la vida material intensificó el disgusto social, ya tan fuerte antes de la crisis. El país estaba maduro para la trifulca.
>
> 1908 fue también un mal año para las relaciones con Estados Unidos, porque ese año fue fundada, con lujo de concesiones y apoyos oficiales, la compañía petrolera El Aguila, empresa negociada por el gobierno porfirista con el Trust de Weetman Pearson conocido más tarde como Lord Cowdray, en la que participaba como accionista el propio hijo de Díaz. Culminaba ahí el proyecto de alianza con el capital europeo, inglés en este caso, que los porfiristas juzgaban necesaria para equilibrar el dominio de los intereses norteamericanos en México.

El claro favorecimiento gubernamental a la compañía inglesa mediante la cesión de tierras en Chiapas, Tabasco, Veracruz, San Luis Potosí y Tamaulipas, fueron como una declaración de guerra a los poderosos intereses norteamericanos. Sobre todo porque, en esos años, México empezaba a convertirse en un país petrolero de primer orden: la producción de 3 millones 300 mil barriles en 1910 llegó a los 14 millones en 1911, enorme salto que convirtió de golpe al país en el tercer productor mundial de petróleo, La importancia de este litigio en la debacle porfiriana, apenas puede exagerarse: "Algunos observadores —recuerda Friedrich Katz— estaban convencidos de que las reservas mayores del mundo estaban en México. En vista de oportunidades tan vastas, los intereses comerciales norteamericanos en México estaban cada vez menos dispuestos a tolerar la colaboración antinorteamericana del gobierno mexicano con Pearson y muy pronto prevaleció la opinión de que la única manera posible de ponerle punto final a esa colaboración era mediante un cambio de gobierno en México".

En los años setenta del siglo anterior, el régimen porfirista se había inaugurado en medio de virulentas diferencias con Estados Unidos por la incursión de éste en persecución de apaches y forajidos dentro de territorio mexicano. Irónicamente, luego de dos décadas de acuerdo y colaboración, terminaba su mandato llegando por otros caminos a un enfrentamiento parecido, que habría de costarle la neutralidad y a veces el apoyo activo del gobierno estadunidense a las bandas de revolucionarios y sus agentes durante 1910 y 1911.

1908 fue también un mal año para la estabilidad política en las cúpulas porque el propio Díaz se encargó de levantar la compuerta de la agitación política al declararle al reportero norteamericano James Creelman, que México estaba listo para la democracia y que acogería como una bendición del cielo el nacimiento de un partido de oposición. Sus deseos fueron órdenes. Otorgado el beneplácito, el interior político de la sociedad tomó la plaza pública. La murmuración se hizo folleto, la agitación tomó forma de libro. Querido Moheno publicó *Hacia dónde vamos*, Manuel Calero: *Cuestiones electorales*, Emilio Vázquez Gómez: *La reelección indefinida*, Francisco de P. Sentíes: *La organización política de México*, Ricardo García Granados: *El problema de la organización política*, Francisco Madero: *La sucesión presidencial*. Las ansias antiporfiristas vinieron a la arena pública en forma de organizaciones políticas y partidos antirreeleccionistas.

La oposición y la presbicia

Desde la entrevista Díaz-Creelman en junio de 1908, el horizonte de la oposición fue ocupado por la figura del general Bernardo Reyes, antiguo ministro de Guerra. El reyismo caló en zonas sensibles de la vida política mexicana: las logias masónicas, los burócratas modestos, el ejército. Durante el año de 1908 y parte del siguiente, en el norte y el occidente del país, el reyismo hizo brotar clubes, periódicos y oradores altivos. A mediados de 1909, sin embargo, Reyes cedió a la presión de Díaz y apagó con su silencio las incitaciones de sus partidarios. A fines de julio anunció que para las elecciones de 1910 sostendría la candidatura de Don Porfirio y apoyaría la de su enemigo, Ramón Corral, para la vicepresidencia. Como premio a su lealtad, fue privado del mando militar en Nuevo León. A principios de noviembre, el presidente Díaz le concedió audiencia y lo ayudó a aceptar un viaje de estudios militares por Europa.

En coincidencia con este ocaso, a mediados de 1909 se fundaba en la ciudad de México el Club Central Antirreeleccionista, que hizo venir a la luz el encendido oposicionismo de un hombre que al decir de su abuelo intentaba tapar el sol con una mano: Francisco I. Madero. En 1909 Madero era, sobre todo, un predicador, miembro de una acaudalada familia de hacendados coahuilenses, autor de un libro tupido de disquisiciones históricas y activo organizador de grupos oposicionistas empeñado en la definitiva novedad de recorrer electoralmente la república para promover su causa, la causa de la democracia y del antirreeleccionismo que resumía bien, en su carácter eminentemente político, uno de sus lemas de campaña: "El pueblo no quiere pan, sino libertad".

Durante la mitad de 1909 y 1910, Madero recorrió el país en dos etapas, la primera a Veracruz (escenario reciente de la represión obrera en los textiles), Yucatán (territorio de la explosión salvaje y la oligarquía henequenera, recientemente sometida por el porfirismo al dictado del mercado mundial) y Nuevo León, cuna del reyismo. Enero de 1910 lo sorprendió entrando a Sonora en el norte, luego de haber recorrido Puebla y Querétaro en el centro, Jalisco, Colima y Sinaloa en el occidente. Las giras maderistas se resumían en la fidelidad de una pequeña comitiva (la esposa de Madero, Sara; el estenógrafo Elías de los Ríos; Roque Estrada, cercano colaborador y exigente testigo), la visita a ciudades importantes, la celebración de mítines, la fundación de algún club y la pronta salida a otro punto. La hostilidad de las autoridades, el ralo aparato financiero y administrativo del antirreeleccionismo, conferían a las giras del apóstol un aire de ingenuidad y eficacia restringida. Pero la reciente deserción reyista y los muchos brotes de insatisfacción regional, eran un caldo de cultivo propicio a toda posibilidad independiente. "La organización política de Madero —dice Stanley Ross— creció conforme el reyismo se desintegraba. Para los independientes y para muchos reyistas, abandonados por su selecto caudillo, el movimiento maderista fue la salvación".

A principios de junio de 1910, Madero salió de la ciudad de México, esta vez como candidato antirreeleccionista a la presidencia de la República. A sus espaldas dejaba los inicios de las fiestas del Centenario, ese primer plano de carrozas y desfiles, levitas aterciopeladas, miradas endurecidas por la presbicia y los años respetables de tantas barbas blancas y tantas glorias pasadas. Medallas y uniformes de gala, bandas de honor, tribunas incensadas: México 1810-1910, una patria a todo lujo, engalanada para la exhibición de su destino cumplido, remozada por los laureles de su triunfo contra la desintegración de las luchas intestinas, las hecatombes y el desaliño.

En los perímetros de esa patria centenaria empezaba —distinto— el país: un gigantesco cuerpo rural hecho de caminos vecinales y olor a estiércol, de arrieros y peones, de ciudades exiguas y comunidades retraídas. Como se ha dicho, en treinta años, la paz porfiriana había impuesto sólo un cambio drástico a ese mapa desagregado por sus montañas y sus distancias: el sello de herrar que dibujaban las líneas del ferrocarril (México a Veracruz, México a Ciudad Juárez, México a Guadalajara, Tepic a Nogales, Yucatán, Tehuantepec) y la larga telaraña de los telégrafos. En los puntos terminales, los entronques y las comarcas intermedias que tocó el ferrocarril, creció la otra sociedad: minas, gringos, blancos y haciendas modernas; casas comerciales, fábricas, gringos y emigraciones masivas; ciudades vertiginosas, cónsules y propietarios extranjeros, usurpaciones, huelgas, monopolistas, aventureros, grandes almacenes, mujeres encorsetadas, gringos y casinos. Una clase media sin futuro cierto, una incipiente clase obrera, una población flotante atraída como por un imán hacia la frontera. Comunidades campesinas sacudidas en su ritmo secular. Hacendados modernos y patriarcas rurales metidos al cepo del progreso, replegados en las casonas de sus haciendas; familias que por décadas habían tejido con sus caprichos y sus intereses la historia regional y hoy se sabían anacrónicas y posponían su rencor.

Para manejar estos desarreglos, el estilo porfiriano no tuvo sino los diseños de otro hierro de herrar que el país conoció durante esos treinta años: una red gerontocrática de jefes, gobernadores, caciques y ministros; un estilo político educado en el control de una sociedad anterior a los gringos, el progreso y el capitalismo. Las únicas cosas monolíticas y reiterativas, de principio a fin, en la sociedad porfiriana, fueron sus modos políticos, sus afanes verticales y —después de 1900— su complacido encanecimiento.

La grieta en la presa

Madero fue una grieta, imperceptible al principio, en la eficacia de esos hábitos. Hacia su débil promesa corrieron todos los síntomas que el corte porfiriano aplazaba: hacendados con tradición y sin futuro, comunidades reacias a la usurpación de sus tierras, profesionistas sin bufete, maestros incendiados por la miseria y el halo heroico de la historia patria, políticos y militares en conserva. Y esa crucial pequeña burguesía de provincia: tenderos, boticarios, rancheros ansiosos, pequeños agricultores y medieros, ahogados todos por el doble yugo de sus pretensiones locales y la nulidad crediticia y social de sus modestas empresas. Hacia la candidatura de Madero fluyeron también las expectativas norteamericanas, una desconfianza generosa nacida menos de la cautela por la edad física del régimen, que del odio a sus últimos impulsos juveniles que redistribuían a los ingleses concesiones dadas a norteamericanos y abrían la puerta diplomática a potencias como Japón.

Sus giras por la República debieron llevar hasta Madero la certeza de que, efectivamente, todos esos embriones corrían tras su candidatura. Porque como candidato presidencial, Madero dudó cada vez menos de los pronósticos que a nombre del pueblo pudiera hacer él en sus discursos y un día, al bajar del ferrocarril en San Luis Potosí, procedente de la ciudad de México, gritó a los numerosos partidarios que se habían reunido a esperarlo: "Que lo entiendan bien nuestros opresores; ahora el pueblo mexicano está dispuesto a morir por defender sus derechos; y no es que piense incendiar el territorio patrio con una revolución, es que no le arredra el sacrificio".

El desdén con que Díaz y los porfiristas habían visto a Madero desde 1908, se había vuelto a mediados de 1910 estricta atención policiaca. Por su discurso al bajar del tren en San Luis, Madero fue acusado de "conato de rebelión y ultrajes a las autoridades", fue aprehendido en Monterrey y traído al escenario de sus delitos verbales, San Luis, donde fue encarcelado. Querían mantenerlo quieto durante los días de julio en que serían las elecciones. Lo mantuvieron. Díaz fue reelecto. Una semana después del nuevo triunfo, el ministro de Hacienda, José Ives Limantour, que se iba a Europa, pasó por San Luis Potosí y habló con Madero –amigos de la familia y personales de tiempo atrás—. Madero obtuvo su libertad caucional, aunque quedó arraigado territorialmente a la ciudad de San Luis Potosí. Rompió el arraigo, escapó a la frontera y a principios de octubre estaba en San Antonio, Texas, dispuesto a la insurrección. La plataforma mínima de la revolución maderista empezó a circular unos quince días después bajo el nombre de Plan de San Luis. Declaraba nulas las elecciones, ilegítimo el régimen derivado de ellas y espurios a los nuevos representantes populares; otorgaba a Madero el carácter de presidente provisional de los Estados Unidos Mexicanos y convocaba a la insurrección para *el 20 de noviembre de 1910 a las 6 de la tarde.*

No empezó a las seis de la tarde ni el 20 de noviembre de 1910, pero en mayo de 1911, las consecuencias de esa convocatoria habían abierto las puertas a una nueva época histórica de México.

La revuelta

El historiador François Xavier Guerra ha hecho un excelente resumen geográfico, político y militar de la insurrección maderista, empezando por reconocer su radicación espacial en las sierras mineras del norte.

Los preparativos del levantamiento en ciudades como Culiacán, Guadalajara, Chihuahua, Hermosillo, y en algunas localidades del estado de Veracruz y de Puebla, fueron descubiertos sin dificultad, sus instigadores detenidos sin que hubieran podido siquiera utilizar sus armas o aplastados inmediatamente, como Aquiles Serdán en Puebla [...] Un segundo tipo de intento tiene como punto de partida Estados Unidos. Refugiados políticos, como el propio Madero, intentan cruzar la frontera y lanzan expediciones hacia el interior de México con el apoyo de complicidades locales. En Piedras Negras y Ojinaga el fracaso de esos intentos es absoluto. Por último, se producen verdaderos levantamientos. Algunas conspiraciones tienen éxito como las de Jesús Agustín Castro, Orestes Pereyra, Martín Triana y otras ochenta personas en Gómez Palacio, en la región de La Laguna. Hay levantamientos que son apenas insurrecciones de unos cuantos pueblos del norte del país (Cástulo Herrera y Pancho Villa en San Andrés y Santa Isabel, Toribio Ortega en Cuchillo Parado, Chihuahua; los hermanos Arrieta en Canelas, Severino Ceniceros y Calixto Contreras en Ocuila y Cuencamé, Durango). En otros casos se trata de ataques masivos que llevan a cabo varios centenares de hombres de los pueblos de Santa Bárbara, Belleza y Cuevas, contra el gran centro minero de Hidalgo del Parral, intentos que también fracasan y terminan en pequeñas bandas de asaltantes que se refugian en zonas de difícil acceso. Hay sólo una región muy precisa —el occidente de Chihuahua— donde la rebelión triunfa desde un principio y logra mantenerse viva en pueblos y en ciudades pequeñas: San Isidro con Pascual Orozco, Santo Tomás con José de la Luz Blanco, Temosáchic, Bachíniva, Matáchic, Moris con Nicolás Brown, Tomóchic, Caríchic... El mes de diciembre de 1910 confirma esta primera distribución geográfica. La rebelión de la zona occidental de Chihuahua se extiende hacia Janos en el norte y Batopilas en el sur, pero también hacia el oeste donde algunas bandas aparecen en la mina El Barrigón en Sonora, y hacia el oriente en dirección de Satevo. La rebelión de las montañas occidentales de Durango se fortalece cuando Copalquín y las minas de Río Verde, en el distrito de San Dimas, se suman a las rebeliones de Canelas. Un mes y medio después de iniciadas las hostilidades, la zona principal de la revolución maderista muestra contornos perfectamente definidos. Incluye esencialmente el eje montañoso de la Sierra Madre Occidental y se extiende a los estados de Chihuahua, Sonora, Durango y Sinaloa. Un norte de México singular, de agricultura precaria de montaña y bosques. Es sobre todo el México de las minas.

Enero es un mes difícil para la rebelión. A pesar de su debilidad y de su inadecuación para combatir a las guerrillas, el ejército federal lanza una ofensiva y recupera inclusive Ciudad Guerrero, eje de la revolución en Chihuahua, así como los centros mineros de Urique y Batopilas. A pesar de estos descalabros, el núcleo de la rebelión en el occidente de Chihuahua envía una expedición de más de mil hombres hacia el norte. Es en ese momento cuando la región occidental de Durango, que presenta las mismas características, se suma a la revolución y los municipios de Topia y de Tamazula son rodeados por completo. Son movimientos que contrastan con las derrotas de Villa y de algunos grupos dispersos en el centro sur de Chihuahua, zona de latifundios, donde los revolucionarios se ven obligados a replegarse hacia las sierras del norte de Durango. Es así como la rebelión maderista se arraiga en las zonas de las montañas y las minas.

En febrero la situación mejora para los rebeldes. El ejército federal abandona definitivamente el occidente de Chihuahua y la rebelión se extiende a la región de las minas del oriente de Sonora. Se producen levantamientos en las minas del centro de Chihuahua (Naica, Santa Eulalia, en Aldama). Fracasan, pero son una prueba de la multiplicación de los núcleos rebeldes. También por primera vez después de tres meses de lucha, surge un nuevo núcleo en el sur del país: el de Gabriel Tepepa, anterior inclusive al levantamiento de Zapata en Morelos.

El viraje decisivo de la revolución se registra en la segunda quincena de marzo. Toda la sierra de Durango está para entonces en manos de los revolucionarios y empiezan a desbordarse hacia la planicie de la costa (Badiraguato, Guamúchil, Mocorito) y hacia la región minera del sur de Sinaloa (Pánuco). Algunos núcleos dispersos en Durango y en Zacatecas atacan ciudades del centro: Jesús Agustín Castro en Villa Hidalgo, Durango; Luis Moya inicia una larga cabalgata que lo lleva al sur de Durango y a la región minera del sur de Zacatecas (Juchipila, Mezquital del Oro, Nochixtlán). En Sonora los revolucionarios sufren reveses en Ures y en Agua Prieta. Pero sus fracasos prueban también que han adquirido suficiente fuerza para atacar localidades importantes. Por último, a principios de marzo, los hermanos Figueroa se sublevan en la región minera de Huitzuco, Guerrero. El 10 de marzo se inicia la insurgencia zapatista.

En abril la rebelión crece como una mancha de aceite. Las tropas del occidente de Chihuahua, donde sólo resisten las minas aisladas de Chínipas, asedian la ciudad fronteriza de Ciudad Juárez. En Sonora, la también fronteriza Agua Prieta cae por unos días en manos rebeldes. El ejército federal sólo puede controlar algunos puntos claves del ferrocarril. En Durango las tropas bajan de las montañas occidentales a los llanos del centro y rodean la ciudad capital; en el oriente caen las ciudades mineras Indé y Mapimí, Velardeña, Cuencamé, San Juan de Guadalupe, Juego Nazas y Gómez Palacio. Toda la región de agricultura de irrigación de La Laguna, entre Durango y Coahuila, sufre las embestidas de los revolucionarios. En Sinaloa los combates inundan las llanuras centrales y en el norte y la región minera del sur caen Palmillas, Guadalupe de los Reyes, San Ignacio y Concordia. A fin de mes el puerto de Mazatlán está totalmente rodeado. En Zacatecas la tropa de Luis Moya llega a los grandes centros mineros: Fresnillo, Nieves, Sombrerete. En el sur la rebelión de los Figueroa se extiende en Guerrero, la de Zapata en Morelos y en Puebla donde logra apoderarse por unos cuantos días de Izúcar de Matamoros.

Finalmente en el mes de mayo triunfa la revolución. El día 9 Orozco y Villa toman por asalto la ciudad fronteriza más importante, Ciudad Juárez. El éxito militar precipita la firma de un armisticio el día 18, y el 21 se concluyen los acuerdos de paz que prevén la formación de un gobierno provisional. En los días que siguen a la victoria, sobre todo después de la firma de los acuerdos de paz, las tropas revolucionarias en campaña atacan otras ciudades que escapan a su control. Luego de sangrientos combates, el 15 cae Torreón en La Laguna, Iguala el día 12, Cuautla el 19, Culiacán el 30, Mazatlán el 6 de junio. En Chihuahua y en Sonora, gracias a acuerdos firmados, los maderistas no encuentran resistencia para ocupar ciudades que todavía estaban en manos del ejército federal. En el resto del país, núcleos revolucionarios dispersos crecen en unos cuantos días y sin ninguna resistencia entran en San Luis Potosí, Córdoba, Orizaba, Saltillo, Pachuca, etc. La fase militar de la revolución maderista llegó a su fin a principios de junio de 1911.

La doma del tigre

Los tratados de Ciudad Juárez, acordaron la renuncia de Díaz y el fin de la rebelión. Cuatro días después, el 25 de mayo, don Porfirio firmó su renuncia. Al día siguiente se embarcó en Veracruz en el barco Ypiranga, rumbo a su destierro mortal. En algún punto de ese trayecto a la última frontera mexicana que pisó, se le llenaron los ojos de lágrimas, como había empezado a hacérsele costumbre, y resumió en una frase la realidad del México en armas que le había volteado la espalda: "han soltado un tigre".

De inmediato, los propios triunfadores trataron de amarrarlo. Para empezar, los tratados de Ciudad Juárez omitieron toda alusión al artículo tercero del Plan de San Luis que había hecho la promesa de tierras para el México rural:

> Abusando de la ley de terrenos baldíos numerosos pequeños propietarios, en su mayoría indígenas, han sido despojados de sus terrenos... Siendo de toda justicia restituir a sus antiguos poseedores los terrenos de que se les despojó de un modo tan arbitrario, se declaran sujetas a revisión tales disposiciones y fallos y se les exigirá a los que los adquirieron de un modo tan inmoral o a sus herederos, que los restituyan a sus primitivos propietarios, a quienes pagarán también una indemnización por los perjuicios sufridos.

Enseguida, fueron reconocidos los fueros del ejército federal, contra el que habían combatido los insurgentes y se convino el licenciamiento precisamente de las guerrillas maderistas que habían puesto fin a la era porfiriana. Finalmente, como si la caída del gobierno porfirista hubiera sido fruto de secretas presiones de gabinete y no del auge de una rebelión, se acordó en Ciudad Juárez constituir un gobierno interino según lo previsto por la ley vigente: el secretario de Relaciones en funciones, Francisco León de la Barra, fue llevado a la presidencia.

Abolir su origen, licenciar a sus fuerzas, resguardarse preventivamente de los zarpazos del tigre que había soltado fue la decisión histórica de Madero en su camino al poder. Adscrito a la vieja legalidad, quiso clausurar la agitación y las expectativas recién abiertas del país que quería gobernar, para establecer en la república convulsionada simplemente un nuevo gobierno, no un nuevo orden. Parecía reconocer así en su movimiento el impulso de una rebelión política decimonónica, no el rumor de una revolución social del siglo XX. Encontró pronto resistencia en ambos lados del camino, entre las corrientes insatisfechas que necesitaban el cambio y entre los intereses creados que ambicionaban la restauración.

El 7 de junio de 1911, por entre más de 100 mil vitoreantes mexicanos, Madero entró triunfante a la ciudad de México. Quince días después, el 24 de junio de 1911, ensayó en un manifiesto la primera explicación de la revolución triunfante. Característicamente, Madero prometió ahí que haría todo lo posible por aliviar las carencias de las clases económicas débiles pero no anunció una mejora de los salarios; externó su solidaridad con los desposeídos pero también su convicción de que sólo el trabajo podría redimirlos. En el otro lado del espectro, también sembró incertidumbres al advertir a los empresarios que no tendrían ya "la impunidad de que en otros tiempos gozaban los privilegiados de la fortuna, para quienes la ley era tan amplia como lo era estrecha para los infortunados".

La muestra palpable de esta vocación maderista de navegar entre dos aguas produjo desaliento incluso entre los más cercanos colaboradores de Madero. El 26 de junio de 1911, sólo dos días después de expedido el manifiesto, Roque Estrada manifestó en una carta a su antiguo dirigente que él y muchos otros veían en Madero "al apóstol y al caudillo pero nunca al gobernante".

El pleito arriba, la resistencia abajo

Una importante ala del frente maderista inicial, representada por los hermanos Emilio y Francisco Vázquez Gómez, hizo causa política aparte nada menos que para imponer el cumplimiento del Plan de San Luis. Con apoyo de varios jefes revolucionarios, los vazquistas iniciaron una conspiración abierta para disolver el gobierno interino, ascender de inmediato ¡al propio Madero! a la presidencia y dar paso a la "renovación plena" que exigían las circunstancias políticas del país.

Ese litigio, iniciado a finales de junio, llegó a un desenlace el 2 de agosto de 1911 con la renuncia de Emilio Vázquez Gómez a la cartera de Gobernación y el arresto de cuatro generales. El 23 de agosto era lanzado en Texcoco un plan insurreccional vazquista, redactado por Andrés Molina Enríquez, que desconocía al gobierno de De la Barra, entregaba la jefatura de la revolución a Emilio Vázquez Gómez, se reservaba la facultad de legislar sobre el fraccionamiento de los latifundios mayores de dos mil héctareas (el denunciante podría escoger la parte que más le conviniera), pedía que las rancherías se declararan corporaciones de interés social y político de la nación. La iniciativa de Madero de disolver el Partido Antirreeleccionista, cuya consigna carecía ya de sentido, para dar paso a un Partido Constitucional Progresista, fraguó la escisión con el otro Vázquez Gómez, Francisco, previsto para ocupar la vicepresidencia con Madero. A principios de septiembre, en medio del levantamiento vazquista, la convención del nuevo partido escogió a José María Pino Suárez como compañero de fórmula de Madero a la vicepresidencia.

Las elecciones de octubre encontraron así plenamente incubada la rebelión vazquista, que inquietó los estados norteños porque pudo atraer a varios jefes exmaderistas resentidos, como Emilio Campa y José Inés Salazar. También encontró a un Madero disminuido en su popularidad, al grado de que la corriente de su otro opositor connotado, el general Bernardo Reyes, llegó a pensar en la conveniencia de una postergación de las elecciones. Reyes había regresado a México el 9 de julio de 1911, había reagrupado partidarios, calentado ilusiones y calculaba que en unos meses más el prestigio abrumador de Madero se habría diluido suficientemente como para perder incluso las elecciones. Pero las cosas no fueron tan fáciles. El Congreso rehusó la solicitud reyista de que fueran pospuestas las elecciones. Luego de un rejuego de acuerdos y desacuerdos entre Reyes y Madero, una turba maderista maltrató al anciano general en un mitin. Maltratado y desairado, Reyes emprendió entonces su penúltima aventura política y salió a San Antonio decidido a acaudillar una insurrección. El 16 de septiembre de 1911, día de la independencia nacional, lanzó desde Texas un Plan de la Soledad que resultó, en efecto, un plan solitario. No contó con la simpatía norteamericana, cuyas autoridades llegaron a arrestar a Reyes por violación de las leyes de neutralidad, ni arraigó en territorio mexicano. Los contingentes esperados no afluyeron al paso del general, quien terminó su patética aventura el 25 de diciembre de 1911, entregándose por propia voluntad, derrengado y con la ropa hecha girones, en un cuartel de Linares, Nuevo León. De ahí fue trasladado a la prisión militar de Santiago Tlatelolco, donde quedó recluido como una bomba de tiempo y de donde saldría poco más de un año después camino a su última aventura, el 9 de febrero de 1913, con la sublevación que dio inicio a la semana trágica que ensangrentaría a la capital y llevaría a su holocausto al gobierno de Madero.

Durante el desgastador gobierno interino, hubo también movimientos ajenos a la cúpula que se salieron del cauce de la conciliación y tomaron su propio camino.

Un eje natural de disputa fue la resistencia de las guerrillas maderistas al licenciamiento. Por todo el país la voz del licenciamiento trajo motines y desgarramientos políticos, regresó a la sierra a muchas pequeñas bandas y dio ocasión a revanchas del ejército federal contra guerrilleros de la primera hora, efectuadas ahora a nombre de la legalidad, del nuevo gobierno y hasta del propio Madero. Ese ajuste de cuentas y la persistencia del ejército federal, explican en gran medida la persistencia colateral, hasta fines de 1912, de múltiples focos de insurrección, correría y simple bandidaje en diversos puntos del país.

Fue un proceso crucial. La resistencia de algunos gobiernos maderistas al licenciamiento de esas fuerzas, particularmente en Sonora y Coahuila, permitiría ir cuajando durante 1911 y 1912 una fuerza militar alternativa al todavía intacto ejército federal. Los llamados "cuerpos auxiliares" formados por maderistas no licenciados, agruparon a los principales jefes insurgentes y sus mejores tropas en ejércitos organizados profesionalmente, pagados y avituallados como un ejército regular. Considerablemente fortalecidos en el norte durante 1912 por la lucha contra el orozquismo, a la hora del golpe de Estado huertista de 1913, esos cuerpos pudieron oponer una red militar efectiva al ejército federal y desatar la revolución constitucionalista.

En materia de licenciamiento, los zapatistas fueron, como siempre, más allá: condicionaron del todo su entrega de las armas a la entrega simultánea e igualmente plena de la tierra. Dieron así principio largas negociaciones de Zapata con el gobierno central, incluyendo varias infructuosas entrevistas con Madero. La última de ellas entre el 18 y el 25 de agosto en Cuautla, sólo precedió a la reanudación de la ofensiva del ejército federal contra los campesinos de Morelos. Pueblo por pueblo, la nueva voz de guerra zapatista rearmó partidarios y propagó incursiones hasta las puertas mismas de la ciudad de México. Para septiembre, en su peculiar modalidad de guerra de guerrillas, que habría de dominar la organización política y militar del sur mexicano durante la siguiente década, todo el territorio de Morelos estaba sublevado y el ejército federal, como en la época porfiriana, combatía en ellos nuevamente a las bandas irreductibles de la ignorancia, la crueldad analfabeta y "ese amorfo socialismo agrario", como lo describiría el propio Madero en su informe al Congreso del 1º de abril de 1912, "que para las rudas inteligencias de los campesinos de Morelos sólo puede tomar la forma del vandalismo siniestro".

Ultrajes en el sur

Madero fue elegido presidente el 1º de octubre de 1911, por una votación abrumadora del 98% de los votos, en las elecciones más abiertas que México hubiera tenido hasta entonces. El 6 de noviembre siguiente tomó posesión del cargo para empezar a gobernar la república democrática, socialmente paralítica, en cuyo incendio habría de perder la vida.

No era para esos momentos el apóstol universal e incuestionado que entró a la capital el 6 de junio aclamado por la multitud. Era un hombre que se había separado de muchos de sus partidarios. Había impuesto en la vicepresidencia a un candidato, José María Pino Suárez, cuya elección no dejó de exigir manipulaciones y coerciones en distintos estados de la República. Con la política de licenciamiento, había enajenado la voluntad y erigido la sospecha en el corazón de muchos combatientes, jefes y políticos que lo habían acompañado en la insurrección de 1911. Había puesto al ejército en el centro de una campaña de pacificación, librada por su mayor parte contra los pueblos del sur y las bandas maderistas de otra hora. Había buscado una componenda con el viejo régimen introduciendo en su gobierno a personajes conservadores, claramente ligados con la dictadura y no había comprometido ninguna reforma social de fondo, olvidando en cambio sus promesas agrarias iniciales. Al mismo tiempo, pese a todas sus concesiones a la corriente restauradora, no sólo no había persuadido de su confiabilidad a los intereses extranjeros y los grupos de empresarios, altos burócratas y financieros de origen porfiriano, sino que había sellado su suerte ante ellos como un usurpador, un soñador loco, inescrupuloso promotor de los intereses de su familia, al que tarde o temprano habría que cobrarle la cuenta.

La convicción de Madero era que el país necesitaba un cambio político no una reforma social. En consecuencia, su proyecto gubernativo fue extraordinariamente abierto en el orden de las libertades democráticas —parlamento, prensa, elecciones— y extraordinariamente inmóvil en el orden de las reformas sociales y la transformación de privilegios heredados del viejo orden. Fue el caso del ejército, al que no sólo no desmanteló, sino que puso en el centro de su gobierno como dique activo a las inconformidades de sus propios correligionarios de otra hora; y fue también el caso de la burocracia maderista, que en mayoría abrumadora repitió la del establecimiento porfiriano.

Quienes buscaban en la marea revolucionaria algo más que un nuevo gobierno y una nueva inmovilidad social, se desgajaron del árbol maderista.

Apenas veinte días después de la toma de posesión, luego de una corta pero cruda experiencia de represión militar y devastación de sus pueblos y cosechas, los pueblos zapatistas se cobijaron bajo el documento que formuló el sentido y los objetivos de su lucha, el Plan de Ayala, y entraron de nuevo a la guerra con el otro mundo que, matices más o menos, Madero y sus soldados y sus proyectos de reforma seguían representando.

En ese documento, firmado el 25 de noviembre de 1911, Madero aparecía como el violador de los principios de sufragio efectivo y no reelección que había jurado defender, era el ultrajador de "la fe, la causa, la justicia y las libertades del pueblo", el hombre "que impuso por norma gubernativa su voluntad e influencia al Gobierno Provisional", causando "reiterados derramamientos de sangre", y el "traidor a la patria, por estar a sangre y fuego humillando a los mexicanos que desean libertades a fin de complacer a los científicos, hacendados y caciques que nos esclavizan".

El estilo, era pobre —lo atribuye John Womack a la fantasía retórica de Otilio Montaño—, pero el diagnóstico político de los límites maderistas era sin duda exacto: "El jefe de la revolución libertadora de México, Francisco I. Madero [...] no llevó a feliz término la revolución que gloriosamente inició con apoyo de Dios y el pueblo, puesto que dejó en pie la mayoría de los poderes gubernativos y elementos corrompidos de la opresión del gobierno dictatorial de Porfirio Díaz [que] está provocando el malestar en el país y abriendo nuevas heridas y trata de eludirse del cumplimiento de las promesas que hizo a la nación en el Plan de San Luis Potosí".

El Plan de Ayala fue la más clara y orgánica expresión del agravio que la conciliación maderista infligía a las fuerzas sociales agitadas por la insurrección de 1910. Fue también una ruptura significativa por la virulencia anticipatoria de su antimaderismo, una desmesura verbal que habría de ser característica de las fuerzas que confluyeron más tarde al arrasamiento del apóstol.

El Plan de Ayala no se planteaba el problema del poder y su reorganización. Nombraba sólo a Pascual Orozco jefe de la Revolución Libertadora y a Zapata, en caso de que Orozco se negara. Era el programa por excelencia de la rebelión campesina y la lucha agraria de México. Estipulaba que pueblos y ciudadanos despojados de terrenos, montes y aguas entrarían desde luego en posesión de esos bienes "manteniendo a todo trance con las armas en la mano la mencionada posesión". Definía como obligación de los "usurpadores" —no de los nuevos poseedores— demostrar ante tribunales futuros sus derechos. Habrían de expropiarse la tercera parte de las tierras, montes y aguas de que no podían disfrutar sino los poderosos propietarios que las monopolizaban y se nacionalizaría la totalidad de los bienes de "hacendados, científicos o caciques" que se opusieran al Plan de Ayala.

La pérdida del arriero

La zapatista fue la veta más duradera de las rebeliones de 1911, habría de cruzar la totalidad de los años de Madero hasta emparentarse con la nueva oleada insurreccional de 1913. Fue sin embargo la rebelión de Pascual Orozco el síntoma definitivo que el gobierno de Madero jugaba a sostener un delicado e imposible equilibrio entre las dos fauces que lo cercaban. De un lado, la exigencia de un corte más radical en el impulso revolucionario; del otro, el rencor, la suspicacia, la intransigencia restauradora de las fuerzas de la contrarrevolución. La rebelión de Orozco pareció conjugar estos dos polos en una mezcla explosiva. Estalló en marzo de 1912, pero fue lentamente incubada en los errores y las indecisiones del maderismo a partir de la afrenta inicial de dar la espalda a las fuerzas que lo habían llevado al poder.

Al terminar 1911, Pascual Orozco era, como muchos otros, un jefe resentido por la facilidad con que Madero y los suyos se olvidaron de sus servicios en cuanto estuvo libre la vía hacia la ciudad de México. Los maderistas premiaron la fundamental tarea militar de Orozco con el puesto de comandante de los rurales de Chihuahua, "posición modesta" dice el historiador Michael Meyer, "recompensada con un salario más modesto aún: ocho pesos diarios".

Orozco había buscado entonces otro camino aceptando la candidatura a gobernador de Chihuahua a que lo incitaron varias fuerzas locales.

Pero el candidato de Madero era Abraham González y el gobierno interino del estado trabajó para esa causa contra Orozco. Periódicos, discursos callejeros, mítines y políticos de toda especie apoyaron sin reticencias la causa de González y lanzaron sobre Orozco y sus seguidores el persistente calificativo de reaccionarios. Finalmente Madero mismo pidió al antiguo arriero que olvidara el asunto. Orozco depuso su candidatura en julio, pero no olvidó.

Madero podía tener razón al preferir como gobernador a Abraham González, un hombre ilustrado con el que podía entenderse y en cuya habilidad administrativa podía confiar, y no al antiguo arriero a quien sólo la guerra y la violencia habían sacado de la vida anónima del campo norteño. Pero Orozco vivió esa preferencia como una traición personal y como la prueba de que las promesas democráticas del Plan de San Luis eran una broma. A la injuria siguió la afrenta. En septiembre de 1911, recelando de las posibles vinculaciones de Orozco con el reyismo, el presidente interino De la Barra optó por separarlo del mando de los rurales de Chihuahua (estado que Bernardo Reyes podía incendiar desde San Antonio si Orozco lo secundaba) y transferirlo a Sinaloa con el mismo cargo, aunque casi con el doble de sueldo. Al tomar posesión en noviembre, Madero regresó al arriero a Chihuahua, ahora como jefe de la guarnición de Ciudad Juárez.

Orozco pasó sin titubear por las insinuaciones reyistas y más tarde contuvo a algunos de sus viejos colaboradores, como Antonio Rojas, que se habían pegado al plan de rebelión vazquista. Pero en enero de 1912, luego de una entrevista con Madero en la ciudad de México, renunció a su puesto militar en Chihuahua y se encaminó a la ruptura definitiva. En esa entrevista Madero pidió a Orozco dos cosas inotorgables. Primero, que presionara a la legislatura estatal para que el gobernador interino (sustituto de Abraham González, que había venido al gabinete maderista en la capital) recibiera facultades omnímodas en diversos ramos, el militar entre ellos. Segundo, trasladarse al frente zapatista para hacer ahí con los sureños lo que el ejército regular no podía hasta entonces: aniquilarlos. Orozco había probado ya, con amargura, los rigores de la política estatal y no tenía por qué fortalecer al gobernador interino con poderes que luego podrían revertirse en su contra. Y sus relaciones con Zapata, por poco orgánicas o fluidas que fuesen, retenían el nexo profundo del origen rural y una historia personal paralela, cosas que el general chihuahuense no podía respirar en las alturas del gobierno maderista. Formalizando esa afinidad electiva, el artículo 3 del Plan de Ayala, había reconocido en Orozco al jefe de la revolución que ahora Madero le pedía sofocar. Orozco renunció. Madero no aceptó su renuncia y el general norteño todavía dio una muestra de lealtad al sofocar un segundo intento de insurrección vazquista en Chihuahua. A fines de febrero, sin embargo, esa revuelta tocó varios lugares del estado y la legislatura local, reconociendo la debilidad del gobernador interino, Aurelio González, aceptó su renuncia y nombró finalmente gobernador a Orozco para detener la oleada.

Pero para entonces Orozco ya no quería el puesto. Aceptarlo hubiera significado empezar a combatir con sus propios hermanos de armas de otro tiempo: Emilio Campa, José Inés Salazar, Demetrio Ponce, que volvían a trajinar la sierra con el estandarte vazquista. Y estaba ya decidido, por su cuenta, a romper. Aparte de las razones que el arriero pudiera tener, los grupos de hacendados, comerciantes y banqueros del estado, esperaban atentamente y fomentaban esa ruptura desde el año anterior. El gobierno maderista los amenazaba a principios de año con una nueva legislación fiscal que restringiría sus ganancias. Necesitaban un hombre fuerte.

Orozco, por su parte, necesitaba financiamiento y era sensible a los halagos y distinciones que reconocían en su caso un ejemplo de la ingratitud de Madero hacia quienes lo habían llevado al triunfo, ese triunfo que hoy Madero "repartía" entre su parentela y sus amigos. Envanecido e irritado, seducido también por las voces de antiguos lugartenientes que ya tenían el rifle en alto, Orozco se puso en manos de quienes lo impulsaban ofreciéndole ayuda monetaria, para luchar en contra de quienes lo habían postergado.

Para su desgracia, sus patrocinadores veían en él, de nuevo, un instrumento, y sus intereses estaban lejos de coincidir con el tipo de renovación que el general presentía oscuramente como tarea del futuro. El dinero de la oligarquía chihuahuense corrió hacia las listas de raya y las facturas de las armas de los ejércitos de un hombre que instintivamente peleaba por destruir lo que en el gobierno maderista se parecía tanto a la oligarquía chihuahuense que lo patrocinaba.

Un ejército triunfante

La rebelión se declaró el 3 de marzo de 1912; el 25 de ese mismo mes, encontró su código en el llamado Plan de la Empacadora, que incluía una vehemente condena de Madero y postulaba un virulento nacionalismo antinorteamericano, sinceridad que marcaría su suerte adversa en el tráfico de armas y la nula colaboración de las autoridades estadunidenses de la frontera, una de las razones por las que el movimiento orozquista no pudo crecer después de cierto punto.

En el ámbito político, el plan orozquista demandaba la desaparición de la vicepresidencia y de los jefes políticos, la efectiva autonomía municipal, la garantía a todas las formas de la libertad de expresión y la ampliación del periodo presidencial de cuatro a seis años. En el ámbito económico y social, exigía la inmediata destrucción de las tiendas de raya, el pago de trabajadores en moneda, días de trabajo de diez horas (¡), severas restricciones para el trabajo infantil y la promesa de mejores salarios y condiciones de trabajo. La cuestión agraria era abordada con menos radicalidad, pero también con más modalidades que en el Plan de Ayala: quienes hubieran residido en un terreno por veinte años recibirían títulos de propiedad sobre él; las tierras ilegalmente sustraídas a los campesinos les serían devueltas y se repartirían todas las tierras sin cultivar y las nacionalizadas. Los hacendados que no mantuvieran sus tierras regularmente bajo cultivo serían expropiados mediante bonos agrícolas que pagarían un interés de cuatro por ciento.

Luego de los planes, las balas. La rebelión orozquista incendió al principio el norte serrano occidental de Chihuahua y oriental de Sonora, precisamente como lo había hecho el maderismo. Y en ciertas regiones con mayor rapidez.

La mayor parte de Chihuahua cayó en manos de los orozquistas antes de que el gobierno pudiera reaccionar, y el orozquismo avanzó hacia el sur. El 23 de marzo en Rellano, un punto intermedio entre Torreón y Chihuahua, hubo la primera batalla formal de los rebeldes con el gobierno, con un resultado desastroso para el ejército federal, cuyo comandante, José González Salas, humillado por la derrota, se suicidó durante la retirada.

La derrota federal hizo patente la escasez de cuadros militares confiables en el ejército. Ante la histeria generalizada de la capital que veía ya bajar del norte a la nueva revolución triunfante, un general llamado Victoriano Huerta reapareció en las decisiones de Madero, que lo hizo responsable de la campaña. Era el mismo general que, desoyendo las instrucciones de Madero, había roto unilateralmente una tregua con los zapatistas en agosto de 1911, precipitando la ruptura de los surianos con el maderismo. La derrota de Rellano alteró las cosas y el argumento de la capacidad bélica de Huerta pesó más que el de su deslealtad política.

Huerta asumió con eficacia la campaña, reconstruyó la línea de dominio militar hasta Torreón, dedicó el mes de abril a configurar las defensas y resistió un ataque orozquista sobre Monclova, en Coahuila. Enfrentó nuevamente al grueso del contingente rebelde en Rellano el 23 de mayo de 1911, alzándose con una victoria que quebró el espinazo del ejército regular orozquista. Lo demás fue una campaña de consolidación y lucha antiguerrilla, incómoda y penosa pero en ningún sentido amenazante para el dominio militar federal de la República, ni siquiera para la intranquilidad del norte o del propio estado de Chihuahua, a cuya capital entró Huerta con su ejército el 8 de julio de 1912.

Para principios de octubre, la rebelión orozquista había terminado, sus contingentes habían sido limpiados de sus ramificaciones en Sonora y Orozco mismo había pasado a Estados Unidos reconociendo su derrota. Por contraste, el ejército federal había cosechado en esa campaña legitimidad y prestigio, sus mandos aparecieron como verdaderos baluartes del orden establecido, fueron vistos triunfantes por primera vez frente a los ejércitos irregulares y los intereses extranjeros empezaron a ver en Huerta al hombre fuerte que podría arreglar la democracia descompuesta de Madero.

En octubre se sublevó en Veracruz un sobrino de Porfirio, Félix Díaz, con el peculiar argumento de que el honor del ejército había sido pisoteado. Su llamado golpista a la solidaridad castrense no prosperó y a fines de octubre, tras un breve combate, el propio ejército recuperó la plaza y mandó al sobrino de su tío a una prisión militar en la ciudad de México. Un tribunal sometió a juicio al sublevado y lo condenó a muerte. Ante Madero intercedieron por el sublevado diputados de la legislatura y la Suprema Corte resolvió que no estaba sujeto a la justicia militar. A fines de noviembre, ante la presión pública y política que defendía los fueros del sublevado pese a su clara inspiración golpista, Díaz fue también recluido, como Bernardo Reyes, en una prisión militar.

Así en el otoño de 1912, los movimientos armados que desafiaban la estabilidad maderista se habían desvanecido. La localización geográfica de la guerra zapatista no amenazaba al conjunto del gobierno. El vazquismo se había disuelto, los generales Bernardo Reyes y Félix Díaz estaban presos y la derrota del orozquismo había limpiado de oposición armada las montañas y los pueblos norteños.

La democracia golpista

No iban mal las cosas en otros frentes. Luego de un año de huelgas y tensiones obreras, particularmente en el corredor de las fábricas textiles Veracruz-Puebla-Distrito Federal, el gobierno maderista había podido satisfacer exigencias básicas de los trabajadores: reducción de la jornada de trabajo, aumento general de salarios, freno a la impunidad de castigos, descuentos y reprimendas que trasladaban al interior fabril una cultura de hacienda rural. Los industriales obtuvieron a cambio una regulación más estricta de las condiciones de trabajo, horarios, descanso, responsabilidades y mayores posibilidades de productividad. Era un éxito de la negociación justamente en el escenario donde Porfirio Díaz había cosechado cuatro años antes el aviso sangriento de Río Blanco. Como extensión de este importante acuerdo en el sector textil, a fines de ese año de 1912, el Departamento de Trabajo, establecido en diciembre del año anterior, preparaba un proyecto de código laboral para el conjunto de los trabajadores industriales.

En el frente agrario, la misma legislatura y el consejo de ministros estudiaban un primer proyecto de restitución de las tierras de los pueblos usurpadas durante el régimen porfiriano y se había terminado un deslinde de tierras nacionales. Parecían ponerse ahí las bases para el inicio de una reforma agraria, todo lo tímida que pueda pensarse, pero la primera respuesta política de algún aliento a la demanda fundamental que latía bajo la fachada cerril de los levantamientos que habían sacudido al país y seguían sacudiendo en el sur su corazón campesino. Al terminar el año de 1912, muchas cosas apuntaban bien hacia el futuro. Pero la desconfianza, la división y la intriga corroían al régimen maderista. Los escenarios de la erosión fueron el Congreso y la opinión pública, el ejército, el cuerpo diplomático y la embajada estadunidense.

Las cámaras de diputados y senadores, electas en comicios abiertos el 30 de junio de 1912, fueron el lugar de la contrarrevolución institucionalizada y la división maderista. Ahí se exigieron del nuevo régimen todas las garantías para los intereses del viejo y en sus curules gastó el maderismo en escisiones internas lo que hubiera debido invertir en su consolidación. La prensa fue, por su parte, el lugar del escarnio. Invadían los periódicos truculentos y sistemáticos relatos de bandidaje, depredaciones, pérdidas de cosechas, cierre de fábricas, quiebra de empresas y familias. Envuelta en la exageración y la burla, se imponía la imagen de un país caracterizado por la inseguridad crónica y la ineptitud del gobierno para garantizar la estabilidad. Al señalamiento gubernamental de que la situación no debía exagerarse, la oposición respondía acusando al gobierno de actuar como el avestruz, mientras la prensa ejercía contra Madero la más intensa campaña de ofensa y descrédito personal que haya recibido alguien en la historia de México. En sátiras, caricaturas y versos, implacables, Madero fue descrito reiteradamente como el chaparro físico y mental, el espíritu indeciso, el cínico nepotista, el apóstol de pacotilla, el hombrecillo sin pantalones y la mayor nulidad gubernativa. La nota más escandalosa de ese desahogo sin cortapisa era, quizá, que se vertía contra un hombre cuya convicción era permitirlo en aras de la democracia.

Pero la burla, el descrédito, las escisiones internas y la histeria capitalina por el vandalismo dejado por la revolución, no habrían sido suficientes para mover de su lugar al gobierno maderista si no hubiera participado también, en abierta combinación con el ejército (que conspiraba desde meses atrás), el embajador norteamericano Henry Lane Wilson, representante de un gobierno que habría de abandonar la Casa Blanca en los primeros meses de 1913 y que sin embargo se propuso en su recta final derrocar al gobierno de su país vecino.

De la embajada al paredón

Sistemáticamente el embajador Wilson había contado a su gobierno una historia peculiar del nuevo régimen. La nota dominante en esa versión era la inseguridad de vidas y propiedades norteamericanas, la incapacidad del gobierno y del soñador que habitaba Palacio para restablecer una paz duradera, la inquietud de los intereses extranjeros, la preocupación de los gobiernos europeos por el desorden, la necesidad de ponerle fin a ese carnaval con una intervención norteamericana y con la imposición de un gobierno estable y fuerte.

En apoyo de su historia, el embajador Wilson inventó éxodos de estadunidenses desesperados y armó a grupos de compatriotas residentes, persuadió a su gobierno de estacionar buques de guerra frente a las costas mexicanas y aseguró sin cesar a la Casa Blanca (Taft el presidente republicano, Knox el secretario del Departamento de Estado) que en su campaña contra los intereses norteamericanos en México, Madero preveía confiscaciones y decretos inequitativos. En seguimiento de los informes de Wilson, el 15 de septiembre de 1912, Washington cursó a Madero la nota de protesta más enérgica enviada hasta entonces culpándolo de discriminar a sus empresas y a sus ciudadanos, entre otras cosas por haber establecido un impuesto al petróleo crudo (20 centavos la tonelada).

La nota fue respondida con negativas. En ese momento, según el ministro alemán en México, Paul Hintze, "Washington sintió la necesidad de actuar" y en una larga conversación con el presidente Taft y el secretario de estado Knox, Wilson propuso o apoderarse de una parte del territorio y conservarlo o derrocar el régimen de Madero. El presidente Taft había estado dispuesto a hacer ambas cosas pero Knox se había opuesto a la idea de ocupar territorio mexicano. Entonces los tres acordaron subvertir el gobierno de Madero. Para este fin utilizarían la amenaza de intervención, promesas de puestos y honores y soborno directo en efectivo.

Refiriéndose a Madero y a la situación mexicana, el presidente Taft escribió a su secretario de Estado el 16 de diciembre de 1912:

> Estoy llegando a un punto en que pienso que deberíamos colocar un poco de dinamita con el objeto de despertar a ese soñador que parece incapaz de resolver la crisis en el país del cual es presidente.

La conspiración estalló dentro del ejército el 9 de febrero de 1913 con el levantamiento de varios sectores de la guarnición de la capital que liberaron a los célebres presos Félix Díaz y Bernardo Reyes, fracasaron en su intento de tomar el Palacio Nacional —Reyes cayó en la refriega— y se refugiaron en la Ciudadela bajo el mando de Díaz para dar inicio así a la llamada Decena Trágica, diez días de una "falsa guerra" que desquició la capital, horrorizó a sus habitantes, probó la ineficacia del gobierno y dio paso al golpe final contra Madero.

El 10 de febrero de 1913, el embajador Wilson informó a la Casa Blanca que se llevaban a cabo negociaciones entre el jefe de los pronunciados, Félix Díaz, y el general Victoriano Huerta, a quien el presidente Madero había puesto nuevamente al mando del ejército pensando repetir la fórmula triunfal de la lucha contra Orozco. A inmediata continuación, Wilson prometió a Huerta que Washington reconocería a "cualquier gobierno capaz de establecer la paz y el orden en lugar del gobierno del señor Madero". Luego convocó a los diplomáticos de Inglaterra, Alemania y España para formar un grupo diplomático representativo que actuara políticamente en la coyuntura. Luego sugirió a la Casa Blanca el envío de "instrucciones firmes, drásticas, quizá de carácter amenazante para ser transmitidas personalmente al gobierno del presidente Madero", y el 11 de febrero, efectivamente, Wilson visitó al presidente Madero para amenazarlo con la intervención de los barcos de guerra norteamericanos en protección de extranjeros y para externarle su simpatía por Félix Díaz, dado el hecho comprobable de haber sido "siempre pronorteamericano". El 14 de febrero dijo a Pablo Lascuráin, el ministro de Relaciones Exteriores maderista, que estaban al llegar cuatro mil soldados norteamericanos con los cuales el mismo Wilson restauraría el orden si el presidente Madero no se convencía de que debía abandonar el poder en forma legal. El 15 de febrero logró que el mismo mensaje fuera transmitido a Madero por el representante español, Cólogan, emisario del recién creado grupo diplomático. El 16 de febrero Wilson boicoteó un armisticio que él mismo había solicitado para que los extranjeros cercanos a la zona de batalla sacaran sus pertenencias y admitió ante el ministro alemán que estaba en constante comunicación con Félix Díaz y el propio Huerta. El 17 de febrero condujo a buen término, en la propia embajada estadunidense, la negociación de las fuerzas del golpe, luego de una serie de reuniones con sus representantes. El ministro alemán lo consignó en su diario:

> Ha propuesto como base: un gobierno en cuya cúspide estuvieran De la Barra, Huerta y Díaz encontraría siempre el apoyo de los Estados Unidos. El senador Obregón, uno de los delegados, le había dirigido la pregunta formal de si en caso de que el tal gobierno fuera constituido, los Estados Unidos renunciarían a la intervención; [Wilson] respondió afirmativamente a la pregunta. Las tropas del general Blanquet se han pasado a [Félix] Díaz, pero Blanquet se encuentra en Palacio. El [Wilson] piensa que después de las conversaciones que han tenido lugar ayer —17 de febrero— el asunto será resuelto hoy.

Fue resuelto a la una y media de la tarde de ese día, 18 de febrero de 1913, hora en que las tropas de Victoriano Huerta detuvieron al presidente Madero. Otras tropas detuvieron y torturaron hasta la muerte a Gustavo, el hermano.

A las tres de la tarde, el embajador Wilson reunió al cuerpo diplomático para proponerle un voto de confianza para Huerta y el ejército. Poco después recibía en la embajada al propio Huerta y a Díaz para que arreglaran entre ellos el reparto del poder conquistado y sugería a un consejero del segundo "ceder y permitir" que Huerta fuera presidente interino. De otra manera comenzaría "la verdadera guerra". El 21 de febrero instruyó a todos los cónsules norteamericanos para que por el "bien de México" promovieran "la sumisión y adhesión de todos los elementos de la República". Finalmente, cuando Huerta preguntó qué sería mejor para Madero, si enviarlo "fuera del país o a un asilo de locos", el embajador Wilson se limitó a decirle a Huerta que hiciera "lo que considerara mejor para el país". Eso hizo: al día siguiente Madero y Pino Suárez fueron sacados de sus celdas, puestos contra la pared de la penitenciaría y asesinados por un cabo de rurales y un miembro del ejército federal.

II

Las revoluciones son la Revolución 1913 - 1920

Al principio nadie se movió. Los habitantes de la capital —y de otras capitales de provincia— festejaron en las calles el fin del bombardeo y del terror, adornaron las fachadas de sus casas y leyeron en la prensa las razones de su propio júbilo por la caída de Madero. A continuación, se cubrieron las formas. En respeto del artículo 81 de la constitución, el secretario de Relaciones Exteriores, Pablo Lascuráin, gestor oficioso del embajador Wilson contra Madero, asumió la presidencia de la República.

Recuerda Michael Meyer:

> El nuevo presidente protestó su cargo a las 10:24 pm. Su primer acto oficial fue nombrar secretario de Gobernación al general Victoriano Huerta. Su segundo y último acto de gobierno fue presentar su propia renuncia. Previamente acordada por Huerta, Díaz y el propio Lascuráin, la renuncia le fue aceptada por el Congreso a las 11:20 pm. Lascuráin había sido presidente de la República por cincuenta y seis minutos. En ausencia de vicepresidente y de secretario de Relaciones Exteriores, la presidencia mexicana pasó constitucionalmente al secretario de Gobernación. Huerta observaba la sesión desde uno de los vestíbulos de la Cámara de Diputados. Poco antes de la medianoche, se envió una delegación a convocarlo y acompañarlo a la plataforma, en el proscenio, con el propósito de rendir protesta. Ataviado con un traje de ceremonia negro, el general de cincuenta y ocho años repitió el juramento de toma de posesión del cargo... La ceremonia de hecho dio marco a las honras fúnebres de la democracia al estilo de Madero. A su término, México tenía su tercer presidente del día.

El poder judicial felicitó al nuevo gobernante por vía del presidente de la Suprema Corte, Francisco S. Carbajal, y se dieron garantías a las cámaras para su funcionamiento habitual.

Fue un cuidado por las formas tan efímero como la presidencia de Lascuráin. Antes de que terminara el año, Huerta había cerrado el Congreso, metido en la cárcel a varios legisladores y asesinado al diputado chiapaneco Belisario Domínguez por haber circulado un impreso exigiendo el desconocimiento del gobierno golpista, había asumido facultades extraordinarias en los ramos de Guerra, Hacienda y Gobernación y había pospuesto indefinidamente las elecciones de presidente y vicepresidente prometidas para octubre de 1913. Había roto también los pactos con sus compañeros de ruta en el golpe, a los que había desplazado de sus cargos iniciales, y ejercía un desnudo régimen de fuerza que llegó a acumular en los siguientes meses varios asesinatos célebres y más de cien casos probados de aplicación de la ley fuga.

Pero la muerte de Madero sacudió a la República. El país que lo sepultó como gobernante volvió a necesitarlo y a construirlo como símbolo de su frustración y sus esperanzas. En 1910 las más distintas fuerzas habían acudido al paso de su llamado democratizador. La noticia de su muerte en 1913 clausuró la esperanza de un cambio, convocó los filones insurreccionales pendientes y apartó del gobierno huertista toda apariencia de legitimidad. Huerta se encontró pronto sin otro instrumento que el ejército, ni otra alianza de fondo que las fuerzas de la restauración: terratenientes y empresarios, intereses extranjeros, la burocracia porfiriana, la aristocracia y el beneplácito de la embajada norteamericana, cuyo gobierno sin embargo había cambiado en Washington al empezar el año y veía desvanecerse en el dédalo de la intriga huertista sus esperanzas iniciales de poner a Félix Díaz, un "pronorteamericano seguro", en la silla sucesoria de Madero.

Las fuerzas de la contrarrevolución habían sido suficientes para dar un golpe de Estado, pero no lo eran para restablecer duraderamente un pacto nacional.

El hilo de la historia

De por sí, el pacto seguía roto en el sur. Muerto Madero, los zapatistas continuaron su guerra, emitieron una proclama llamando a luchas contra Huerta y a no deponer las armas mientras no pudiera ejercerse lo previsto en el Plan de Ayala. Pero el cántaro de la concordia empezó a romperse también en el norte. Antes de que terminara el mes de marzo, habían roto con el centro los gobiernos de Coahuila y Sonora. El asesinato del gobernador maderista Abraham González en Chihuahua había dejado el campo abierto para una formidable insurrección plebeya cuya intensidad legendaria resume el nombre de Francisco Villa. Volvieron a poblarse de bandas rebeldes las sierras norteñas de Durango y Sinaloa, Zacatecas y San Luis Potosí. Y hubo la cosecha armada de cientos de insurrecciones en pequeñas ciudades, pueblos y rancherías que darían a la guerra contra Huerta la facha multitudinaria que el alzamiento maderista sólo alcanzó a tener en algunas regiones norteñas.

Para el gobernador de Coahuila, Venustiano Carranza, viejo terrateniente y exsenador porfirista, el ascenso de Huerta al poder significó simplemente el quebrantamiento del orden constitucional que regía a la República. En tanto autoridad legítimamente constituida, Carranza encontró el delgado hilo de la historia en la decisión de romper con Huerta para erigirse, por ese sencillo acto, en depositario de la constitucionalidad asaltada, lo que le permitió convocar a la nación a derribar al "gobierno usurpador" de la ciudad de México. El delgado hilo de la historia: la certeza histórica de ser el único representante legítimo que quedaba en el país mientras fuera el único en haber desconocido a las autoridades golpistas de la federación. Y la certeza práctica de no tener tampoco otro camino, porque la consolidación del poder huertista significaría para gobernadores maderistas como Carranza, la segura demolición política e incluso la muerte.

Carranza obtuvo en préstamo los fondos que había en los bancos de su estado, dio seguridades a los jefes militares y al gobierno central de que respaldaría el golpe, reagrupó las pocas fuerzas leales que le quedaban —contingentes exmaderistas no licenciados al mando de su hermano Jesús Carranza y Pablo González— y orquestó finalmente la resolución del congreso local de desconocer al gobierno del centro. Dejó Saltillo, su capital gubernativa, el 1° de marzo de 1913, seis días después se trabó en una escaramuza en Anhelo; catorce días después trató sin éxito de tomar Saltillo y terminó refugiándose a fines de marzo con sus 700 soldados en la hacienda de Guadalupe.

Ahí, el gobernador errante, sin fondos ni aparato administrativo, ni ejército regular, elaboró, discutió y firmó con sus oficiales el llamado Plan de Guadalupe que desconocía a los poderes de la federación y también a los gobiernos estatales que treinta días después de expedido el plan no hubieran desconocido el mandato huertista. El documento reconocía al propio gobernador Carranza, que no había podido someter a una guarnición de mil hombres en Saltillo días atrás, como Primer Jefe de la Revolución Constitucionalista. A falta de artículos que hablaran de reformas sociales —lo que provocó inconformidad en oficiales firmantes como Francisco J. Múgica y Lucio Blanco— el plan de la hacienda de Guadalupe preveía ya la victoria de la causa y la organización de un gobierno. Era el 26 de marzo de 1913.

Las razones de Sonora

En las ciudades fronterizas y las oficinas gubernamentales del vecino estado norteño de Sonora se cocinaban para esas fechas las condiciones del triunfo que Carranza y sus hombres anticipaban en Coahuila. A fines de febrero, el gobernador maderista del estado, José María Maytorena, gemelo político y social de Madero, heredero de una familia patriarcal de hacendados desplazados, había optado por retirarse de la escena víctima de un desgarramiento político peculiar del maderismo: no podía cerrar los ojos a la atrocidad del golpe de la ciudad de México y el asesinato de Madero, pero tampoco podía ponerse al frente de una rebelión incierta que exigiría medidas confiscatorias y, de triunfar, sepultaría en su remolino intereses a los que familiar, social y políticamente el gobernador Maytorena estaba indisolublemente vinculado.

Aduciendo motivos de salud, pidió una licencia y partió al exilio dejando el estado en manos de la nueva generación de políticos y jefes militares que el maderismo había sacado de su sorda incubación porfiriana.

Las historias prerrevolucionarias de esos líderes sonorenses entregan una colección de hombres atados a una supervivencia cuya índole no era la desesperación material, el hambre o el desempleo, sino la restricción por los privilegios acumulados de las oligarquías locales, la falta de acceso a las decisiones y los puestos políticos, así como los grandes negocios. Manuel M. Diéguez era el ayudante de contaduría de la superintendencia de las minas de Cananea porque sabía inglés y un poco de administración. Esteban Baca Calderón era un maestro de escuela, ilustrado en las consignas jacobinas y liberales, que llegó a Cananea en busca de un ambiente propicio para trabajo político magonista y que, según sus propias palabras, había forjado su carácter en "el yunque del trabajo intelectual, en la lucha tenaz por disipar las tinieblas de la ignorancia y el fanatismo". Benjamín Hill era síndico del emergente municipio de Navojoa, dueño de dos propiedades que sumaban en total 2,500 hectáreas no irrigadas, de un molino harinero y de un apellido cuya historia local estaba cargada de prestigio y leyenda; Adolfo de la Huerta era el *manager* de "uno de los más importantes negocios de Guaymas" (la hacienda y tenería de don Francisco Fourcade) y también un soltero requerido por su voz de tenor en las fiestas de la alta sociedad porteña cuyas familias más almidonadas seguían viéndolo, sin embargo, como un "zapetudo" (un arribista). Francisco Serrano era un pequeño propietario de Huatabampo, había hecho sus pininos como periodista de oposición en la campaña independiente de Ferrel contra el dominio cañedista en Sinaloa, y algún amigo de entonces le había franqueado el paso hasta la secretaría particular del gobernador Maytorena en 1911. Alvaro

Obregón era un pequeño agricultor que sembraba garbanzo para exportación en Huatabampo, un hombre que a los veinte años era experto en maquinaria agrícola, y para 1911 había inventado una cosechadora cuyo molde de hierro había sido encargado ya a una fundición de Culiacán; era pariente pobre pero socorrido de los hacendados Salido, los más modernos de la región del Mayo. Plutarco Elías Calles había sido maestro y funcionario de la tesorería de Guaymas, pero sobre todo gerente de un molino harinero en el norte del estado (300 pesos de sueldo mensual), administrador de las haciendas de su padre, Plutarco Elías Lucero y, como él mismo se definió en una carta a las autoridades de 1909, "gente de propiedad y trabajo, amigo incondicional del gobierno". Salvador Alvarado era un pequeño comerciante que se había probado como boticario en Guaymas y como pueblerino asfixiado por la corrupción municipal en su pueblo Pótam, Río Yaqui. A los padres de Juan Cabral no les habían faltado recursos para sostener al hijo como interno en el Colegio Sonora —el mejor del estado—, ni a su hijo ilustración oposicionista para erguirse a los 19 años como orador contra el caciquismo mexicano, durante unas vacaciones en La Colorada, importante centro minero del distrito de Hermosillo.

De no haber venido la revolución, ninguno de estos hombres habría dejado de triunfar a medias como administradores, comerciantes y agricultores, pero ninguno tampoco habría tenido la vía libre para alcanzar —más allá de la preponderancia política— el estatus social y económico de la oligarquía porfiriana, a cuyo desplazamiento y emulación se entregaron desde los puestos y las facilidades que la revolución les entregó. Con el tiempo, tanto en sus despojos como en sus empresas, el único proyecto social consistente de estos sectores medios habría de ser la expulsión de la vieja oligarquía de hacendados y empresarios.

De por sí, en el contexto de la rebelión sonorense, estos pequeños agricultores libres, administradores medianos, comerciantes, maestros y rancheros modestos, alcanzaron la supremacía política y militar por el desplazamiento de un liderato maderista de hacendados. Particularmente, por la enconada lucha contra el equipo de gobierno y las iniciativas clasistas de José María Maytorena, un heredero patriarcal que se incorporó al maderismo a través de la causa reyista como representante de las grandes familias preporfirianas arrinconadas en sus "feudos" por las inversiones estadunidenses, la agricultura capitalista, los negocios de colonización y el férreo control político de un añoso triunvirato (Rafael Izábal, Luis Torres, Ramón Corral).

Esa camada de recién llegados había consolidado prestigios y posiciones durante la campaña exitosa del año anterior contra las huestes orozquistas que inundaron el oriente del estado y había construido un pequeño ejército estatal que rebasaba los tres mil soldados, con una oficialidad propia y una organización cuya línea de lealtades empezaba en el desprecio y el recelo por el ejército federal. Retirado Maytorena a fines de febrero, el 5 de marzo de 1913, invocando la poderosa razón sonorense de la soberanía estatal amenazada por las presiones del centro, la legislatura local desconoció a Huerta y el gobernador interino, Ignacio Pesqueira, dio la voz general de la insurrección. Desde la cúpula de ese gobierno constituido, los jefes sonorenses enfilaron sus ejércitos contra las fuerzas federales, como si éstas fueran los contingentes de un ejército de ocupación.

Un héroe reciente de las batallas contra el orozquismo, Alvaro Obregón, fue puesto al frente de los ejércitos locales, que avanzaron primero al norte sobre las guarniciones de las grandes minas y la estratégica frontera de la que habrían de venir armas, municiones, uniformes y hasta un aeroplano. El gobierno de Hermosillo se dedicó, por su parte, a estimular los hábitos recientes de autodefensa —se había combatido así durante 1912 la rebelión orozquista en el estado— movilizando presidentes municipales, prefectos, comisarios y vecinos para formar pequeñas partidas de voluntarios que iban concentrándose después en cuerpos mayores.

Para fines de marzo, los rebeldes tenían en su poder lo suficiente para garantizar una insurrección administrada desde el palacio de gobierno de Hermosillo: dos puertos fronterizos —Nogales y Agua Prieta—, la ciudad minera más importante del estado, Cananea, y tratos con las principales firmas mineras, comerciales y ganaderas que pagaban impuestos a las autoridades rebeldes. Antes de que terminara el mes de marzo, los tres mil efectivos militares iniciales se habían duplicado y toda Sonora, salvo el puerto de Guaymas y las guarniciones del sur, estaba dominada por la insurrección.

Los motivos de Villa

Lo que en Sonora fue un solo proceso profesional de agrupamiento de milicias y jefes exmaderistas desplazados por el licenciamiento hacia cuerpos rurales y batallones auxiliares en su conjunto —estos cuerpos recibían el nombre de "irregulares"—, en el país fue una granizada de alzamientos fragmentarios guiados también por el hilo férreo del pasado: jefes y tropas exmaderistas reanudaron en febrero de 1913 la guerra artificialmente detenida en 1911 y acudieron puntualmente a desahogar su duelo con el ejército federal, que la conciliación maderista había dejado pendiente.

A las puertas de la ciudad de México se sublevó, y la emprendió hacia el norte, Jesús Agustín Castro, con el 21° Cuerpo Rural bajo sus órdenes. En las cercanías de Mazatlán, Juan Carrasco y sus tropas irregulares tentaron con éxito la gana insurreccionalmente un conocido estibador del puerto, Angel Flores, y emprendieron el 6 de marzo su propia sublevación para "tumbar a Huerta". En Tepic emprendió su aventura Rafael Buelna, un escolar que apenas remontaba la adolescencia y habría de ser el héroe joven por excelencia de la revolución. Los coroneles maderistas duranguenses Calixto Contreras y Orestes Pereyra, desgajaron una fracción del 22° Cuerpo Rural para iniciar sus correrías de pueblo en pueblo y construir en los siguientes cinco meses un ejército de 2,500 hombres. Con los efectivos de los cuerpos rurales 48° y 21°, Gertrudis Sánchez se rebeló en Michoacán autograduándose general de seiscientos hombres, con cuyo coronel, Joaquín Amaro, también de grado silvestre, tomaron Tacámbaro el 14 de abril. Un cabo de los batallones irregulares de Zacatecas, Fortunato Maycotte, jaló a los doscientos hombres de sus fuerzas a la aventura antihuertista. José Baños en Pochutla, Pablo Pineda en Juchitán y Rómulo Figueroa, de veterana familia antirreeleccionista, en Guerrero, regresaron también a la guerra que Madero había interrumpido con su triunfo y reanudaba con su muerte.

Ninguno de estos regresos guerrilleros tuvo sin embargo la intensidad plebeya y el arrastre multitudinario del que acaudilló en las sierras occidentales de Chihuahua y Durango el antiguo forajido Doroteo Arango, Francisco Villa. Combatiente maderista, reciente prófugo de la prisión militar de Santiago Tlatelolco donde estaba recluido por insubordinación en la campaña orozquista del año anterior, Villa había sido rescatado por Madero del paredón que Victoriano Huerta le había ordenado en aquella campaña. Ahora, muerto Madero, volvía de su exilio buscando venganza, sin saber que iniciaba así la construcción de uno de los más eficaces ejércitos populares de los tiempos modernos.

En Chihuahua Huerta había logrado atraer la voluntad agraviada de Pascual Orozco hacia la causa golpista junto con los abundantes acreedores del mismo agravio que habían quedado incrustados en la burocracia, el congreso y la oligarquía chihuahuense. La primera víctima de ese ajuste de cuentas fue el gobernador del estado, Abraham González, quien a principios de marzo fue secuestrado y victimado por una veta más de la rabia antimaderista. Fue suprimido así el eslabón político moderado que hubiera podido conducir en Chihuahua, como en Sonora y en Coahuila, a una rebelión organizada desde arriba o matizada por lo menos en la desnudez popular de sus procedimientos y demandas. Por la rendija de ese liderato abolido, entró a escena en Chihuahua el tumulto de la insurrección villista, su carga incontenible, tributaria del exceso violento más que de la ponderación legitimista de Carranza o el ánimo antioligárquico de los jefes en ascenso de Sonora.

Francisco Villa era la actualización relampagueante de una utopía agrícola y guerrera que en el norte de México tomó la forma de las colonias militares. Mediero de una hacienda, forajido educado en la sabiduría vaquera de la sierra, la travesía y el merodeo, Villa era un vástago natural de la vida comunitaria, armada y a la intemperie, que los apaches y el abigeato habían impuesto como norma de vida en los pueblos aislados y los territorios de frontera de la Chihuahua decimonónica. Era el hijo natural de esos pueblos, siempre dispuestos a defender por su propia mano tierras, hogar y familia frente a la hostilidad externa, pueblos sin excedentes económicos para distingos señoriales, criados en el trabajo duro, el caballo y la carabina, la disciplina guerrera y el igualitarismo de una sociedad sin jerarquías.

A esa sociedad quería volver Doroteo Arango, al mundo llano, rudo y estimulante, con su horizonte de amagos y correrías, del que había sido expulsado para volverse bandolero, era el mundo que aspiraba a fundar y a recrear en la república de colonias militares habitadas por veteranos de la revolución, cuyas características generales describió a John Reed en 1914. En esas colonias, dotadas de tierra por el Estado, los hombres trabajarían tres días a la semana y los otros tres recibirían entrenamiento militar y enseñarían a la gente a pelear, de modo que cuando el país entero se viera amenazado, como cincuenta años antes las colonias militares del septentrión desolado, bastaría "una llamada telefónica desde palacio y en medio día todo el pueblo mexicano se levantará en sus campos y en sus fábricas, completamente armado y bien organizado, a defender a sus hijos y a sus hogares. Mi ambición es vivir mi vida en una de esas colonias militares, entre mis compañeros a quienes quiero, que han sufrido tanto y tan hondo conmigo".

La historia de un guerrillero decimonónico que no quería cambiar y para lograrlo construyó una fulminante maquinaria profesional de hacer la guerra. La encarnación de ese espíritu, Francisco Villa, arrastró tras de sí la rebelión plebeya, sin intermediarios, de Chihuahua y Durango y entró al país buscando su revancha el 6 de marzo de 1913 con ocho jinetes armados cabalgando a su lado. Un mes después, los jinetes eran 500 y semanas más tarde, 1,200.

La oleada y los gringos

A fines de marzo de 1913, se habían configurado ya los ejes de la nueva rebelión que esta vez habría de destruir al ejército porfirista: el invariable frente zapatista en el sur y el centro de México; las columnas próximas al Primer Jefe, que habrían de integrarse en el ejército del noreste bajo el mando poco imaginativo de Pablo González; las fuerzas organizadas por el gobierno rebelde de Sonora, que habrían de hacer la campaña en la costa del Pacífico hasta encumbrar el genio militar de Alvaro Obregón. Y el gran torrente villista destinado a romper el espinazo de la resistencia federal, que bajaría hacia el centro del país en los trenes de la División del Norte.

El 18 de abril de 1913, en Monclova, representantes de todas las fuerzas norteñas reconocieron al Plan de Guadalupe como guía común, y vino entonces, como una plaga de quince meses, la llamada "revolución constitucionalista".

Entre marzo y abril quedó limpio de federales el estado de Sonora, salvo el puerto de Guaymas que habría de quedar sitiado hasta la derrota total de Huerta. Villa pasó de Chihuahua a La Laguna y tuvo pronto un ejército de 10 mil hombres que bautizó el 29 de septiembre como División del Norte; tomó Torreón el 3 de octubre, Ciudad Juárez a mediados de noviembre, Chihuahua el 8 de diciembre y el estado completo de Chihuahua el 11 de enero al derrotar a los huertistas en la batalla de Ojinaga.

En mayo, Zapata desconoció a Orozco, asumió el mando de la rebelión libertadora del sur y organizó una ofensiva militar que para principios de 1914 había cobrado fuerza irrecusable en Morelos, Puebla, Tlaxcala y Guerrero, y capturado Chilpancingo y Taxco; a mediados de 1914 había expulsado completamente de Morelos a las fuerzas huertistas y se cernía sobre la ciudad de México con la captura de Milpa Alta el 20 de julio.

Obregón tomó Culiacán el 20 de noviembre de 1913, y a principios de 1914 emprendió la campaña hacia el occidente, sobre Nayarit y Jalisco; obtuvo victorias fundamentales sobre el ejército federal en Orendáin y El Castillo, y el 18 de julio entró triunfante a Guadalajara. Por su parte, durante 1914 Villa bajó en victorias sucesivas sobre las tropas selectas del huertismo a partir de la recuperación de Torreón en abril de 1914 y sus triunfos en San Pedro de las Colonias, Paredón, Ramos Arizpe y Saltillo, para coronar su campaña con la toma de Zacatecas el 23 de julio de 1914, al frente de un ejército de 16 mil efectivos, al que se había incorporado ya el estratega Felipe Angeles. Era ya una maquinaria profesional con líneas de abasto conectadas a los puertos fronterizos y una estructura profesional de rangos, sueldos y organización de ejército regular.

Paralela a la debacle militar corrió en 1913 y 1914 la debacle política huertista, cuyo eje fue, irónicamente, el mismo que había respaldado su asalto al poder: el intervencionismo norteamericano. El nuevo presidente norteamericano, Woodrow Wilson, asumió el poder el 4 de marzo de 1913, escasas dos semanas después del asesinato de Madero, e inició de inmediato una política de nuevo tipo hacia México. Quería como vecino un país estable, fundado en la libre empresa y en la democracia parlamentaria. Esta nueva convicción pastoral —la anterior había querido despertar con dinamita al soñador, ahora muerto, presidente de México— se tradujo pronto en un enfrentamiento con la dictadura de Huerta. Y se desplegó, como ha escrito Berta Ulloa, en "cuatro etapas de intervención progresiva en los asuntos internos de México":

> Entre marzo y mayo de 1913, observó la situación; de mayo a agosto trató de mediar entre Huerta y los constitucionalistas; de agosto de 1913 a febrero de 1914 dijo que su política sería de "vigilante espera" y consiguió que el congreso y la opinión pública de Estados Unidos, así como las potencias europeas, apoyaran sus amenazas a Huerta para obligarlo a renunciar. En la cuarta y última de las etapas, que se inició en febrero de 1914, cobraron fuerza los propósitos intervencionistas y se valió de un incidente en Tampico para ordenar la ocupación de armada del puerto de Veracruz.

El 21 de abril de 1914, sin declaración de guerra, con saldo de 500 muertos y heridos entre los defensores, los infantes de marina norteamericanos descendieron de los cuatro barcos de guerra estacionados frente a San Juan de Ulúa y ocuparon Veracruz. Pretendían poner contra la pared al gobierno huertista —lo pusieron— pero desataron también la ira de los rebeldes constitucionalistas que cercaban al mismo régimen desde los campos de batalla. Más: habían integrado un gobierno (noviembre 1913) en cuya cúpula regía ya, y habría de hacerlo durante los años siguientes, un Primer Jefe, Carranza, inflexible a toda "mediación" o intervención extranjera en los asuntos de México. El gobierno constitucionalista acalló las demandas de algunos jefes, como Alvaro Obregón, que tuvieron el primer impulso de declarar la guerra a Estados Unidos. Cursó, en cambio, una enérgica protesta exigiendo la evacuación incondicional del puerto ocupado. Para "establecer la paz entre las facciones mexicanas", según palabras del presidente Wilson, el gobierno estadunidense instaló en Niagara Falls, las conferencias conocidas como el ABC por la participación de Argentina, Brasil, Chile y representantes mexicanos, cuyas largas e inútiles conversaciones tuvieron fin y solución en los campos militares mexicanos: el 14 de agosto de 1914 los ejércitos constitucionalistas obtuvieron la rendición incondicional del régimen huertista y se alzaron en la escena como los únicos interlocutores posibles. Huerta se fue de México a morir años más tarde de muerte natural en una cárcel texana, en su intento por encabezar una rebelión contra Carranza, y los ejércitos constitucionalistas entraron triunfantes a la ciudad de México. Muerto, Madero había ganado una batalla que perdió en vida: la destrucción del ejército federal, pero no, todavía, la doma del tigre que el país había soltado.

Heridas internas

No entraron triunfantes a la capital todos los triunfadores, ni sosteniendo la misma causa. En su misma columna vertebral, los ejércitos norteños exhibían ya una fractura. La arrastraban desde principios del año de 1914. Una y otra vez, las simplezas confiscatorias de Villa (de vidas, ganado, minerales y caudales) habían logrado consecuencias internacionales particularmente irritantes para el escrupuloso manejo que de esos asuntos se proponía el primer jefe. Subrayaban también la diferencia profunda en proyecto y estilo de ambos dirigentes. Carranza tenía el sentido del estado, actuaba y organizaba su gobierno en el espíritu de ser el representante efectivo de los mexicanos, y subordinaba a esa nación —bien nutrida con su terquedad nacionalista y su cuidado por las formas jurídicas, políticas y burocráticas— todas las otras instancias de la guerra, la lógica sangrienta y la irracionalidad de la violencia. Villa era el impulso irrefrenable de un ejército popular en movimiento, cada vez más autosuficiente y organizado. Su propósito, más estrecho, era el triunfo y bajo ese impulso no había un proyecto explícito ni de gobierno como en Carranza, ni de reformas fundamentales en el régimen de propiedad o las relaciones económicas, como en el zapatismo. Su instinto radical y su utopismo en bruto hicieron decir a algún representante norteamericano que los villistas eran "socialistas sin saberlo", pero venía recubierto por la ola bélica que sólo conocía la voz de avance y desafiaba en su autonomía creciente la condición de autoridad indiscutible que Carranza exigía celosamente para sí.

Villa tomó Zacatecas contrariando las órdenes de Carranza. Carranza cortó el abastecimiento de carbón de Monclova para los trenes de Villa y retuvo un embarque de armas y municiones que venía de Tampico con el mismo destino. Obregón y González, comandantes de los ejércitos del noroeste y el noreste, no la División del Norte, coronaron la guerra entrando los primeros a la ciudad de México. Llegado ese momento, hubo también un ajuste de cuentas, frente a las huestes revolucionarias del sur. Los Tratados de Teoloyucan que protocolizaron la victoria constitucionalista, estipularon la desmovilización y la entrega del armamento de todos los contingentes del ejército federal, *salvo de los que servían en el frente zapatista*. Para las tropas obregonistas del noroeste tanto como para las gonzalistas del oriente que se habían reunido en Querétaro, los guerrilleros del sur y su comandante de Anenecuilco eran tan desconfiables como lo habían sido desde su insurrección primera para el ejército federal. El radical corazón agrario del zapatismo, con su carga colonial e indígena y la huella del México viejo, poco o nada tenía que decir al norte laico y emprendedor, blanco, ranchero, comedor de trigo, para el que las demandas comunales recordaban, si algo, la guerra con los indios yaquis y mayos. Menos aún tenían que decirle a la oficialidad caudillil de los ejércitos norteños, hijos de las clases medias semirrurales y semiurbanas que el auge del norte crio en las décadas finales de la paz porfiriana. Esa oficialidad de maestros de escuela, comerciantes y agricultores en pequeño, socios menores y frustrados de hacendados y oligarcas porfirianos, necesitaban apartar los obstáculos para seguir su ascenso no para regresar, como los zapatistas, a la comunidad restaurada de los pueblos campesinos en una franja de tiempo detenida de la vieja sociedad rural mexicana.

Resume ese pleito John Womack:

> Carranza se mostraba inflexible en lo tocante a su pretensión de ejercer la autoridad ejecutiva a través del Plan de Guadalupe. Quería la paz, pero no quería transar. Temía por la existencia misma de México como nación si el grupo de Villa llegaba al poder y sólo veían en Zapata a un cómplice de la obra subversiva y desordenada de Villa. Lo que hiciera Zapata estaba mal, incluso cuando coincidía con Carranza. "Esto de repartir tierras es descabellado", dijo a los enviados de Genovevo de la O, pese a que él mismo había declarado inevitable la reforma agraria. Lo decisivo para Carranza era que la reforma tuviese un origen oficial, que emanase literalmente de una oficina central. Para él, los zapatistas eran bandidos rurales, peones advenedizos que nada sabían de cómo gobernar. Habían luchado contra Huerta, pero también habían respaldado a Orozco contra Madero. Y Carranza advirtió a una comisión zapatista que si los sureños no deponían las armas, la orden sería que se les tratara "como a forajidos".
>
> Zapata no era menos obstinado. Para él la cuestión delicada era cons-

tituir un gobierno interino que controlara las elecciones de los nuevos gobiernos federal y estatal. Zapata creía, con buenas razones, que si Carranza llegaba a la presidencia, trataría de sofocar el movimiento sureño y la causa agrarista. A su juicio, sólo un gobierno constituido de acuerdo con el Plan de Ayala podría garantizar la promulgación y la ejecución de la reforma agraria. Y no por el artículo 3 reformado del plan, que lo declaraba jefe supremo de la revolución, sino por el artículo I que fijaba los procedimientos para sustituirlo, la convocatoria a una gran junta de los jefes y los grandes ejércitos populares de la nación para nombrar a un presidente interino. Y al igual que Carranza, Zapata no estaba dispuesto a negociar antes de que se reconociera su plan. La información que sus secretarios le hacían llegar continuamente sobre Carranza, confirmaba sus ideas. El Primer Jefe, decían los informantes, era un "viejo cabrón", ladrón y ambicioso, rodeado de abogados cómplices, indiferentes a las miserias y desdichas del pueblo.

No era un desacuerdo menor. Para el momento en que Obregón ocupó México, el ejército libertador del sur acababa de ocupar Cuernavaca y dominaba todo el estado de Morelos, Chilpancingo y parte considerable de Puebla; sus puestos de avanzada interesaban los límites sureños de la propia ciudad de México: San Angel, Tlalpan, Xochimilco. Ratificada la discordia, en el mismo mes de agosto de 1914, los rebeldes del sur reiteraron en un manifiesto su decisión de seguir peleando por los tres grandes principios del Plan de Ayala: expropiación de tierras por causa de utilidad pública, confiscación de bienes a los enemigos del pueblo y restitución de sus terrenos a los individuos y comunidades despojados.

Fin de época: la Convención

La hora del triunfo, entonces, fue también la hora de la escisión y el ajuste de cuentas. Y, bajo el barullo de la discordia, esa hora inédita y crucial de las revoluciones en que el pasado se cierra clausurado por la destrucción del viejo régimen, y el futuro asoma a retazos en la mezcla ilimitada de corrientes, planes y alianzas que tocan nuevamente a las puertas de la guerra civil.

Escribe Adolfo Gilly:

Todas las declaraciones y acciones de los jefes de las facciones revolucionarias [...] que habían vencido a Victoriano Huerta y destruido al ejército federal, convergían en plantear una necesidad: la reorganización del Estado. Sobre este punto estalla la crisis de los vencedores, porque cada fracción se hacía una idea diferente de esa reorganización según los intereses de clase que predominaban en su seno.

Villa y la dirección de la División del Norte se habían ido radicalizando con el progreso de la guerra civil, su ruptura con Carranza estaba consumada y coincidían cada vez más con las posiciones de los zapatistas. Controlaban, de Torreón al norte, todo Chihuahua, donde había un gobierno villista, y parte de Durango. El gobernador de Sonora, José María Maytorena, había roto con Carranza y tenía una alianza inestable con el villismo. Pablo González tenía en su poder el puerto de Tampico, y los constitucionalistas controlaban la capital del país, parte de Sinaloa, parte de Jalisco, Veracruz y la península de Yucatán, cuyas exportaciones de henequén llegaron a ser —como el petróleo de la costa del Golfo— una fuente de recursos inestimable para armar y sostener a sus tropas, tanto como el ganado de las haciendas de Chihuahua lo era para las de Villa. Los zapatistas controlaban Morelos, Guerrero, parte de Tlaxcala y de Puebla.

La situación de Carranza en la ciudad de México era, pues, muy precaria. Ningún poder estable podía afirmarse sobre esa división territorial de poderes armados. El relativo equilibrio de fuerzas militares y políticas en el mes de septiembre de 1914 empujaba a buscar la solución por un acuerdo.

La búsqueda de ese acuerdo fue también su clausura. Entre el 10 de octubre y el 10 de noviembre de 1914, los revolucionarios escindidos celebraron en la ciudad de Aguascalientes una convención que se declaró soberana e independiente de toda autoridad previamente constituida, adoptó los artículos centrales del Plan de Ayala, desconoció a Carranza como encargado del poder ejecutivo y a Villa como jefe de la División del Norte y designó un presidente interino en Eulalio Gutiérrez, jefe revolucionario de San Luis Potosí. Ahí, en las fatigosas y a menudo insulsas jornadas de oradores, propuestas y discusiones, asomó inequívocamente su rostro el cauce social insatisfecho de la guerra. La marea revolucionaria adquirió densidad ideológica, las cuestiones pragmáticas que habían dominado a los ejércitos norteños, cedieron entonces su sitio a las definiciones sociales. Y desde el fondo de los triunfadores brotaron las urgencias de cambios y un espíritu radical corrió fusionando ejércitos y regiones por todo el país. Pero la división política y los alineamientos caudilliles impusieron su ley y la división prosperó.

Eulalio Gutiérrez representaba a la perfección a los jefes intermedios que buscaban obtener de la Convención un acuerdo político capaz de romper los grandes alineamientos —Villa, Zapata, Carranza— y establecer un nuevo frente que pusiera fin a la guerra civil. Ese amplio grupo de jefes, explica Friedrich Katz:

> no se caracterizaba por ninguna firme unidad política, geográfica ni organizativa. El objetivo común de sus miembros era excluir tanto a Villa como a Carranza, y de ser posible también a Zapata, de la jefatura de la revolución. Sin embargo, existían opiniones muy divergentes en este grupo en cuanto a cuál debía ser el siguiente paso. En términos ideológicos y sociales, este grupo constituía una posición intermedia entre Carranza y Villa. La mayoría de sus miembros, en particular sus voceros, provenían de la clase media: Alvaro Obregón, el antiguo ranchero y funcionario que mandaba el Ejército del Noroeste; Eulalio Gutiérrez, el jefe revolucionario más importante en el estado de San Luis Potosí; Lucio Blanco, el jefe revolucionario del noreste de México. Para la mayoría de ellos, Carranza era demasiado conservador y Villa y Zapata demasiado radicales. Querían reducir el poder de la vieja oligarquía más de lo que Carranza deseaba, pero, con pocas excepciones, se oponían al tipo de transformación social que postulaba Zapata y, en menor medida, también Villa. Algunos de ellos pensaban en un sistema de democracia parlamentaria que ni el grupo de Carranza, ni el de Villa y Zapata, podían instaurar. Otros habían creado los equivalentes de feudos casi independientes en sus estados de origen y temían el regreso de México a un poder central fuerte. Mediante la eliminación de Carranza, Villa y Zapata, se proponían alcanzar estos objetivos a menudo heterogéneos. De hecho, lograron la elección de Gutiérrez como presidente provisional con el apoyo de todos los partidos en la Convención, exigiendo al mismo tiempo la eliminación de Villa y Carranza. Sin embargo, pronto se comprobó que este acuerdo era insostenible. El cuarto grupo era demasiado débil, demasiado heterogéneo y estaba demasiado dividido para imponer su voluntad.

La coyuntura bélica de esas semanas restó al intento convencionista original la poca fuerza que tenía. En noviembre luchaban a muerte en un célebre sitio de Naco, Sonora, los partidarios de Carranza y los del súbito aliado de Villa, José María Maytorena, que había regresado en julio de ese año a reclamar sus fueros vigentes como gobernador constitucional del estado. La situación dividió al "cuarto grupo". Una parte, con Gutiérrez a la cabeza, se alineó con la causa de Villa y Zapata. A la vista de la ferocidad con que Villa les disputaba la hegemonía sobre su propio estado natal apoyando sin reserva a Maytorena, Obregón y los sonorenses, con la red de lealtades construida en la amplia campaña del noroeste, se alinearon con Carranza, calculando también que podrían ejercer ahí una influencia que dentro del villismo o el zapatismo les sería vedada.

Los delegados carrancistas se retiraron, la Convención declaró a Carranza en rebeldía y reconoció la imposibilidad del tercer camino que buscaba al nombrar a Villa jefe de sus ejércitos. El país, armado, se abrió entonces a la elección violenta de su destino en el más decisivo año de su gestión revolucionaria, 1915.

1915

Hay años intensos, de peculiar concentración histórica, años en que todo parece resumirse, como si en ellos se anudaran los hilos de una sociedad y pudiera mirarse sin estorbos todo el tejido, el derecho y el revés, lo oculto y lo visible, el pulso ágil y la sedimentación imperceptible. 1915 es uno de esos años, cifra como en un haz concentrado los rasgos del México que se aleja y los atisbos del que empieza a nacer.

Es el año de la definición de la guerra civil con la derrota de los ejércitos villistas y zapatistas, los ejércitos campesinos de la revolución. Es el año de la implantación de una nueva hegemonía política nacional, cuya continuidad fundamental no habría de perderse en adelante. Es el año de la fundación del Estado mexicano revolucionario, la consolidación de un gobierno reconocido nacional e internacionalmente, que inicia la legislación agraria moderna del país, con la ley del 6 de enero, y establece el primer pacto orgánico de la Revolución con los obreros organizados de la Casa del Obrero Mundial, en febrero de 1915, un pacto que anticipa el carácter de la relación fundamental que ambos actores tendrían por las siguientes siete décadas.

Es también el año de la experiencia popular de la revolución, el *año de la chinga*, de las batallas que comprometen ejércitos de ochenta y cien mil hombres, y de la movilización bélica total en los grandes ejércitos o en las pequeñas bandas locales dedicadas a la agresión o a la autodefensa, al abigeato o a la revolución. Es el año de la precariedad y la destrucción. La autoridad es tan vólatil como la moneda. Las transacciones menudas en la ciudad de México se hacen con boletos del tranvía. En el mar de papel moneda emitido por los distintos ejércitos, "los más pobres", recuerda Alejandra Moreno Toscano, regresan a "las transacciones directas, sin intermediación de dinero: bien por bien, servicio por servicio".

La confusión, el aislamiento regional, la violencia y la abolición de las normas, son la norma. Es el año de las emigraciones masivas: a los ejércitos o a las fronteras, del campo convulso a las ciudades relativamente protegidas en un proceso que hincha y disloca a la ciudad de México, Veracruz, Guadalajara, Monterrey. Es el año por excelencia en que batallas, epidemias y migraciones alteran profundamente la demografía del país, que registra la desaparición de un millón de mexicanos en la década de la guerra revolucionaria. En la línea apacible de los pueblos porfirianos, se yerguen de pronto contingentes masivos de mexicanos itinerantes. Los ejércitos revolucionarios ocupan todo el ámbito visual. A bordo de sus trenes abigarrados, en largas columnas de caballería o en pequeñas partidas, entran y salen de pueblos y ciudades, ocupan las casas porfirianas, vuelan trenes, levantan ganados y cosechas, transitan el país. Matan y mueren, son un paisaje que se alza lleno de vigor, y miseria, desenfreno y poder destructivo. Miles de hombres salen de sus casas y sus pueblos, a los que de otra manera habrían quedado confinados, y aprenden por sí mismos lo que sabían de oídas, que el país al que pertenecen es una vasta extensión geográfica y humana y que pueden caminar por él y hacerlo suyo.

Tras ellos, junto a ellos, van sus mujeres, centros inmóviles y sedentarios del pueblo y la familia convertidos ahora en una masa anónima de soldaderas que ejercen en ellas mismas una fulminante revolución de las costumbres sociales y sexuales, mujeres a la intemperie cuya liberación en acto de guerra habrían de recoger después los arquetipos literarios y cinematográficos (de Mariano Azuela al Indio Fernández) como la nueva Adelita sin pelos en la lengua, promiscua y marimacha, sexualmente activa, libre hasta la provocación, deslenguada hasta la procacidad.

Es el año por excelencia de la violencia, su gratuidad descarnada y su secuela devastadora en saqueo, destrucción, inseguridad, luto y epidemias, desgajamiento del núcleo familiar, hijos de la revolución y esposas del regimiento. Y una cultura del riesgo, la impunidad y la vida al día que rompe los muros de la moral dominante, la moral del ahorro, la contención y la resignación de campanario. Esa experiencia terminal de la brutalidad de la guerra, es la que resume en su *Autobiografía* José Clemente Orozco:

> La tragedia desgarraba todo a nuestro alrededor. Tropas iban por las vías férreas al matadero. Los trenes eran volados. Se fusilaba en el atrio de la parroquia a infelices zapatistas que caían prisioneros de los carrancistas. Se acostumbraba la gente a la matanza, al egoísmo más despiadado, al

hartazgo de los sentidos. Subdivisión al infinito de las facciones, deseos incontenibles de venganza. Intrigas subterráneas entre los amigos de hoy, enemigos mañana, dispuestos a exterminarse mutuamente llegada la hora.

El año 1915 es también el año del triunfo del jacobinismo norteño, una nueva y vigorosa oleada de abolición y escarnio del viejo México católico. Es el año de la cuerda de sacerdotes extranjeros que Obregón expulsa del país luego de informar al público que padecen inconfesables enfermedades venéreas, el año del carrancismo que también es anticlericalismo: templos usados como cuarteles, atrios como vivaques, conventos asaltados y profanación ostentosa de los objetos del culto. Es el aluvión norteño del México laico sembrado en la reforma del siglo pasado, cuya afrenta acumulada en la catolicidad mayoritaria habría de estallar en los años veinte con la guerra cristera, pero cuyo remache intransigente en la constitución primero y en la acción estatal después, habría de profundizar en el México contemporáneo la secularización de la vida civil y de la educación pública.

José Clemente Orozco emigró a fines de 1914 a Orizaba con los contingentes de la Casa del Obrero Mundial. Recuerda:

> Al llegar a Orizaba, lo primero que se hizo fue asaltar y saquear los templos de la población. El de Los Dolores fue vaciado e instalamos en la nave dos prensas planas, varios linotipos y los aparatos del taller de grabado. Se trataba de editar un periódico revolucionario que se llamó *La Vanguardia* y en la casa cural del templo fue instalada la redacción.
>
> El templo del Carmen fue asaltado también y entregado a los obreros de "La Mundial" para que vivieran ahí. Los santos, los confesionarios y los altares fueron hechos leña por las mujeres, para cocinar, y los ornatos de los altares y de los sacerdotes nos los llevamos nosotros. Todos salimos decorados con rosarios, medallas y escapularios.

La aparición de México

1915 fue también el año del aislamiento del país frente al extranjero, de las regiones frente a la ciudad de México y de la invasión sucesiva de la capital por los ejércitos revolucionarios, un encuentro traumático del centro con el país en que imperaba.

Describe Alejandra Moreno Toscano:

> La crisis en la ciudad no se parecía a las que se habían conocido en otras épocas. Aquellas se habían resentido como resultado de catástrofes agrícolas. Esta era más una cuestión de hegemonía que de economía. El origen de los problemas era político: se jugaba la ciudad para decidir la revolución, aunque sus efectos visibles fueran económicos: escasez, carestía, desorden monetario.
>
> Días antes de la primera entrada de los zapatistas a México, el comercio cerró. La población urbana comenzó a comprar alimentos en exceso para almacenarlos en sus casas. Se temía a los saqueos. Cuando entró Villa con sus tropas, se repitió la escena pero además lo acompañaban veinte mil soldados que también demandaban alimentos. Cuando volvió Obregón y los zapatistas se replegaron a Padierna, se suspendió el suministro de luz (porque los zapatistas cerraron las fuentes de Xochimilco) y como tampoco había carbón, los habitantes tenían que salir de la ciudad, de noche y a escondidas, a cortar árboles de calles y avenidas para hacer fuego.
>
> Todas las fábricas del Distrito Federal habían cerrado (tampoco los ferrocarriles introducían materias primas para la producción). La ciudad estaba llena de desempleados y de limosneros que deambulaban sin rumbo fijo y dormían en las calles. El tifo comenzó a hacer estragos. El ayuntamiento reconoció su incapacidad para mantener el gobierno de la ciudad en esas condiciones y la dejó a su propia suerte. Declaró que no podía hacerse cargo ni mantener a los huérfanos y ancianos de los asilos, ni a los pensionados del manicomio de la Castañeda y abrió las puertas de esos establecimientos para dejarlos libres para luchar por su propia subsistencia.

Pese a la precariedad y el aislamiento, o precisamente debido a ello, se alzó frente a la conciencia urbana e ilustrada del país la elemental y poderosa "novedad de México". El país y su miseria, sus hábitos y pasiones anónimas, sus ambiciones y sus esperanzas, su facha, su habla, su inmediatez más tangible, asomaron ante esta conciencia como una revelación.

En 1926, un hombre de ciudad, Manuel Gómez Morín, ya entonces fundador del Banco de México, resumía así aquella experiencia:

> Con optimista estupor nos dimos cuenta de insospechadas verdades. Existía México. México como país con capacidades, con aspiración, con vida, con problemas propios. No sólo era esto una fortuita acumulación

humana venida de fuera a explotar a ciertas riquezas o a mirar ciertas curiosidades para volverse luego. No era nada más una transitoria o permanente radicación geográfica del cuerpo estando el espíritu domiciliado en el exterior.

Existían México y los mexicanos.

La política colonial del porfirismo nos había hecho olvidar esta verdad fundamental.

En el seno de una vida cultural e intelectual afrancesada del México capitalino, sacudida por sus audacias modernistas y por las altas rebeliones metafísicas que alternaban el decadentismo bohemio con la historia positivista, el naturalismo de viejos novelistas con la consagración del helenismo clásico en las nuevas generaciones, la aparición del México áspero y crudo de la revolución tuvo los efectos de una catarsis de afirmación y descubrimiento nacional. López Velarde cantó a la "suave patria", Mariano Azuela publicó *Los de abajo*, José Clemente Orozco pintó "carteles y rabiosas caricaturas anticlericales", como él dice, pero también magistrales apuntes a lápiz de "hospitales" revolucionarios, batallas, fusilamientos, catrines puestos a bailar a balazos, zapatistas, carrancistas, "el pueblo en armas" usándolas y padeciéndolas.

Canastas vacías

Finalmente, 1915 fue el "año del hambre", el año del dislocamiento de la producción y el abasto, el más cabal indicador de que el vendaval destructivo de la revolución había tocado fondo. Para el caso de la ciudad de México, lo describe así Alejandra Moreno Toscano:

> Los ferrocarriles, controlados por los ejércitos en contienda, eran utilizados exclusivamente con fines militares —traslado de pertrechos y tropas— y dejaron de introducir granos y mercaderías. Luego se requisaron todos los caballos y mulas para los mismos fines, lo cual explica mejor la interrupción drástica del abastecimiento urbano. Los vaivenes de la contienda política explican también por qué se alternaba la escasez de los bienes de la ciudad. Cuando los convencionistas controlaban México, era usual que hubiera verduras, frutas de tierra caliente, maíz de Toluca, pero no carbón. Pero cuando los constitucionalistas controlaban la ciudad, ocurría casi lo contrario.
>
> Cuando la convención se reunió para discutir lo que debía hacerse para controlar los precios, una multitud de mujeres irrumpió en la Cá-

mara de Diputados llevando canastas vacías y exigiendo justicia. Un delegado tomó la palabra y sugirió que ahí mismo se hiciera una colecta para repartir dinero. Las mujeres respondieron "no queremos dinero, queremos pan" y abandonaron el recinto...

Para junio de 1915 las escenas de desorden se multiplican: mujeres con canastas vacías recorren los mercados de la ciudad sólo para encontrarlos cerrados; caminan todo el día, de San Juan a la Merced, de la Lagunilla al Martínez de la Torre. Por todos lados aparece gente dispuesta a romper puertas con hachas y cuchillos, a asaltar comercios. Los comerciantes, por su parte, parapetados en las azoteas, defienden sus propiedades.

La guerra civil: por un gobierno sin banquetas

A principios de noviembre de 1914, el país era abrumadoramente convencionista, los ejércitos villistas y zapatistas ocupaban prácticamente todo el centro y el sur del país, todo el Pacífico, salvo Acapulco y Mazatlán, y todo el Norte, salvo Agua Prieta en Sonora y Nuevo Laredo y Tampico en Tamaulipas. Con tropas y archivos, Obregón y Carranza se desplazaron de la Ciudad de México, a mediados de noviembre, hacia el Golfo y Tabasco, Campeche y Yucatán, e instalaron la jefatura constitucionalista en el puerto de Veracruz, que los ocupantes norteamericanos dejaron en manos del Primer Jefe, Venustiano Carranza, a fines de noviembre de ese año.

El 6 de diciembre, desde el balcón de Palacio Nacional, Villa y Zapata vieron desfilar a la división del Norte y al Ejército Libertador del Sur, triunfantes, en la capital de la República. El gobierno de la Convención presidido por Eulalio Gutiérrez que entraba a la ciudad de México fundido en esos contingentes era, en lo militar, un gobierno sin ejército y, en lo político, el resto de un pacto. Surgido como fruto de un intento de acuerdo entre villistas y zapatistas con el ala izquierda del carrancismo, había perdido en la figura de Obregón a un aliado fundamental. Lo que quedaba de ese pacto era también conflictivo.

El concentrado agrarismo zapatista imantaba al ala izquierda del villismo y parecía capaz de darle un centro programático y gubernativo a la alianza convencionista, pero era ciego al concurso de otras fuerzas nacionales y chocaba además, en lo agrario, con el ala conservadora del villismo, donde pesaban gentes como José María Maytorena, que aprovechaban su fuerza en Sonora para devolver haciendas y bienes a propietarios porfirianos. El estratega villista, Felipe Angeles, era también un obstáculo al radicalismo convencionista; creía en las reformas graduales después de la lucha armada y veía en la influencia extranjera un respetable foco de procedencia de los capitales, la ciencia y el ejemplo que países atrasados como México requerían. Así, la ley agraria del 28 de octubre de 1915 creada por Manuel Palafox, ministro de Agricultura del gobierno convencionista y alma administrativa del zapatismo, sólo fue firmado por algunos de sus colegas radicales, miembros del mismo gabinete: Otilio Montaño, Genaro Amezcua y Miguel Mendoza.

Además de estos desencuentros ideológicos barrenaban también las pretensiones del gobierno convencionista, la explosividad ingobernable del propio Villa y su ala salvaje, donde gente como Rodolfo Fierro y Tomás Urbina encarnaban la pulsión de la ilegalidad ajena a toda noción institucional, a toda idea de conciliación política o construcción administrativa.

Finalmente, había una restricción central: verdaderos detentadores del poder en esa alianza convencionista, Villa y Zapata, no querían ni podían organizar un gobierno al servicio de sus propósitos. Carecían de lo que a Carranza le sobraba: sentido del Estado, como lo muestra a las claras la conversación entre ambos durante su primer encuentro en Xochimilco, el 4 de diciembre de 1912:

> *Villa*: Yo no necesito puestos públicos porque no los sé lidiar. Vamos a ver por dónde estan estas gentes [las del gobierno convencionista]. Nomás vamos a encargarles que no nos den quehacer.
>
> *Zapata*: Por eso yo les advierto a todos los amigos que mucho cuidado, si no, les cae el machete... Yo creo que no seremos engañados. Nosotros nos hemos estado limitando a estarlos arriando, cuidando, cuidando, cuidando, por un lado, y por el otro, a seguirlos pastoreando.
>
> *Villa*: Yo muy bien comprendo que la guerra la hacemos nosotros los hombres ignorantes y la tienen que aprovechar los gabinetes: pero que ya no nos den quehacer.
>
> *Zapata*: Los hombres que han trabajado más son los menos que tienen que disfrutar de aquellas banquetas. Nomás puras banquetas. Y yo lo digo por mí: de que ando en una banqueta, hasta me quiero caer.
>
> *Villa*: Ese rancho está muy grande para nosotros. Está mejor por allá afuera. Nada más que se arregle esto, para ir a la campaña del Norte. Allá tengo mucho quehacer. Por allá van a pelear duro todavía.

La guerra civil: andamios de la hegemonía

Ni villistas ni zapatistas concibieron sus luchas (y en esto fueron siempre ejércitos fundamentalmente campesinos) como un desafío por la hegemonía nacional. Para Villa el país terminaba donde empezara a peligrar su larguísima línea de abastecimiento conectada a la frontera; lo llamaba el norte y no se apartó de él. Para Zapata, el mundo terminaba donde la organización popular de su ejército careciera ya del peculiar arraigo agrario y militar que lo caracterizaba. El país de Zapata incluía los estados de Morelos, Guerrero y partes de Puebla, Hidalgo, Tlaxcala, estado de México y el Distrito Federal; el de Villa estaba dibujado por las líneas del ferrocarril y la gran placenta financiera y militar que representaba la frontera con Estados Unidos. En los linderos de estas debilidades convencionistas, empezaban las ventajas del carrancismo acorralado.

Para Carranza, el país era una totalidad conceptual, política y administrativa de la que él era el único representante legítimo, sin que importara de momento cuánto de ese territorio dominaba. No necesitaba "instruidos" y "gabinetes" ajenos a los cuales pastorear, tenía los suyos propios, ni sentía grande el rancho para subirse a sus banquetas. Desde Veracruz, y antes de ocuparlo, había negociado su desalojo con Estados Unidos como gobernante indisputado de México. Su general y aliado escindido del pacto convencionista, Alvaro Obregón, tenía una idea suficientemente flexible y global de sus tareas como para planear, en la inminencia del desastre militar, a fines de 1914, embarcarse con sus tropas en Salina Cruz y, luego de un incierto viaje costanero por el Pacífico, desembarcar en el occidente de México para unirse con las tropas de Diéguez en Jalisco y reiniciar desde ahí la campaña en terrenos que conocía bien. Para los zapatistas, la guerra de guerrillas era no sólo el origen, sino la condición militar natural. A la sugerencia hecha por Carranza de fragmentar su ejército y resistir así a los villistas en un momento difícil de la campaña, Obregón respondió: "No salí de Sonora como bandolero para andar a salto de mata. Soy el comandante del Ejército Constitucionalista y así moriré si es necesario".

La petulancia de esta actitud en una situación tan precaria política y militarmente, es acaso la expresión psicológica exacta de una fracción revolucionaria que se planteaba correctamente su situación histórica. No había otro grupo en el país con la noción de representar un gobierno nacional y la decisión y los medios para erigirlo. Los atisbos que hubo de este propósito en el seno del gobierno convencionista, como se ha dicho, fueron nulificados por su heterogeneidad y por el espíritu autárquico, ajeno a los secretos de la legitimidad y la institucionalidad, de los jefes villistas y zapatistas.

Las consecuencias prácticas de esas concepciones de origen fueron decisivas. A fines de 1914, los zapatistas no atacaron a los ejércitos de Carranza, replegados en el Golfo y el sureste, porque los sentían fuera de su ámbito territorial; los villistas tampoco, porque no quisieron poner en entredicho su línea de abastecimientos ni sus relaciones con los zapatistas, cuyo celoso territorio habrían tenido que cruzar para una campaña en el Golfo. Carranza y Obregón obtuvieron de esa inmovilidad militar convencionista el primer recurso que necesitaban, tiempo. El segundo fue su dominio sobre regiones aparentemente periféricas pero en realidad estratégicas: los campos petroleros de Veracruz y Tamaulipas, los activos puertos de Tampico y Veracruz y la exportación del henequén desde Yucatán. De ahí vinieron abundantes divisas e impuestos para pertrechar al ejército y al gobierno carrancista, entre otras cosas porque la guerra mundial hizo crecer extraordinariamente la producción de henequén y porque las exportaciones petroleras pasaron de 200 mil pesos en 1910 a 516 millones en 1920.

La guerra civil: banquetas del futuro

A los preparativos militares unió Carranza los preparativos políticos. Para empezar hizo adiciones al Plan de Guadalupe, el 12 de diciembre de 1914, prometiendo dictar "durante la lucha" leyes para favorecer la formación de la pequeña propiedad, disolver latifundios y restituir a los pueblos las tierras de que hubieran sido injustamente privados. Se comprometía el carrancismo también a hacer equitativos los impuestos, mejorar el salario y la condición de las "clases proletarias"; garantizaba la libertad y el cumplimiento de las Leyes de Reforma, la independencia del poder judicial y la regulación de la exportación de los bosques, el petróleo, las aguas y, en general, los recursos naturales.

Así lo hizo. Y empezó por el principio con la ley agraria del 6 de enero de 1915, la primera de la nueva época en la materia, destinada a expropiar las banderas zapatistas. Disponía esa oportuna ley la devolución de tierras a las comunidades y el derecho de todos los campesinos a poseer un pedazo de tierra. (Sólo el derecho, porque durante los siguientes cinco años de poder carrancista, habrían de repartirse nada más 173 mil hectáreas a no más de 44 mil campesinos). Paralelamente, Carranza pactó con los hacendados la conducta antagónica a la ley y contrajo el compromiso de devolver las haciendas ocupadas por la ola revolucionaria, lo cual hizo también, definiendo así una de las alianzas conservadoras que habrían a la vez de sostener y erosionar su régimen.

Luego, jalado por la sensibilidad y las gestiones de su ala obregonista, los constitucionalistas buscaron y encontraron apoyo en las ciudades, entre los obreros. A fines de 1914, una vez reorganizado y pertrechado su ejército, Obregón inició el avance sobre el centro del país. Tomó Puebla a principios de enero de 1915 entre otras cosas porque los zapatistas armaron una defensa tan pobre de la ciudad que fue casi como regalar la plaza. A fines de enero entró a la ciudad de México, cuyos ocupantes la evacuaron sin combatir. Ya en la capital, impuso medidas de emergencia para rescatar de la hambruna a los sectores populares, incautó la Compañía Telefónica y Telegráfica Mexicana y la puso en manos de los dirigentes del Sindicato Mexicano de Electricistas, cuyo dirigente, un Luis Napoleón Morones, fue designado gerente por la asamblea de los obreros. A través de la Casa del Obrero Mundial, los constitucionalistas establecieron una cadena de abasto de comida y ropa, y abogaron con éxito frente al Primer Jefe por una alianza política con esa nueva clientela.

En 1915, pese a su reputada inconografía de mártires en Río Blanco y Cananea, la clase obrera mexicana era socialmente una capa exigua, sin cohesión ni conciencia de sus intereses. Llegaba a la Revolución con una experiencia muy reciente como proletariado moderno, marcada por los hábitos de un mutualismo propio más bien de gremios y artesanos: ni tradición de lucha ni ideología proletaria. Las primeras noticias coherentes de esta última les habían llegado a través de activistas extranjeros, anarcosindicalistas italianos o españoles y, durante un periodo, coincidente con los movimientos de Cananea y Río Blanco, por las consignas radicales del Partido Liberal Mexicano y los hermanos Flores Magón.

Como trabajadores de una industria fundamentalmente norteamericana e inglesa —ferrocarriles, minas, petróleo— tendían a identificar al explotador y al extranjero. Por ello, el nacionalismo tozudo e inflexible de Carranza tocaba directamente la conciencia política de esos trabajadores que, de hecho, cuando la ocupación norteamericana de Veracruz, se habían ofrecido al gobierno de Huerta para combatir al invasor. El peculiar jacobinismo norteño, en particular el obregonista, tocaba también notas fraternas de la cultura anarcosindicalista y masónica que dominaba las mutualidades y los gremios. Los carrancistas olfatearon en esa organización y en los obreros urbanos un grupo clave de la red de alianzas que necesitaban para ampliar sus bases sociales durante la guerra civil. A mediados de febrero, luego de una asamblea reticente, la Casa del Obrero Mundial firmó con Carranza un pacto de colaboración que incorporó unos tres mil combatientes urbanos al constitucionalismo —sastres, carpinteros, tipógrafos—, garantizó el patrocinio oficial al movimiento obrero y creó el molde en que habrían de fraguarse, matices más o menos, todas las alianzas del Estado y el sindicalismo mexicanos de los siguientes setenta años. La Casa del Obrero Mundial abandonó su tradicional línea de acción sindical directa, independiente de todo gobierno, y ofreció su participación en la lucha armada. A cambio, recibió el apoyo oficial para agremiar a todos los trabajadores en los territorios que iba dominando el carrancismo y le fue concedida una óptima y simbólica sede en la ciudad de México: la Casa de los Azulejos, antiguo Jockey Club, garito de la riqueza y el atildamiento porfirianos.

Para fines de febrero de 1915, la estrategia política y jurídica del carrancismo estaba definida. Faltaba sólo la definición militar.

La guerra civil: batallas

Al frente de sus ejércitos, Obregón dejó la capital el 10 de marzo de 1915, aseguró su línea de abastos desde Veracruz, olvidó a los zapatistas en el sur y a principios de abril estaba en el Bajío dispuesto al primer choque con Villa. Cuatro grandes batallas, ganadas por los ejércitos obregonistas, definieron en esos campos el predominio militar de la revolución. Las dos de Celaya en abril, la de posiciones en Trinidad durante el mes de mayo y la de Aguascalientes a principios de junio, en la que una situación desesperada por escasez de comida obligó a Obregón a una ofensiva súbita que sorprendió a las líneas villistas.

Después de la batalla de Aguascalientes, a mediados de 1915, la retirada villista hacia el norte fue el espectáculo de una caravana dispersa y sin moral, que iba perdiendo en forma sucesiva, sin pelear, lo que un año antes obtuviera de modo fulgurante. Lentos ferrocarriles exhibían los carros suntuosos que debían ocupar los jefes; ahora venían vacíos, con los vidrios rotos y costurones de balazos en los lados. La desmoralización era la nota dominante, se reñía por vitualla, se multiplicaban las deserciones y las rendiciones.

El 16 de julio, Obregón tomó San Luis Potosí; un día después ocupó Zacatecas. El frente zapatista, que en marzo había avanzado sobre la ciudad de México a la salidad de Obregón, también fue echado atrás. En el norte, Pánfilo Natera se rindió a Obregón y ocupó, con parte de sus tropas, la ciudad de Durango. El 4 de septiembre los constitucionalistas entraron a Saltillo, el 13 a Monclova y unos días después a Piedras Negras. El 27 cayó sin combatir San Pedro de las Colonias y en los días siguientes Torreón y Gómez Palacio. El 17 de octubre, los Estados Unidos reconocieron como gobierno de facto al carrancismo. A principios del mismo mes los ejércitos villistas se concentraron en Casas Grandes, al pie de la sierra de Chihuahua, para invadir Sonora. En los áridos campos de Hermosillo y frente a las trincheras de Agua Prieta, el villismo habría de perder sus últimas batallas formales. La derrota lo regresaría a su sitio y su condición originales: el estado de Chihuahua, la sierra y la correría. La pacificación efectiva de aquellas regiones no sería posible sino hasta 1920, dificultad que prueba el arraigo profundamente popular y regional del villismo, un origen que su larga aventura y su vastedad numérica durante 1914 y 1915 no alcanzaron en el fondo a disipar.

Mientras los ejércitos de Obregón y Villa decidían este destino, los zapatistas ocuparon, gobernaron y transformaron su mundo suriano, repartieron las tierras y las haciendas de Morelos, establecieron su propio poder y se dieron leyes que aplicaron los pueblos y defendieron con las armas los combatientes armados de los pueblos mismos. Pero su suerte estaba echada también en las derrotas del Bajío. El 2 de agosto de 1915, Pablo González recuperó la capital de manos zapatistas, que la habían ocupado en marzo, a la salida de Obregón. Terminada la persecución obregonista en el norte, a principios de 1916 volvió a Morelos la guerra del centro, ahora carrancista y por intermedio de Pablo González, las tropas invasoras, como con Huerta bajo Madero y con Juvencio Robles bajo Huerta, saquearon, robaron, incendiaron, mataron y exiliaron pueblos enteros a las montañas. El 2 de mayo tomaron Cuernavaca y a mediados de junio, el pueblo que había fungido como cuartel general de Zapata, Tlaltizapán, escarmentado por ello con la ejecución de 132 hombres, 112 mujeres y 42 niños.

Año cero: la disputa constituyente

A fines de 1916 las rebeliones agrarias del sur y del norte habían regresado a su condición originaria, eran tercas y resistentes rebeliones locales, pero no desafiaban la nueva hegemonía política, militar y administrativa del país. Los carrancistas se enfilaron, en consecuencia, a la tarea fundamental de la hora, asentar su dominio y anticipar los cimientos del nuevo orden. El 19 de septiembre de 1916, Venustiano Carranza, todavía Primer Jefe encargado del poder ejecutivo durante el periodo preconstitucional (1915-1916), convocó a un congreso constituyente para codificar el nuevo pacto político del México que emergía de la Revolución. El 22 de octubre fueron celebradas las elecciones de los diputados constituyentes, cuyo requisito único de ingreso fue haber permanecido durante los vaivenes de la guerra civil fieles al Plan de Guadalupe y al liderato de Carranza. Un congreso exclusivo: sólo para carrancistas.

Para esos momentos, el carrancismo estaba lejos de ser un bloque unitario o indivisible, era en realidad un profuso larvario de corrientes, tendencias y caudillajes encontrados. El constituyente fue el escenario propicio del nuevo deslinde político e ideológico de los triunfadores. Su lucha interna entre diputados "radicales" y "conservadores" tradujo la escisión y la competencia abierta, fincada desde tiempo atrás entre la vertiente nacionalista, liberal y restauradora de Carranza y el pragmatismo pluriclasista, anticlerical, estatista y empresarial del constitucionalismo sonorense, cuyo dirigente reconocido era Alvaro Obregón.

La disputa se configuró de inmediato. El 1º de diciembre de 1916, el constituyente recibió en Querétaro el proyecto carrancista de nuevo código nacional. Era el proyecto que podía esperarse de un gobernante formado, como Carranza, en el horizonte liberal decimonónico que la dictadura porfiriana había burlado en la realidad sin abolir en las leyes. Al final del túnel de la guerra civil, Carranza miraba al país urgido de una reorganización política y una restauración constitucional, tal como lo había estado en la época de Juárez —obsesión y sombra de la memoria carrancista— al término de la intervención extranjera, cincuenta años antes.

Sordo y ciego, por formación y edad, al potente reclamo social de la lucha en que acababa de salir triunfante, la percepción de Carranza era de naturaleza fundamentalmente política. Su proyecto constitucional repetía casi literalmente la Constitución de 1857, con una sola reforma fundamental. La Constitución liberal había previsto la existencia de un poder ejecutivo débil. Esa condición había sido, según una convicción generalizada en la cultura política de la época, lo que la había hecho desembocar en la dictadura: cercados por las enormes limitaciones constitucionales que les impedían moverse, Juárez, primero, y Porfirio Díaz, después, encontraron la forma de romper esa camisa de fuerza y terminaron burlándola en su fondo sin violentarla en su forma. Validos de este recurso, particularmente Díaz, fueron convirtiendo el orden constitucional en su simulación externa; el Parlamento, en un remedo de la representación nacional, la república federal en una colección ficticia de estados soberanos, el poder judicial en una extensión administrativa y política del ejecutivo; la vida democrática toda, en una mascarada de normas jurídicas huecas y consignas operativas inflexibles.

La única propuesta reformadora de Carranza fue la de un poder ejecutivo fuerte capaz de sortear las emergencias de la hora y de garantizar en adelante, por consecuencia confiada de su propia fuerza, la existencia real de los otros poderes, las libertades municipales y las soberanías republicanas de los estados.

El ala jacobina del Congreso quiso ir más allá; quiso reconocer también la huella humeante de las demandas sociales subyacentes en la guerra civil (50 mil hombres en armas, todavía, en distintos puntos de la

República). Fue el ala reformadora y verdaderamente creadora de la Constitución Mexicana de 1917. Su intervención añadió en arduos debates los compromisos de una legislación laboral (artículo 123), una educación obligatoria y laica (artículo 3), una legislación agraria, que dio pleno dominio a la nación sobre el subsuelo y sus recursos naturales y sometió la propiedad a las modalidades que dicte el interés público (artículo 27): no sólo una constitución política sino también una constitución social que grabó en la perspectiva del nuevo Estado las realidades estructurales que la violencia había sacado de los sótanos del Porfiriato.

La disputa del constituyente fue también expresión política acabada de la discordia que los años de gobierno preconstitucional carrancista (1915-1917) habían traído a la República Posrevolucionaria. Se daba sobre el trasfondo de un renacimiento de la hostilidad norteamericana, debidamente estimulada esta vez por la sangrienta ocupación de Villa de un pequeño pueblo fronterizo norteamericano, Columbus, a principios de marzo de 1916. La inmediata respuesta del gobierno de Woodrow Wilson a ese ataque fue la integración de una columna de 10 mil hombres al mando del general Pershing, que se nombró a sí misma Expedición Punitiva e ingresó a Chihuahua en busca del guerrillero. Ocho meses de persecución infructuosa de Villa pusieron las cosas cada día al borde de la ruptura diplomática y el enfrentamiento armado entre ambos países, dejando "tras de sí una cauda tal de hostilidad y desconfianza", como ha escrito el historiador Friedrich Katz, "que en el periodo inmediatamente posterior ningún dirigente mexicano pudo intentar un acercamiento con Estados Unidos".

La fricción con Estados Unidos alentó a la oposición interna, una buena parte de la cual seguía armada. En previsión de un enfrentamiento con el ejército norteamericano en Chihuahua, el gobierno carrancista reforzó con tropas la zona norte del país lo que facilitó a fines de 1916 y principios de 1917 el regreso del zapatismo al dominio de todo el estado de Morelos, salvo las poblaciones mayores. El conspirador de siempre, Félix Díaz volvió a encontrar apoyo en el norte, esta vez para "obtener el control de la industria henequenera y petrolera de México" y entró con tropas a Veracruz, aunque como siempre, sin mayor éxito. Manuel Peláez, caudillo regional de la zona petrolera del Golfo, había logrado también fortalecer su dominio comprando armas en Estados Unidos y desafiaba con su autonomía al gobierno carrancista. Lo mismo había logrado Esteban Cantú en Baja California, gracias en parte a sus buenas relaciones con las autoridades norteamericanas del otro lado de la frontera.

A estas fuerzas sustraídas a la pacificación, había que agregar la proliferación de pequeños o grandes caciques regionales con tropa y armamento propio, que imponían su ley a poblaciones indefensas brindándoles protección de distinto tipo, entre otras cosas contra el bandolerismo irreductible que dejó como saldo la guerra civil. Todo, sobre el bastidor del fuerte descontento popular con el gobierno de Carranza no sólo porque sus promesas agrarias habían quedado en el papel (como se ha dicho, entre 1915 y 1920 sólo se repartieron 173 mil hectáreas en beneficio de 44 mil campesinos), sino también porque México vivía en esos años un dramático descenso en el nivel de vida, subrayado hasta la desesperación por la inseguridad general, el desastre monetario que había heredado el país de la circulación de más de veinte monedas que cada ejército acuñaba y reconocía como única y la corrupción generalizada de autoridades y militares carrancistas, de cuya voracidad acuñó el pueblo el verbo carrancear, como sinónimo de robar. Encima de todo esto, el mal tiempo y las malas cosechas, el desempleo por la baja de la actividad comercial e industrial, hicieron del año de 1917, año de la fundación del nuevo régimen, otro año de hambre y escasez, el de mayor sufrimiento y castigo para los mexicanos que así estrenaban el pacto de la nueva era.

La restauración carrancista

Luego del triunfo militar, la política de Carranza se enfiló a la restauración. Primero que nada en la composición misma de la burocracia y sus consejeros. Carranza sabía del gobierno y de sus refinamientos jurídicos y administrativos, requería y estimaba la cercanía de hombres versados en el dédalo burocrático y diplomático, la astucia legal y el talento parlamentario. Su asesor por excelencia, autor de la ley agraria del 6 de enero, ministro de Hacienda, era Luis Cabrera, la encarnación lúcida y difícilmente mejorable del político civil carrancista. Pero la nómina privilegiada por el Primer Jefe era larga y controvertible. A costa de los jefes militares del momento que conocían la guerra y ambicionaban el poder, la preferencia carrancista encumbró a los Félix Palavicini, los Alfonso Cravioto, los Luis Manuel Rojas, abogados y administradores de vena conservadora que no sólo no venían de las filas revolucionarias, de escasa instrucción y nula experiencia gubernativa, sino a menudo de los círculos profesionales y los almácigos burocráticos del viejo régimen.

El círculo íntimo de esos civiles carrancistas fue el sitio de donde corrió la intriga política contra Obregón y la fuente de irritación para cientos de jefes legos, rudos, semianalfabetos y para muchos otros dirigentes que creían haberse ganado su lugar en los campos de batalla y no en los despachos que rodeaban a la primera jefatura. Ese cerco que apartó a Carranza de sus viejos subordinados e inyectó en éstos la irritación de verse desplazados. Comentando la situación, el general Francisco J. Mújica, oficial carrancista rebelde desde la firma del Plan de Guadalupe en 1913, jacobino impulsor de las reformas sociales de la Constitución de 1917, escribió a mediados de agosto de 1917 a su gemelo ideológico Salvador Alvarado:

> Ahora que en febrero y marzo estuve en México vi más encono en contra de los villistas, los zapatistas y los convencionistas que contra los huertistas. Los periodistas de la revolución son los de la dictadura y el cuartelazo. En la secretaría de Hacienda hay 80 por ciento de huertistas, en otras secretarías están en minoría pero los hay.

En el frente agrario, la política de Estado carrancista no se dirigió al cumplimiento de su propia ley de enero de 1915, sino al del pacto con los hacendados que garantizaba la devolución de las haciendas. Carranza pretendía con ello reactivar la actividad económica restituyendo las unidades productivas de antes de la Revolución, pensando que esa reanimación daría una respuesta más rápida a la situación generalizada de hambre y carestía que barrenaba su gobierno.

En una carta abierta de 1917, el propio Zapata denunció: "Las haciendas están siendo cedidas o arrendadas a los generales favoritos; los antiguos latifundios, reemplazados en no pocos casos por modernos terratenientes que gastan charreteras, kepí y pistola al cinto; los pueblos, burlados en sus esperanzas". La denuncia apuntaba a uno de los hechos duraderos de la Revolución, que habría también de socabar el prestigio y la legitimidad de los militares carrancistas: el traslado de viejas propiedades porfirianas a manos de una nueva clase propietaria salida de las filas del ejército constitucionalista, origen predatorio de la enriquecida y aburguesada familia revolucionaria que conocerían las décadas por venir.

La restauración carrancista en el frente agrario incluía también el objetivo militar de la pacificación y el arrasamiento de la rebelión zapatista. En 1918, por segunda vez desde 1915, Pablo González inició por instrucciones de Carranza su tarea de limpia y quema en Morelos, una tarea histórica que culminó, con plena coherencia de estilo y procedimiento, en un engaño y una traición: los que hicieron acudir a Emiliano Zapata a la hacienda de Chinameca la mañana del 10 de abril de 1919, donde las tropas gonzalistas lo acribillaron luego de prestarle el saludo de ordenanza.

Los obreros también probaron el fruto amargo de la restauración. Al término de la lucha contra Villa y en medio del caos monetario y la caída salarial, la misma organización de los trabajadores auspiciada por el carrancismo a través de la Casa del Obrero Mundial, sirvió para encauzar, uniformar y en cierto modo generalizar la protesta.

A finales de diciembre de 1915, tranviarios y electricistas de Guadalajara pararon en demanda de aumentos de salarios. En la mina El Oro del Estado de México, los huelguistas sustituyeron a los jefes y tomaron las instalaciones. Empezaron a puntear el país peticiones laborales y huelgas o amenazas de huelga exigiendo mejores salarios y su pago en oro y plata, no en los "bilimbiques" emitidos como papel moneda por los ejércitos carrancistas. La respuesta fue implacable, el 30 de noviembre de 1915 uno de los gremios más combativos de la Revolución, los ferrocarrileros, fue incorporado al ejército y sometido a disciplina militar. A principios de 1916, fueron disueltos los batallones rojos. El héroe de Morelos y Chinameca, Pablo González, se pronunció contra la agitación obrera reinante a fines de enero de 1916 en uno de los primeros manifiestos en que el gobierno exigió para sí un estatuto superior o por encima de los conflictos de clase: "Si la revolución ha combatido la tiranía capitalista" dijo González, "no puede sancionar la tiranía proletaria". A continuación, González invadió con sus tropas el Jockey Club, desalojó a los sindicatos y clausuró el periódico *Ariete* de la Casa. Su ejemplo cundió en los estados. Los jefes militares locales detuvieron a los dirigentes de la Casa que se empeñaron en promover el pago de los salarios en oro y los concentraron en Querétaro por instrucciones del Primer Jefe.

El enfrentamiento definitivo tuvo lugar el 31 de julio de 1916 al declararse en huelga general los sindicatos del Distrito Federal, unos noventa mil obreros encabezados por los electricistas. La respuesta de Carranza fue radical, dictó el primero de agosto la ley marcial, disolvió con el ejército las asambleas y decretó la pena de muerte para los obreros vinculados, aunque no fuera más que de oídas, a toda proposición o intento de huelga.

Paralelamente a este ajuste de cuentas con obreros y campesinos, Carranza buscó una relación de nuevo tipo, proveniente esta vez de su nacionalismo activo, con las empresas extranjeras y practicó un decidido intervencionismo gubernamental en ellas, estipulándoles impuestos mayores y penándolas con multas y expropiaciones si no reanudaban la producción, particularmente en el ámbito de la minería, donde se habían paralizado muchas empresas. También eso tuvo un precio.

El descontento de jefes militares postergados, la persistencia de rebeliones y autonomías bélicas regionales, la represión campesina, la ruptura de la alianza con los obreros y la hostilidad de las empresas y el gobierno norteamericano, fueron condiciones suficientes del desgaste carrancista.

Como ha escrito Friedrich Katz:

> No había nada de muy revolucionario en la política económica nacionalista de Carranza. Lo que se propuso fundamentalmente fue restablecer las condiciones del porfiriato en beneficio de grandes segmentos de la clase alta tradicional de México y de su nueva burguesía. El propósito de Carranza era ganarse a estos grupos a expensas tanto de los intereses extranjeros como de las clases más bajas de la sociedad mexicana, sobre cuyos hombros habría de caer la carga de los costos de la revolución. Por razones obvias, le fue mucho más fácil imponer dicha carga a los pobres que a los intereses extranjeros.

En el despeñadero político de la restauración, Carranza dejó la legitimidad de su régimen, el impulso que lo llevó al triunfo en la guerra civil y, finalmente, el poder y la vida.

El dirigente capaz de aglutinar los hilos que el carrancismo perdía, el jefe reconocido del ala jacobina que introdujo en la Constitución los artículos claves de la conciliación clasista, la siembra del Estado posrevolucionario, la apropiación nacional de los recursos estratégicos y la secularización de la educación y la cultura, fue Alvaro Obregón, imán de la nueva alianza política que surgía de los escombros de la era carrancista.

La hora del caudillo

Nacido en Huatabampo, Sonora, treinta años antes de que Madero convocara a la rebelión de 1910, para el momento en que Carranza asumió el poder como presidente constitucional de México, en los primeros meses de 1917, Alvaro Obregón era ya el símbolo del éxito y la buena estrella militar. De todas las virtudes de Obregón como militar acaso la mayor fue la que lo encumbró también como político: su extraordinario sentido de la oportunidad, el lúcido balance de sus recursos y del momento o las condiciones en que mejor podían emplearse.

En los meses de mayo y junio de 1913, las fuerzas revolucionarias sonorenses libraron sobre la línea del ferrocarril que va de Guaymas a

Hermosillo dos batallas decisivas con el ejército federal, las batallas de Santa Rosa y Santa María. En ambas ocasiones, antes de empeñar un solo hombre o un solo cartucho, Obregón había puesto al enemigo en clara desventaja por el simple recurso de replegarse y esperar. Cuando la línea de abastecimientos del ejército federal hacia Guaymas había entrado por sí sola en crisis, Obregón pasó a la ofensiva cancelando puntos logísticos claves en la retaguardia y los flancos federales —como los aguajes, esenciales en el sartén del verano sonorense— y descargó toda su fuerza militar intacta sobre un enemigo vulnerado ya por la sed, la fatiga, la inmovilidad y la tensión. En otra modalidad de combate, las batallas de Celaya reprodujeron el perfil de un comandante que resistió atrincherado la embestida villista, hasta que el desgaste del adversario le permitió pasar a la ofensiva con el empuje fresco de tropas de caballerías no comprometidas hasta entonces en la lucha. Al término de esas batallas que decidieron el triunfo de la Revolución, Obregón confió a Carranza que los ejércitos constitucionalistas habían tenido la inmensa suerte de que Villa fuera el comandante enemigo. Era un comentario implícito de su propio talento militar, la convicción de que, puesto en el lugar de Villa, Obregón habría desbaratado a los ejércitos carrancistas mediante el simple recurso de no combatirlos frontalmente sino hasta que el desgaste natural de su avance los pusiera en las condiciones y el terreno propicios. Así lo había hecho antes en Sonora y así lo haría en 1923 con la rebelión delahuertista, cuyos ejércitos avanzaron acompasada y triunfalmente desde su base de operaciones en Veracruz, sólo para toparse en el centro del país con la resistencia calculada que los desbarató en unas cuantas batallas formales.

Y como de la guerra, así de la política. Primero en las elecciones que lo hicieron presidente municipal de Huatabampo en 1912, luego en su incorporación a la campaña contra Orozco, más tarde en el enconado ajedrez de la supremacía estatal durante 1913 y 1914, Obregón encontró siempre la brecha propicia y descifró el ritmo que su aprovechamiento exigía. El mismo pulso estratégico guio sus decisiones hacia la ruptura con Carranza. Luego de que en asamblea constituyente sancionó el nuevo código fundamental del país, a fines de abril de 1917 el altivo e irritado ministro de Guerra, brújula política reconocida del ala radical de aquella asamblea, presentó su renuncia al gabinete carrancista para hacer públicas sus incompatibilidades y retirarse a su tierra natal. En el momento de su renuncia, a sólo cinco años de su primera búsqueda formal de las armas contra el orozquismo en Sonora, Obregón era ya demasiadas cosas: comandante vencedor de los mayoritarios ejércitos villistas, héroe mutilado del brazo derecho por un obús en Trinidad, artífice de la primera alianza estratégica de la clase obrera y los gobiernos de la Revolución, el jacobino norteño casado por la Iglesia en 1916, el político saturado por las intrigas y la deshonestidad flagrantes del círculo carrancista, el ambicioso que veía dibujarse en el horizonte la silueta de la silla presidencial.

Había previsto esa posibilidad mucho antes y, en cierto modo, sólo por ella había trabajado. En su particular e insólito humor autodeprecatorio, contestó alguna vez a un interlocutor que le preguntaba si tenía buena vista: "La tengo muy buena. Imagínese que alcancé a ver la presidencia desde Huatabampo". Había vuelto a verla, más de cerca, en la Convención de Aguascalientes, agosto de 1914, con el acuerdo promovido por él y finalmente incumplido, de que Carranza y Villa se retiraran a la vida privada para evitarle al país un nuevo baño de sangre. La percibió de nuevo después del triunfo sobre Villa, al tratar de inducir a Carranza a que asumiera el cargo de la presidencia provisional que inhabilitaría su elección para el término constitucional siguiente. Y decidió asaltarla a partir de 1917, separándose del carro carrancista y de sus errores, para volver con nuevas alianzas a disputar el cargo en la oportunidad siguiente.

Se fue a Sonora, renegó implícitamente pero con toda claridad del carrancismo, adquirió una hacienda llamada *El Náinari* e inició el levantamiento de un emporio agrícola. Viajó a Canadá, Cuba y Estados Unidos, se entrevistó con Woodrow Wilson y vio a Carranza perderse en el dédalo de sus vocaciones restauradoras, la corrupción de sus colaboradores y el asesinato de Zapata. El primero de junio de 1919, huyendo de la política faccional que había desgastado enormemente al carrancismo, Obregón se irguió personalmente como punto de referencia de la política nacional, acogió el carapacho ideológico del partido liberal juarista y se autopropuso ante la nación como candidato a la presidencia de la República sin comprometerse con el patrocinio de ningún partido y de ninguna corriente. Libre de compromisos previos, se dio a la tarea de atar los cabos sueltos que el esquema del gobierno de Carranza había dejado fuera en su intransigencia, y se encaminó hacia un gobierno de conciliación de lo excluido, en cuya cúspide habría de gobernar, por la negociación y la fuerza, sobre las cambiantes alianzas de un equilibrio frágil y siempre al borde de la catástrofe, la mano pragmática e indesafiable del caudillo.

Camino a Tlaxcalantongo

Un año antes de cumplir su término presidencial, en 1919, Carranza lanzó su propio candidato al cargo, un candidato "civilista" y también sonorense: Ignacio Bonillas. Obregón recorrió en triunfo el país promoviendo su causa. Previendo que no habría solución sin enfrentamiento militar, Carranza intentó someter los poderes estatales sonorenses, base operativa de Obregón, y garantizar la lealtad de las guarniciones militares de la región cambiando sus mandos por generales carrancistas. Luego acusó a Obregón de conspirar con rebeldes y lo sometió a un juicio por sedición en la ciudad de México. Obregón huyó de la trampa capitalina y los gobernantes y militares sonorenses lanzaron en abril de 1920 el llamado Plan de Agua Prieta que desconocía al gobierno carrancista. Siguió al plan de lo que Luis Cabrera, el mayor ideólogo del Primer Jefe, llamó una "huelga de generales", la evidencia del apoyo que Obregón tenía ganado en el ejército y de la simpatía que su causa suscitaba entre los políticos activos de la nación. Uno tras otro se sumaron al Plan de Agua Prieta comandantes militares y jefes revolucionarios, rebeldes y obreros, zapatistas y partidos políticos. Pablo González, que lo debía todo a Carranza, se abstuvo de participar. Los mandos militares de Guerrero sorprendieron a Obregón en su fuga, lo acogieron como jefe nato y organizaron el avance sobre la ciudad capital.

Abrumado por la avalancha, Carranza buscó la voz del pasado y pensó repetirlo. Decidió replegarse a Veracruz, acondicionar sus fuerzas y volver victorioso sobre el resto del país. Se dispuso a la evacuación de la ciudad de México, montó en un largo convoy ferrocarrilero arcas y archivos del gobierno, dispuso una potente escolta con sus tropas leales y emprendió una penosa y lenta caravana hacia el Golfo, asediado por las fuerzas zapatistas, la deserción y la fatalidad. Antes de llegar a Puebla había abandonado el convoy y cabalgaba con una pequeña comitiva por la sierra tratando de alcanzar por esa vía el territorio veracruzano donde la lealtad del hombre fuerte local, el general Cándido Aguilar, habría de darle cobijo. No cruzó la sierra. En la noche del 21 de mayo de 1920 fue asesinado en Tlaxcalantongo, una pequeña aldea de la sierra, donde dormía protegido por la única solidaridad restante de un puñado de seguidores irreductibles.

Fue enterrado cuatro días después en la ciudad de México en una tumba de tercera clase, la mañana del día en que, por la tarde, el Congreso eligió presidente sustituto a Adolfo de la Huerta, cabeza civil de la rebelión aguaprietista y primero en la lista de cuatro presidentes sonorenses que el México posrevolucionario habría de tener en los siguientes catorce años.

III

Del caudillo al Maximato 1920-1934

Diez años después

Para el momento en que el memorable paisanaje sonorense ocupó por vez primera la silla presidencial, la guerra y sus secuelas —epidemias y emigración— se habían llevado del territorio mexicano a 825 mil habitantes. Quince millones 160 mil había acumulado el progreso porfiriano hasta 1910; el censo de noviembre de 1921 arrojó una población de catorce millones 355 mil mexicanos.

La parca vino con balas y batallas pero también con epidemias de tifo y fiebre amarilla (1915, 1916) y con la llamada influenza española (1918-1919). La frontera norte atrajo a conspiradores, revolucionarios, tratantes y compradores de armas pero también a trabajadores, refugiados y abstinentes de la Revolución. Y con eficacia tal que los 200 mil mexicanos que vivían en Estados Unidos en 1910 se habían cuadruplicado para 1930.

El costo económico de la Revolución Mexicana, su costo de oportunidad ha sido calculada por los expertos en un 37 por ciento términos de ingreso no producidos. Durante la década de la violencia todos los sectores de la economía, con la sola excepción del petróleo, sufrieron un considerable descenso. El producto agrícola global del país había crecido a un ritmo de 4.4 por ciento anual entre 1895 y 1910 y descendió a un promedio de 5.25% entre 1910 y 1921, hasta llegar a ser la mitad del Porfiriato; las ventas agrícolas al exterior, que componían el 31.6 por ciento del total de las exportaciones en 1910, eran sólo el 3.3 por ciento en 1921. La producción minera cayó también en picada a un ritmo de -4 por ciento anual, de 1,309 millones en 1910 (calculados a pesos de 1950) a 620 millones en 1921.

La industria manufacturera siguió un curso similar y sólo pudo recobrar los niveles de 1910 hasta 1922: diez años netos de estancamiento. La violencia destruyó cuantiosamente infraestructura heredada, en particular los ferrocarriles, con tramos enteros de vía desaparecidos, pérdidas de 3,873 carros de carga, 50 locomotoras y 34 coches de pasajeros. Dos mil kilómetros de vía telegráfica fueron también destruidos. Buena parte de los esfuerzos del gobierno entre 1916 y 1919 fueron destinados a reponer el equipo ferrocarrilero perdido, con un impacto tan alto en la deuda pública de la empresa que habría de volverse insostenible, y a restaurar paulatinamente las líneas telegráficas, que en 1921 ofrecían ya sólo una pequeña merma con relación al total de línea simple heredada del Porfiriato (37 mil 477 kilómetros).

De toda la economía prorrevolucionaria sólo la industria petrolera mantuvo el tranco y lo aceleró. Su increíble promedio de crecimiento de 43 por ciento entre 1910 y 1921, hizo pasar a México de una exportación neta de 200 mil barriles de petróleo en 1910 a una de 516 millones 800 mil barriles en 1921. Una buena parte de la negociación política durante los años veinte y treinta tendría que ver con la prosperidad de este enclave, única fuente verdaderamente dinámica de producción en la deprimida economía revolucionaria y verdadero islote de dominio de empresas extranjeras en cuya resistencia habría de ejercitarse, en un sinuoso ir y venir de enfrentamientos y negociaciones, el emergente nacionalismo revolucionario.

Para 1921, la fuerza de trabajo se había reducido en casi 400 mil personas, los 5 millones 263 mil mexicanos laborantes de 1910 eran 4 millones 883 mil en 1921. Había 100 mil mexicanos menos trabajando en el campo, 50 mil menos en las minas, 60 mil menos las profesiones libres y los empleos privados y sólo quedaban mil 700 de los 90 mil propietarios y rentistas registrados como tales en 1910, demostración fehaciente, si alguna, de hasta qué punto la apacible vida porfiriana de la cúpula había sido destruida por el vendaval revolucionario. Habían aumentado, en cambio, sensiblemente, las armas de casa, crecidas en más de 130 mil.

Según el perfil laboral de la sociedad posrevolucionaria, trabajaban sólo 324 de cada mil mexicanos (330 en 1910) y de ellos 224 en el campo (237 en 1910), 40 de cada mil en la industria, 19 en el comercio y las finanzas, 10 en servicios, 5 en transporte y comunicaciones, 4 en el gobierno y 3 en la minería, particularmente en el petróleo (6 por millar en 1910). Otra tajada sustancial del pastel, 330 de cada mil mexicanos, era en 1921 de amas de casa (304 en 1910) y 331 de cada mil eran menores de edad (358 en 1910). Visto en su conjunto, podía decirse entonces que una quinta parte de la población mexicana de 1921 se dedicaba a las faenas del campo, una tercera parte al hogar y el trabajo doméstico, otra tercera parte a la tarea de crecer y el sobrante, en porciones mínimas repartidas por orden descendiente, a la industria, el comercio, las finanzas, los servicios, las comunicaciones, el gobierno y la minería.

Los afanosos índices de crecimiento natural de la población eran en 1921 de 6.1 por ciento anual, aminorados considerablemente por la muerte de 222 de cada mil nacidos. El recuerdo de las epidemias, los estragos del hambre y la destrucción, la parálisis del incipiente sistema sanitario implantado durante el Porfiriato, sellaron hondamente en la experiencia revolucionaria al tema de la salud, cuyo derecho fue garantizado a la población en el acta constitucional de 1917.

Pasado el remolino, la forma de morir de los mexicanos seguía básicamente inalterable: en cantidad abrumadora por enfermedades estomacales (349 de cada mil difuntos), otro tanto igual por padecimientos pulmonares y del sistema respiratorio (influenza, neumonías, tuberculosis y bronquitis), una porción alta por paludismo (148 por millar) y sólo un puñado por padecimientos cardiacos (31 al millar), accidentes (47 al millar) o patología criminal (24 homicidios por cada mil muertos). En suma, México seguía muriendo según los moldes de una sociedad predominantemente rural, sacudida todavía por endemias y epidemias, sin sistemas generalizados de salud pública, agua potable, higiene alimenticia y atención hospitalaria; una sociedad trabajada por altos porcentajes de enfermedades curables y sin los efectos mortales propiamente modernos adscritos a la mecanización de la vida, la concentración urbana y la patología del progreso.

Los primeros indicios de ese porvenir empezaban a insinuarse débilmente en cosas como el crecimiento de la población urbana, que de ser el 11.7 por ciento en 1910 había pasado a ser el 14.7 en 1921. La ciudad de México empezaba en esos años a tener el pálpito del futuro que le vendría porque las huellas de la violencia y la expulsión del campo por la inseguridad habían hecho saltar sus 470 mil habitantes porfirianos hasta los 659 mil posrevolucionarios.

La sociedad que heredaban los sonorenses de la guerra civil seguía siendo fundamentalmente rural pero deprimida en su capacidad de producción agrícola y ganadera, demográficamente mermada en ochocientos mil desaparecidos sustraídos por la guerra, las epidemias y la emigración; severamente dañada en su infraestructura y en su sistema monetario por los excesos destructivos y financieros de los ejércitos combatientes, insegura fuera de las ciudades, que empezaron en esos años a crecer, y con un solo enclave próspero que era en sí mismo un desafío al nacionalismo recobrado de esos años frente a las compañías petroleras, cuya expansión en medio de la guerra hablaba claramente de nexos más decisivos con la fuerzas del mercado mundial que con los avatares del país, así los avatares fueran el caso de una revolución.

Los gobernantes

La rebelión de Agua Prieta acaudillada por los sonorenses fue la última triufante de la historia del México contemporáneo. Los triunfos fueron desde entonces, invariablemente, de los poderes constituidos, la estabilidad y las instituciones. Adolfo de la Huerta, cabeza civil del aguaprietismo, fue presidente interino de México del 10 de junio al 1o. de diciembre de 1920, el tiempo suficiente para una eficaz tarea de pacificación de los más diversos grupos rebeldes y para convocar a elecciones presidenciales que el 5 de septiembre de aquel año ganó Alvaro Obregón por 1 millón 131 mil 751 votos contra 47 mil 442 de su más cercano contendiente.

Obregón gobernó como presidente constitucional el cuatrienio 1921-1924, entregó el poder a su paisano Plutarco Elías Calles para el periodo siguiente (1925-1928) e incurrió en la debilidad porfiriana por excelencia de reelegirse presidente de México para el siguiente cuatrienio (1928-1932). En esa condición de presidente reelecto lo sorprendió la muerte por manos de un católico, José de León Toral, que lo mató a balazos durante un desayuno político en el restaurante La Bombilla, el martes 17 de julio de 1928. El presidente en funciones, Plutarco Elías Calles, oyó el mensaje de las balas de Toral y no sólo no pensó en reelegirse, sino que anunció al país, en su último informe de gobierno, el fin de la era de los caudillos y el principio de la época de las instituciones. Previo acuerdo con el ejército, las cámaras nombraron presidente provisional por dos años a Emilio Portes Gil, quien convocó a elecciones extraordinarias para el periodo 1930-1934. Fueron ganadas por el ingeniero Pascual Ortiz Rubio, primer candidato presidencial del Partido Nacional Revolucionario, fundado un año antes. Ortiz Rubio entendió pronto que el nuevo concierto institucional tenía un viejo director de orquesta y se vio precisado a renunciar luego de que sus diferencias con el hombre fuerte del momento, Plutarco Elías Calles, hicieron imposible su gobierno. Había empezado mal: el mismo día de su toma de posesión sufrió un atentado a manos de un Daniel Flores que le atravesó de un tiro la mandíbula en pleno patio de Palacio Nacional. La renuncia de Ortiz Rubio ante el Congreso, el 2 de septiembre de 1932, dio paso al último presidente interino de la historia contemporánea de México, el empresario y general sonorense Abelardo Rodríguez, designado por unanimidad en el Congreso para gobernar del 3 de septiembre de 1932 al 1° de diciembre de 1934.

La literatura, por conducto de Martín Luis Guzmán, ha bautizado memorablemente la atmósfera trágica y fraticida de los años de dominio obregonista (1921-1928) como la época de *la sombra del caudillo*. Los seis años que siguen a la muerte de esa sombra en *La Bombilla* corresponden a las presidencias de Portes Gil, Ortiz Rubio y Abelardo Rodríguez, y se conocen en la historia de México como el *Maximato*, alusión al peso incuestionable de la siguiente sombra caudillil, Plutarco Elías Calles, reconocido en su tiempo por sus aduladores como *Jefe Máximo* de la Revolución. Esas dos presencias dominan el curso de los quince años de política posrevolucionaria que hay entre el triunfo de Agua Prieta y el año de la elección de Lázaro Cárdenas para gobernar al país, en 1934. Son los años de la pacificación y la institucionalización de las fuerzas desatadas por la violencia de la década anterior, el camino de la sociedad mexicana hacia la estabilidad y de la organización política hacia su logro mayor del siglo: la transmisión pacífica e institucional del poder. La paradoja de ese tránsito hacia el imperio de las instituciones y el fin de los caudillos, es que no pudo darse sino por el concurso de dos presencias fundamentalmente caudilliles y personalistas. Fue una modernización política del siglo XX conducida por una reminiscencia caudillista del siglo XIX.

Al terminar, en 1934, el periodo que recorre esta paradoja, la sociedad mexicana había echado los cimientos de sus instituciones fundamentales. La estabilidad trajo reactivación económica. La riqueza producida en el país creció a menos del uno por ciento anual entre 1920 y 1925 pero en el quinquenio siguiente, bajo la presidencia de Calles dio un salto considerable hasta el 5.8 por ciento anual y el país acudió al inicio de su siguiente transformación territorial decisiva desde los ferrocarriles porfirianos, con la red de carreteras y el desarrollo de ambiciosos proyectos de obras de irrigación que expandieron las posibilidades de un estado económicamente activo, capaz de llenar los vacíos de infraestructura que la ausencia de inversión y la iniciativa de particulares iban dejando. La depresión estadunidense y el pánico mundial de 1929, afectaron ese impulso y se tradujeron en los primeros años treinta en un nuevo crecimiento negativo, con un fuerte impacto adverso sobre la exportación de minerales y petróleo, tradicionales fuentes de divisas de la economía mexicana.

Quince años después de la lucha armada, en vísperas del ascenso al poder de Lázaro Cárdenas en 1934, el perfil económico básico de la sociedad mexicana apenas había cambiado: siete de cada diez mexicanos con trabajo seguían teniéndolo en el campo por siembra, cría o sus derivados inmediatos; los que tenían oficios y beneficios en las ciudades, el comercio y las profesiones eran quince de cada cien; y catorce de cada centena le daban a la industria.

Era una sociedad estabilizada que había cambiado poco en sus estructuras materiales. Pero era también una sociedad restaurada, que había pospuesto impulsos y demandas fundamentales de la guerra social que la había sacudido. Su activo nacionalismo económico se había moderado y tenía con Estados Unidos una especie de acuerdo conservador luego de varios intentos de profundizar el control nacional de las inversiones y las empresas extranjeras. En 1929, Calles había dado la voz de freno al reparto agrario por juzgar que lesionaba la economía, pese a que desde la ley agraria carrancista de enero de 1915 hasta el fin de la presidencia de Abelardo Rodríguez en diciembre de 1934, la revolución en el poder había repartido sólo 7.6 millones de hectáreas entre 800 mil campesinos, en un país todavía abrumadoramente rural, donde 3 millones 600 mil personas vivían en 1930 del campo (70 por ciento de los 5 millones 165 mil mexicanos que componían la población económicamente activa).

El poder y el dinero habían reblandecido el espíritu igualitario y antioligárquico de las rebeliones de 1913, para dar paso a la consolidación de una nueva oligarquía enriquecida en los negocios ilícitos, la especulación comercial, el despojo de las haciendas de la vieja clase de terratenientes porfirianos, la empresa personal subsidiada y engordada con los recursos públicos y el despunte de una nueva clase empresarial de exrevolucionarios. El presidente que habría de entregarle a Cárdenas la banda presidencial ese año de 1934, era él mismo, encarnación de esa nueva familia revolucionaria reblandecida: Abelardo Rodríguez, impulsor del juego en México y la prostitución para exportación fronteriza que convirtió a Tijuana en la zona de diversión y desahogo de la base naval de San Diego.

Cámara rápida

Esos quince años de dominio sonorense trajeron al país un alud de novedades cuya sucesión en cámara rápida debe incluir en primer término la pacificación casi total del país y el inico de la fiebre de la reconstrucción, el ánimo público del gobierno obregonista de dar por concluida la "revolución" para inaugurar la época constructiva y promisoria del país. Ese es el espíritu que encarnó con fuerza peculiar en el proyecto vasconceliano de una educación pública federal redentora y vivificante, capaz de diseminar el evangelio de la instrucción y la nacionalidad por todos los rincones de México, para lo cual el antiguo Departamento de Educación fue convertido en secretaría de Estado (1921). Ramón López Velarde resumió la nueva sensibilidad nacional en su poema *Suave Patria* (1921) y José Vasconcelos su chovinismo universalista en *La raza cósmica* (1925). Fueron los años del inicio del muralismo mexicano (Diego Rivera y José Clemente Orozco) con la "decoración" —como lo dijo el propio Obregón en un informe— de los muros de la Escuela Nacional Preparatoria y el alumbramiento definitivo de México y la mexicanidad como sustratos últimos de la experiencia revolucionaria. Fueron los años también de la dura y sinuosa búsqueda de una negociación con los Estados Unidos, que juzgaban confiscatoria la Constitución de 1917 y extendían largas cuentas pendientes por la deuda externa y por daños a propiedades de norteamericanos durante la Revolución. Las tareas del gobierno y la administración absorbieron las energías casi adolescentes de la generación nacida en la última década del siglo XIX y el promedio de edades de los gobernantes apenas rebasaba los treinta años. La renovación demográfica en la cúpula tuvo pareja en la modernización tecnológica. A principios de los veinte fueron introducidas la radiotelegrafía en el sistema de comunicaciones y hubo los primeros vuelos aéreos comerciales en los transportes; empezaron a generalizarse el teléfono y el cinematógrafo, el automóvil desplazó landós, calesas y tranvías tirados por mulas y trajo a la ciudad de México los primeros embotellamientos. En 1921 se triplicó el reparto agrario y México se convirtió en el segundo productor mundial de petróleo. 1923 fue el año de la rebelión delahuertista que jaló a la mitad del ejército y también el año del reconocimiento del gobierno obregonista por los Estados Unidos. Rafael F. Muñoz publica *Memorias de Pancho Villa*, Alfonso Reyes: *Ifigenia cruel,* Mariano Azuela *La malhora*, y bajo los escombros de la rebelión el gobierno de Plutarco Elías Calles marcó el arranque de un nuevo tipo de Estado activo, promotor e intervencionista cuyas iniciativas mayores fueron la fundación en 1925 de una banca central, el Banco de México, y de una banca oficial de fomento, el Banco de Crédito Ejidal fundado en 1927; se dio inicio entonces a la educación secundaria, la implantación de un sistema nacional de carreteras y una ambiciosa agricultura de irrigación. En 1925 se firmó el primer contrato colectivo de la historia laboral del país y se multiplicó el auge de la Confederación Regional Obrera Mexicana (CROM), modelo primero del sindicalismo conciliador de las clases que administraría el pacto del gobierno con los trabajadores organizados, según el programa histórico esbozado en el artículo 123 constitucional. La búsqueda de la mexicanidad quedó sellada en el corazón de la escuela rural callista y la expedición de la primera ley petrolera (1925) puso las relaciones con Estados Unidos al borde de la intervención. 1926 fue el año de la guerra cristera y del primer ingreso significativo por turismo. La terminología de la cúpula gobernante conoció entonces la palabra *desarrollo* y las vedettes del teatro frívolo ratificaron en la exhibición provocativa de sus cuerpos y gestos el atisbo de una nueva sensualidad pública, verdaderamente a contrapelo del México católico que luchaba en las sierras del occidente y el Bajío por el imperio de Cristo Rey.

El año de 1929 trajo el *crack* de Wall Street y la crisis mundial, la fundación del Partido Nacional Revolucionario (PNR), el establecimiento de la autonomía universitaria, la negociación que aplacó la guerra cristera y la última rebelión militar del México contemporáneo que supuso el tránsito definitivo del ejército al ámbito institucional. En ese año clave de la historia de México, Martín Luis Guzmán publicó *La sombra del caudillo*, se instaló la XEW, primera radiodifusora comercial de México, el presidente interino Emilio Portes Gil realizó el mayor reparto agrario de los gobiernos posrevolucionarios y con la candidatura independiente del exsecretario de Educación, José Vasconcelos, el país vivió la primera disidencia civil de las clases medias ilustradas frente al dominio político caudillil emergido de la restauración posrevolucionaria. Los primeros años treinta trajeron la iniciación del cine sonoro en México y de Rufino Tamayo en los muros públicos, la conversión vaticana de la Virgen de Guadalupe en Patrona de América Latina, el lanzamiento de la escuela socialista y la altiva vocación gubernamental de apoderarse de la conciencia infantil de México mediante la implantación de la escuela socialista. Vio la luz también el primer fruto filosófico del mexicanismo arrasador de los veinte en el libro de Samuel Ramos *El perfil del hombre y la cultura en México*. La profunda recomposición de las fuerzas políticas en las distintas regiones y ciudades del país alumbró a su vez el nacimiento de una nueva organización agraria, un nuevo movimiento obrero suplente de la CROM, y una nueva estructura corporativa que fue capaz de ordenar dentro del PNR la militancia masiva de las clases fundamentales de la sociedad y el ejército. Finalmente en 1934, del mortero del maximato, demoledor de las herencias caudilliles, constructor tentaleante de las instituciones que habrían de suplirlas, a mitad de los años treinta se instaló en el país el primer gobierno institucionalmente presidencialista de la época posrevolucionaria, el gobierno que habría de poner fin a la hegemonía del Jefe Máximo y de la dinastía sonorense para llevar al centro del gobierno tradiciones largamente aplazadas de la carga popular y nacionalista de la Revolución.

El equilibrio catastrófico

A la estabilidad restaurada condujeron en los veinte dos caminos. El primero, que habría que llamar del *equilibrio catastrófico*, incluye el ajuste de cuentas entre las facciones revolucionarias, la subordinación de los señores de la guerra heredados de la guerra civil y la institucionalización de las fuerzas armadas. El segundo recoge los temas de *la construcción del Estado* e incluye el enfrentamiento con las tradiciones y creencias de la "vieja sociedad", la guerra cristera de 1926-29, el litigio con Estados Unidos por el dominio sobre los recursos estratégicos del país, los primeros arrestos del Estado como instrumento de acción y regulación económica, educativa y cultural, y la incorporación de los movimientos sociales al sistema del Estado mediante una representación sectorial organizada desde arriba. El lugar por excelencia de esa incorporación masiva es también el aparato de la negociación en la cúpula, el Partido Nacional Revolucionario creado en 1929.

La guerra civil de 1910-1917, como la de reforma e intervención del siglo pasado, dejó en el país una cauda impresionante de hombres fuertes, jefes militares y caciques regionales con poder, armas e intereses propios. Al momento de asumir la presidencia, Alvaro Obregón aparecía como el jefe natural de esa constelación de ambiciones y prestigios, el primero entre sus iguales Benjamín Hill o Salvador Alvarado y el foco de concordia y unificación de una abundante nómina de revolucionarios con preponderancia indiscutible en distintos estados del país: Angel Flores y Rafael Buelna en Sinaloa, Plutarco Elías Calles en Sonora, Genovevo de la O y los generales zapatistas en Morelos, Fortunato Maycotte en Guerrero, Guadalupe Sánchez, Lázaro Cárdenas, o Manuel Peláez en Veracruz y Tamaulipas, Saturnino Cedillo en San Luis Potosí, Manuel García Vigil en Oaxaca, y los jefes del carrancismo que iban de salida pero tenían, como tantos otros en el remolino de la Revolución, su propio ascendiente entre las tropas y su propio linaje militar: Francisco Munguía o Manuel M. Diéguez. Triunfante la rebelión de Agua Prieta e instalado como presidente interino Adolfo de la Huerta, la primera tarea de la era sonorense fue pacificar: atraer, comprometer, eliminar. A Francisco Villa se le ofreció una exacta encarnación de su utopía agrícola, la hacienda de Canutillo en Durango, a la que debía retirarse con una escolta de 50 hombres armados, pagados por la Secretaría de Guerra, que absorbería también entre sus filas a los villistas rebeldes que quisieran seguir en el servicio de las armas. Los villistas restantes, que no fueran a Canutillo ni entraran al ejército, recibirían tierras en otras partes de la República. Villa aceptó la oferta y firmó el acta de su pacificación en Sabinas, el 28 de julio de 1920, en un acuerdo posterior sólo unos días al ajuste de cuentas con Pablo González, el general carrancista que se abstuvo, con sus 22 mil hombres, de intervenir en el pleito de Agua Prieta y Carranza, el hombre a quien debía hasta el último de sus grados. González fue acusado de fraguar una rebelión, apresado en Monterrey, juzgado en un teatro de la capital, condenado a muerte y finalmente puesto en libertad para irse a una ciudad fronteriza desde donde hizo de vez en cuando declaraciones contra Obregón, antes de desaparecer en la noche de los tiempos.

Fueron los peces mayores de un largo tramo de negociaciones y acuerdos que incluyeron el licenciamiento de 50 mil efectivos (otro tanto quedó como ejército regular), compromisos políticos de reforma agraria con jefes zapatistas que depusieron las armas, el soborno de Félix Díaz que se había "sublevado" en Veracruz al triunfo de Agua Prieta, la ejecución de Jesús Guajardo, el asesino de Carranza. Conocedores de las debilidades de sus aliados y enemigos, los sonorenses triunfantes repartieron también prebendas, tolerancia en negocios a costa del erario, apropiación de tierras y otras formas perentorias de mejora patrimonial. Obregón resumió esa larga casuística en un famoso aforismo: "No hay general que resista un cañonazo de 50 mil pesos". Legitimado en las urnas y reconocido en la cúpula por sus iguales a fines de 1921, Obregón ocupó la silla presidencial y se enfiló hacia un gobierno de difícil pero efectivo equilibrio, con juego de partidos en las cámaras, un moderado crecimiento económico, una legendaria gestión educativa, un largo litigio con Estados Unidos, la primera incorporación visible de las demandas agrarias y obreras previstas en la constitución de 17 y descuidadas por Carranza: tres años netos de paz interna que el país no había tenido en la última década.

La sombra de Washington

La Revolución Mexicana tuvo un impacto decisivo en el ámbito interno y trastocó también las relaciones exteriores de México. Desde luego los efectos más notables y peligrosos fueron en las relaciones con las grandes potencias, en particular con Estados Unidos, y en las ligas de México con los países latinoamericanos.

Cuando Carranza fue eliminado por el grupo de Sonora, México había sido parcialmente invadido en dos ocasiones por fuerzas norteamericanas y amenazado un sinnúmero de veces. Los contactos con los principales países europeos se habían enfriado y apenas en 1920 empezaban a normalizarse. Los ciudadanos de Estados Unidos, Inglaterra,

Francia y España decían tener grandes deudas que cobrar a México por daños causados durante los diez años de lucha civil y por falta de pago de la cuantiosa deuda externa contratada en el Porfiriato y aumentada por Madero y Huerta. La Constitución de 1917 —en particular su artículo 27— pendía como una espada sobre las propiedades agrícolas y petroleras de los extranjeros, pues abría las posibilidades a su expropiación o nacionalización

Carranza cayó cuando trataba de limar algunas de las asperezas más evidentes con el exterior, producto de su posición nacionalista. Al desaparecer Carranza, el gobierno de Washington consideró que se abría una excelente oportunidad para replantear todas sus quejas contra México y darles una solución favorable. El primer paso fue declarar que Adolfo de la Huerta había llegado al poder de manera inconstitucional y retirar el reconocimiento que con tantos titubeos se había otorgado al gobierno de Carranza. Las relaciones oficiales entre los gobiernos de Washington y México quedaron suspendidas. Otras naciones europeas y latinoamericanas imitaron la conducta de Estados Unidos. A ninguno de los miembros de la comunidad internacional le convenía ignorar las indicaciones de Washington respecto a qué se debía hacer o no en el caso de México. Inglaterra y Alemania habían desoído a Washington en el pasado reciente sin otro resultado que dañar sus propios intereses. En mayo de 1920 México volvió a quedar formalmente aislado de los principales centros de decisión mundial.

Poco antes de la caída de Carranza, el senador norteamericano Albert B. Fall había presidido un comité que investigaba la situación mexicana. Fall era republicano, representante muy conspicuo de los intereses petroleros y, por tanto, enemigo declarado de la Revolución Méxicana. El senador se había dedicado a demostrar que había que tener mano dura con Carranza y, al desaparecer éste, recomendó no otorgar el reconocimiento a ningún nuevo gobierno en México mientras no se comprometiera, entre otras cosas, a exceptuar a los intereses y a las firmas norteamericanas de lo estipulado en los artículos 3, 27, 33 y 130 de la Constitución de 1917. Si el gobierno mexicano se rehusaba, debía informársele que si no se mostraba capaz de mantener la paz y el orden en su territorio, las fuerzas de los Estados Unidos se harían cargo directamente de la situación. El gobierno del presidente Wilson no fue tan brutal como quería Fall, pero adoptó una política de mano dura. Cuando De la Huerta inició contactos en busca del reconocimiento, el Departamento de Estado le informó que sólo se le otorgaría después de negociar plenas garantías a los derechos de propiedad de los norteamericanos en México. De la Huerta prescindió de la relación formal con Estados Unidos.

En mayo de 1921, el gobierno norteamericano propuso a Obregón la firma de un tratado de "Amistad y Comercio" que no era otra cosa que la aceptación formal de lo recomendado por Fall el año anterior. El proyecto incluía garantías contra la nacionalización, la no aplicación retroactiva de las cláusulas de la Constitución de 1917, el reconocimiento de los derechos mineros y petroleros adquiridos por ciudadanos norteamericanos de acuerdo con las leyes de 1884, 1892 y 1909, así como el pago o devolución de todas las propiedades norteamericanas tomadas a partir de 1910.

La posición de Washington era políticamente inaceptable para Obregón porque la firma del tratado pondría en entredicho la soberanía nacional y la esencia misma de la Revolución. Pero desoír a Estados Unidos era igualmente peligroso, la Casa Blanca podía alentar en cualquier momento un movimiento armado en su contra con resultados impredecibles. Obregón optó por satisfacer en la medida de lo posible las demandas norteamericanas e insistió en que sólo negociaría un acuerdo formal como el que se le pedía si antes se le otorgaba un reconocimiento incondicional. El gobierno norteamericano se negó: tenía todas las buenas cartas en la mano y no veía razón para no jugarlas a fondo.

La rebelión conciliadora

El *impasse* en las relaciones entre ambos países se mantuvo hasta 1923. Ninguna de las partes cedió en sus posiciones originales, pese a que algunas potencias europeas se impacientaron con Estados Unidos, pues al bloquear sus relaciones con México les impedían tener en ese país la representación adecuada para velar por sus intereses. Para evitar una crisis mayor, Obregón consiguió que la Suprema Corte dictaminara que la legislación que nacionalizaba el petróleo no podía ser aplicada a las propiedades adquiridas por las grandes empresas extranjeras antes de 1917. En 1922 envió a Nueva York a su secretario de Hacienda —Adolfo de la Huerta— para que negociara con los banqueros un acuerdo sobre los términos en que México pagaría su deuda externa. El acuerdo se firmó, y México reconoció entonces una deuda externa de 508 millones 830 mil 321 dólares. Fue una suma fabulosa dado lo precario del presupuesto federal, pero puso a los intereses financieros, como la famosa firma de J. P. Morgan, en un estado de ánimo favorable a Obregón.

Para 1923 la intransigencia norteamericana había disminuido y a Obregón le urgía el reconocimiento antes de que la agitación de la campaña presidencial en puerta creara fisuras dentro de su gobierno que pudieran ser aprovechadas en su contra. Se llegó entonces a un acuerdo para celebrar pláticas en México entre representantes personales de los mandatarios de ambos países, a fin de ventilar los puntos de desacuerdo. Las famosas "Conferencias de Bucareli" tuvieron lugar entre mayo y agosto de 1923 y su resultado fue no un tratado, sino algo menos formal: un acuerdo entre los representantes presidenciales. México se comprometía a pagar al contado toda expropiación agraria mayor de 1,755 hectáreas que afectara a ciudadanos norteamericanos, lo cual hacía muy improbable la expropiación de grandes latifundios; a cambio, Estados Unidos aceptaba el pago en bonos agrarios de toda expropiación menor de esa superficie. México también reconocía que no se afectarían propiedades petroleras en donde las empresas extranjeras pudieran demostrar que habían empezado a explotar el combustible antes de 1917 (la llamada doctrina del "acto positivo"). Y aceptaba la firma de la convención especial y otra general de reclamaciones para examinar los daños causados a norteamericanos a partir de 1868. En septiembre de 1923 ambos países nombraron embajadores y por fin se reanudaron las relaciones formales. Poco después varias naciones europeas —con la notable salvedad de Inglaterra— iniciaron negociaciones para reabrir sus representaciones en México.

Obregón logró restablecer la comunicación con Washington justo a tiempo, pues a los pocos meses tuvo que hacer frente a la rebelión de una parte sustantiva del ejército. Necesitó entonces del apoyo americano, tanto para adquirir armamento como para evitar que sus adversarios se aprovisionaran del otro lado de la frontera. El líder rebelde, De la Huerta, muy consciente de la importancia de la influencia estadunidense, procuró no dañar los intereses materiales y políticos de los norteamericanos y en cambio envió un representante personal a Washington para buscar el apoyo o al menos la neutralidad de los Estados Unidos, asegurándoles su simpatía respecto a las demandas estadunidense. El empeño de De la Huerta fue vano, Washington no estaba dispuesto a reabrir su controversia con México y apoyó a Obregón. Al final, cuando la situación de la rebelión era desesperada, De la Huerta sacó como bandera el antiimperialismo, acusando a Obregón de haber dañado mortalmente la soberanía mexicana con los acuerdos de Bucareli, pero de poco le sirvió este cambio de política y no le fue posible evitar la derrota.

Martín Luis Guzmán ha reconstruido en *La sombra del caudillo* la atmósfera de cierta fatalidad trágica que indujo a Adolfo de la Huerta a la ruptura de ese acuerdo en la cúpula del paisanaje sonorense. Envuelto en el remolino de la sucesión presidencial de 1923, traído y llevado por fuerzas que apenas comprendió, por su desacuerdo con las conferencias de Bucareli, arrastrado por la beligerancia mayoritaria del Partido Nacional Cooperativista en el Congreso, envuelto en sus propias declaraciones de que no competiría por la primera magistratura, irritado por la campaña de desprestigio que siguió a su renuncia como ministro de Hacienda, De la Huerta decidió lanzar su candidatura contra su paisano y rival, Plutarco Elías Calles, el secretario de Gobernación apoyado por el caudillo. Antes de que pudiera resistirse, la mitad del ejército se alineó tras su causa, y la rebelión prosperó. Sabiendo que la escisión fraterna destapaba una zona impredecible de sí mismo, Obregón advirtió:

> "De todo lo que suceda de ahora en adelante, no seré responsable". Y lo que sucedió fue la aparición del rostro nocturno del caudillo. En previsión de su posible alianza con De la Huerta, Villa fue muerto en1923 en una emboscada cuyo perpetrador no pasó ni un año completo en la cárcel. Los diputados cooperatistas que apoyaban la causa de De la Huerta fueron expulsados de la Cámara. El líder de la poderosa Confederación Regional Obrera Mexicana, Luis N. Morones, callista denodado, asumió la ofensiva contra los senadores que obstruían la aprobación de los tratados de Bucareli, que garantizarían para el gobierno de Obregón el apoyo y el reconocimiento norteamericano ante la inminente rebelión, declaró públicamente: "Los viejos caducos y empolvados que ostentan su desconsoladora ridiculez en el senado sufrirán la acción directa [...] Que se den prisa nuestros enemigos en afilar sus dagas y en apuntar sus rifles asesinos, porque la guerra es sin cuartel, diente por diente, vida por vida".

Una semana después el senador Field Jurado, partidario de De la Huerta, era muerto a tiros cerca de su casa y otros tres senadores cooperatistas desparecerían secuestrados. Disciplinado por el terror, el senado ratificó los tratados de Bucareli; Estados Unidos vendió al gobierno obregonista las armas requeridas para fortalecer su ejército y se negó a especular políticamente con la causa delahuertista, cuya rebelión iniciada el 4 de diciembre de 1923 y concluida en marzo del año siguiente, supuso la eliminación, por muerte, exilio o desempleo, de 54 generales y siete mil soldados.

La cristiada

Eliminada la oposición delahuertista y disciplinado el ejército, el general Plutarco Elías Calles realizó su campaña presidencial; fue declarado triunfador y asumió el cargo el 1° de diciembre de 1924. Pero en la oleada del equilibrio catastrófico, tampoco Calles pudo gobernar en paz. Tuvo que hacer frente a la rebelión cristera —en parte provocada por él— que estalló en 1926, como secuela de una virulenta disputa entre el gobierno federal y las altas autoridades de la Iglesia católica.

El 31 de julio de 1926 fueron suspendidos los cultos católicos en la República Mexicana. No podrían celebrarse misas, impartirse sacramentos, celebrarse bautizos ni consagrar uniones maritales. Era el punto terminal del largo litigio revolucionario del jacobinismo norteño con las tradiciones religiosas nacionales y sus administradores, los curas. La constitución de 1917 refrendó en sus artículos 3, 25, 27 y 130 las disposiciones anticlericales de la de 1857 y fue denunciada por la jerarquía católica como lesiva a la Iglesia y sus fieles. Durante la presidencia de Alvaro Obregón se creó la militante, irreductible y extendida Asociación Católica de Jóvenes Mexicanos (ACJM), y la hostilidad entre el régimen revolucionario y la jerarquía creció. En 1915, en un acto característico del jacobinismo norteño, Obregón había expulsado de la ciudad de México a un grupo de sacerdotes españoles no sin dar a la publicidad, profusamente, la presencia en varios de ellos de enfermedades venéreas. El jacobino se hizo hombre de estado pero igual, a principios de 1923, resintió la presencia de 40 mil peregrinos en la ceremonia que puso la primera piedra de un enorme cristo en el cerro del Cubilete, en Guanajuato, donde el obispo de San Luis Potosí proclamó a Jesucristo, Rey de México. El representante papal, monseñor Ernesto Filippi, presente en la ceremonia, fue a continuación expulsado de ese nuevo reino. La hostilidad se prolongó al año siguiente durante la celebración, en octubre de 1924, del también exitoso Congreso Eucarístico, cuyas ceremonias de mayor efecto público, sin embargo, fueron canceladas por resultar violatorias de las prohibiciones constitucionales. A principios de 1925, por instigación del líder cromista Luis Morones, enemigo natural del sindicalismo católico que obtenía algunos logros desde el Porfiriato, se fundó una Iglesia cismática mexicana, en manos del patriarca José Joaquín Pérez, quien desconocía la autoridad de Roma y definía como inmoral el celibato religioso. En Tabasco el gobernador callista Tomás Garrido Canabal, obtuvo de su legislatura un decreto según el cual ningún sacerdote podría oficiar si no contraía matrimonio, irónica coerción que obligó al obispo jesuita de la localidad, Pascual Díaz, a abandonar el estado, agraviado y ridiculizado por el espectacular jacobinismo garridista.

A principios de 1926, el arzobispo Mora y del Río ratificó públicamente en el diario *El Universal* unas declaraciones hechas nueve años antes en el sentido de que la Iglesia resistiría cualquier intento de aplicar los artículos anticlericales de la Constitución de 1917. La reacción del presidente Calles, desafiado en su hegemonía terrenal, fue fulminante: ordenó la clausura de varios conventos e iglesias y la expulsión del país de 200 religiosos extranjeros. Fue limitado el número de sacerdotes permitidos en distintos estados de la República (16 para Yucatán, 25 para Durango, 12 para Tamaulipas) y se procedió a la aprehensión, juicio y condena del obispo de Huejutla, por haberse expresado contra las leyes del país y haber denunciado en público los "crímenes y asaltos cometidos por el gobierno" (26 de marzo de 1926). El nuevo delegado apostólico, monseñor Caruana, fue expulsado también bajo el cargo de haber hecho "declaraciones falsas acerca de su nacimiento, profesión y religión".

La respuesta de la jerarquía y de los católicos fue fundar la Liga Nacional de la Defensa Religiosa, un organismo que condensaba la irritación de los católicos urbanos y repetía en sus manifiestos, proclamas y consignas, lo que la jerarquía soltaba en sus cartas pastorales, sus mensajes diocesanos y en los púlpitos de todo el país. El contraataque de Calles fue un nuevo código penal que incluyó la tipificación de delitos en materia religiosa: penas de uno a cinco años a sacerdotes y clérigos que criticaran las leyes, las autoridades o al gobierno, castigos para actos religiosos celebrados fuera de los templos y prohibiciones de portar vestiduras o insignias que permitieran identificar al dueño como miembro de la Iglesia (24 de junio de 1926).

La Liga promovió entonces entre los católicos un boicot contra el gobierno para crear una crisis económica; debían limitarse las compras a lo indispensable, no debían comprarse periódicos contrarios a la Liga, ni billetes de lotería, ni asistir a teatros, bailes o a escuelas laicas. Los firmantes de la circular que proponía el boicot fueron encarcelados por el carácter sedicioso de su iniciativa, entre ellos René Capistrán Garza, fundador de la ACJM, el arzobispo Mora y del Río y el expulsado obispo de Tabasco, Pascual Ortiz Díaz. Los obispos respondieron el 25 de julio con una pastoral conjunta, aprobada por el papa Pío XI, anunciando su decisión de suspender el culto católico en las iglesias de México dado que la hostilidad gubernamental hacía imposible mantenerlo. Cuarenta mil trabajadores organizados saludaron entonces la política de Calles el 1° de agosto de 1927 en la Plaza de la Constitución, donde arquitectos, ingenieros y albañiles añadían un piso al Palacio Nacional en involuntaria coincidencia simbólica con el refrendo y la ampliación de la hegemonía gubernamental que Calles trataba de obtener sobre la Iglesia.

El congreso o las armas

Por primera vez en siglos no hubo servicios religiosos en México. Calles aceptó la situación como una bienvenida conyuntura, favorable a la desfanatización. Y cuando una comisión de obispos pidió audiencia para expresarle su inconformidad por la severidad de las leyes antirreligiosas, el presidente contestó que a su juicio sólo quedaban a los prelados dos caminos: "El congreso o las armas". Fueron al congreso, con una petición de derogar las leyes firmadas por más de dos millones de católicos mexicanos. El 21 de septiembre de 1926 la petición fue rechazada por el Congreso. El otro camino se abrió entonces para decenas de curas radicales y sus huestes campesinas y urbanas.

México vivió entonces su segunda rebelión de un carácter profundo y orgánicamente campesino desde 1910, una rebelión que llegó a tener en pie de guerra a 50 mil hombres, duró tres años (1926-1929), incendió los estados de Jalisco, Michoacán, Durango, Guerrero, Colima, Nayarit y Zacatecas, costó 90 mil muertos (12 generales, 1,800 oficiales, 55 mil soldados y agraristas, 35 mil cristeros) y no pudo ser resuelta por las armas y sofocada por el ejército, sino por la negociación y el hallazgo de un *modus vivendi* que la jerarquía eclesiástica pactó con el gobierno provisional de Portes Gil en 1929. Fue la revuelta del México viejo, campesino y católico, pegado a sus tradiciones y al bálsamo religioso de su vida pueblerina desafiada por el jacobinismo revolucionario. Pero fue la resistencia también de la burocracia eclesiástica y la jerarquía, el poder por excelencia del México colonial, vencido pero no derrotado en las guerras liberales del siglo XIX, y ampliamente restaurado durante el Porfiriato.

Los cristeros se levantaron porque a su juicio el gobierno hacía imposible la vida de su Iglesia, no podían comulgar, oír misa y confesarse. El origen histórico es, sin embargo, más remoto, remite a los antiguos conflictos del regalismo, el tema del poder secular en pugna con el eclesiástico, la separación de la Iglesia y el Estado que la mayor parte de los países europeos dirimieron en la Ilustración y sus revoluciones políticas del siglo XVIII mientras que en México tenía su último desgarramiento nacional en la segunda década del siglo XX, luego de una guerra en los años sesenta del siglo XIX y una revolución popular cincuenta años más tarde. Así de ramificada y profunda la Ciudad de Dios en las raíces profundas de la sociedad mexicana.

La guerra cristera del México revolucionario expresaba del modo más violento la lucha de un liderato revolucionario crecido en la tradición liberal y en los hábitos laicos del norte de México, contra las tradiciones viejas de las regiones católicas del occidente, el Bajío y el centro del país, sitios donde la colonización española dejó una huella profunda e indeleble, una visión del mundo, una cultura agraria y religiosa que la colonización dispersa de las franjas norteñas no llegó a consolidar. Era el enfrentamiento de dos visiones del mundo y de dos proyectos de país. Uno, el que representaban Calles, las clases medias ilustradas y los beneficiarios directos del establecimiento político revolucionario; otro, el de las masas campesinas fieles a sus santos y a sus costumbres multiseculares, a la región y al pueblo donde viven, al cura, a la pequeña propiedad, a la agricultura de subsistencia. En medio de ese pleito, dirigiéndolo, se erguía la Iglesia Católica, una Iglesia que había entrado al terreno de la acción social, que durante la paz porfiriana había agilizado su estructura para recuperar las posiciones perdidas durante las guerras liberales de la Reforma y que contaba con una red vastísima de representantes —un cura de cada pueblo—, más el enorme peso ideológico de predicar para un país profundamente católico. Calles, Amaro y Morones, peleaban contra esta Iglesia, querían verla sometida al mundo que ellos eran capaces de concebir y que garantizaba su permanencia histórica; querían una Iglesia *mexicana*, una entidad abarcable con las maniobras de un Estado laico nacional. Querían someter ese otro poder alternativo, volverlo un apéndice o hasta una parte vertebral de la pirámide política que juzgaban indispensable. Terminaron enfrentándose directamente a esa organización, pero sobre todo a los campesinos católicos, cuya acción desbordó en más de un momento los límites de ambos cuerpos burocráticos. Con esa Iglesia, esa institución que reconocía las fuentes de su autoridad no en el mundo político revolucionario, ni en la Constitución de 1917, sino en el Vaticano, los revolucionarios parecían tener más puntos en común de los que tenían con los campesinos cristeros. Con la Iglesia y sus representantes, Calles podía hablar, negociar; entendía sus intenciones y sus intereses, aunque exhibiera ante ellos una repugnancia casi física. A los campesinos católicos del occidente en cambio no los entendió, ni era capaz de calcular aproximadamente siquiera la verdadera dimensión de su lucha. Para él la religión era cosa de mujeres y Jalisco el "gallinero" de la República; imaginaba que al ordenar la suspensión de los cultos, el pueblo se iría olvidando poco a poco de la religión y se volvería resignadamente laico. En respuesta, tuvo una guerra cuya profundidad se negó a aceptar y a creer, pese a que se hizo presente todos los días, por tres años, en cifras de bajas y en la incapacidad del ejército federal de 100 mil hombres para contenerla.

El anticlericalismo que los jefes carrancistas ostentaron desde las primeras épocas de la insurreción de 1913-1914, fue un epígono exaltado de la tradición liberal de la época de la Reforma, una instancia de la lucha ideológica por la hegemonía del poder civil sobre la sociedad colonial eclesiástica. Como principio ideológico de la lucha por la fundación del Estado, tenía un sentido: limpiar el camino de antagonistas, aniquilar al leviatán religioso. Como praxis política para descatolizar a los campesinos mexicanos, tuvo otro: la represión de una amplia porción del pueblo católico que no cabía en el esquema de valores de una sociedad ilustrada, una sociedad de ciudadanos gobernados por los asuntos de la tierra y por el máximo administrador imaginable de esta terrenalidad: un estado político.

El gobierno no pudo suprimir por la fuerza la rebelión cristera, pero los cristeros tampoco lograron quebrantar la hegemonía del gobierno. Se llegó así a una especie de sangriento empate del que sólo se pudo salir después de largas negociaciones con la Iglesia —en las que intervino la embajada norteamericana— y que culminaron en un acuerdo del 21 de junio de 1929. Iglesia y gobierno se comprometieron ahí a respetar sus respectivos reinos de éste y del otro mundo, la esfera temporal y la espiritual: ni la Iglesia incitaría a sus partidarios a tomar el poder, ni el Estado buscaría interferir con el orden interno de la institución eclesiástica.

La sombra de Washington, II

El acuerdo De la Huerta-Lamont de 1922, el de Bucareli de 1923 y otro más que tuvo lugar entre Obregón y los representantes de las empresas petroleras en octubre de 1924 —en virtud del cual se llegó a un entendimiento provisional sobre los impuestos y otros temas—, llevaron a la creación por primera vez en muchos años de un clima de relativa cordialidad entre México y Estados Unidos. Calles asumió la presidencia sin tener que preocuparse mayor cosa por los problemas internacionales, Obregón se los había resuelto. Para redondear la política sólo faltaba dar forma a las convenciones de reclamaciones con los Estados Unidos y quizá con los países europeos que ya habían dado su reconocimiento a México. El que continuaran suspendidas las relaciones con Inglaterra no preocupaba mucho al gobierno, pues ya era poco lo que Gran Bretaña podía hacer contra México.

El primer problema en lo que parecía ser el principio de una nueva relación con Estados Unidos se presentó antes de que Obregón dejara el poder, porque México no pudo cumplir con la reanudación de los pagos de su deuda externa. La lucha contra los delahuertistas había absorbido los fondos destinados a ese fin. Se pensó que el problema era temporal y que Calles podría iniciar la liquidación, pero por el momento el acuerdo de 1922 sobre la deuda externa quedó en suspenso, aunque México no negó su disposición a cumplirlo en cuanto le fuera posible.

La situación empezó a deteriorarse seriamente en 1925, al tener la Casa Blanca noticia de que el gobierno de México preparaba la primera ley petrolera de acuerdo con la Constitución de 1917. El proyecto de ley no fue de su agrado, y hubo franco disgusto cuando el Congreso lo aprobó en diciembre de 1925. Washington y los petroleros rechazaban en la ley el llamado "acto positivo" porque no respondía a lo acordado en Bucareli. La doctrina del acto positivo sostenía que los terrenos de las compañías petroleras extranjeras no podrían ser afectados por la legislación vigente sólo si antes de la fecha de la promulgación de la ley las compañías hubieran hecho en esos términos un acto positivo de exploración o explotación petrolera. La legislación de 1925 parecía en consecuencia a las compañías restrictiva e inaceptable; amparaba menos terrenos contra la aplicación de la cláusula que devolvía el dominio de los yacimientos del subsuelo a la Nación, y ponía un límite de 50 años a los derechos adquiridos a perpetuidad por las empresas petroleras durante el régimen porfirista. Paralelamente, otra ley callista que reiteraba la prohibición constitucional a extranjeros de tener propiedades en una faja de 50 kilómetros a lo largo de las costas y de 100 a lo largo de las fronteras: muchas minas, ranchos y campos petroleros se encontraban en la "zona prohibida".

Al final de 1925 el embajador norteamericano James R. Sheffield, convencido de que Calles era un radical, sostenía que Estados Unidos no debía permitir que la nueva legislación se pusiera en práctica por ser retroactiva y confiscatoria. Calles contestó con vigor e inteligencia el alud de notas diplomáticas norteamericanas contra la nueva legislación, pero se abstuvo de tomar cualquier acción drástica contra las empresas petroleras que se negaron a someterse a la nueva legislación. Esta desobediencia ponía en entredicho la soberanía mexicana, pero un conflicto armado con Estados Unidos hubiera resultado peor.

El problema petrolero se complicó con otros, entre los que destacan el conflicto cristero y la posición de México sobre la lucha en Nicaragua. Al estallar el conflicto entre la Iglesia y el Estado, los católicos mexicanos buscaron ayuda en los Estados Unidos, cuya Iglesia desató una vasta campaña de propaganda contra el gobierno mexicano en general y contra Calles en particular, exigiendo a Washington una actitud enérgica frente a México.

En el caso de Nicaragua, donde se escenificaba una guerra civil, los norteamericanos apoyaron al grupo conservador de Adolfo Díaz en tanto que Calles se pronunció en favor del líder liberal, Juan B. Sacasa. El apoyo mexicano a Sacasa no fue sólo moral, incluyó también el envío de cierto material de guerra. La interferencia abierta por parte de México en lo que Estados Unidos consideraba su coto exclusivo, encolerizó al secretario de Estado, Frank Kellogg, quien presentó ante el Senado de su país un memorándum titulado: *Objetivos y políticas bolcheviques en México y América Latina.* La imagen que Kellogg deseaba dar de Calles como instrumento soviético, se vio reforzada por el hecho de que al finalizar 1924, México había establecido relaciones diplomáticas con el Kremlin.

Para no echar más leña al fuego, Calles procuró neutralizar la presión del gobierno y los petroleros norteamericanos, insistiendo en mantener una buena relación con los banqueros. No se había podido cumplir el acuerdo de 1922, pero en octubre de 1925 se volvió a negociar, y en 1926 el gobierno mexicano envió a Nueva York un primer pago por 10.6 millones de dólares como parte de la liquidación de la deuda directa y 3.8 millones a cuenta de la deuda ferrocarrilera. Al año siguiente se hizo un nuevo pago por 11 millones de dólares. Era un sacrificio financiero destinado a evitar que los banqueros se unieran a los petroleros y a los católicos en demanda de una intervención norteamericana contra México.

Si finalmente no tuvo lugar un conflicto abierto, fue en gran medida porque tanto los banqueros como un grupo de congresistas norteamericanos se negaron a respaldar la política agresiva del embajador Sheffield, considerando que las acciones armadas en América Latina debían ser cosa del pasado y que no se habían agotado las posibilidades de negociación con México, ya que Calles ofrecía llevar sus diferencias con Washington ante un tribunal internacional de arbitraje. El presidente Coolidge y su secretario de Estado se mostraron muy sensibles a la existencia de las fuerzas antiintervencionistas.

Los ingleses, que por algún tiempo se habían mantenido reacios a llegar a un acuerdo con México, negociaron sus diferencias con Calles y restablecieron las relaciones diplomáticas. Empezaron a ser por eso mismo la voz de la moderación: en vez de amenazar, Washington debía tratar de llegar a un arreglo mutuamente conveniente para ambos países y ayudar al gobierno mexicano a consolidar la paz y el orden interno.

Hermanos enemigos, 1927

Justamente el orden interno pareció a punto de romperse nuevamente a mediados de 1927, esta vez no por la rebelión eucarística ni por la beligerancia estadunidense, sino por la conspiración fratricida. En 1927 los prolegómenos para la sucesión de Calles cocinaron otra división dentro del paisanaje sonorense. Esta vez los rebeldes fueron el ministro de

Guerra, Francisco R. Serrano y el general Arnulfo R. Gómez, lugartenientes respectivos, verdaderos hermanos menores en las armas, de Obregón y el propio Calles.

Una consecuencia fundamental de la rebelión delahuertista es que arrastró tras de sí casi todo lo que quedaba de la primera oleada de jefes militares constitucionalistas, los últimos señores de la guerra con prestigio nacional y mando autónomo de tropas: Salvador Alvarado y Manuel Diéguez, Rafael Buelna, Enrique Estrada, Fortunato Maycotte. Los años y los balas se habían llevado al resto. En 1919 Zapata había sido acribillado en Chinameca y una mañana de 1920 fue fusilado Lucio Blanco. En Tlaxcalantongo había caído el primer jefe Venustiano Carranza, el cáncer se llevó a Benjamín Hill en 1921 y una emboscada a Villa dos años después. Al despuntar el año de 1924 con la victoria obregonista y el exilio de De la Huerta, que sobrevivió del canto y del solfeo en San Francisco, no quedaba en el horizonte ningún jefe mayor aparte del caudillo de Huatabampo y su sucesor, Plutarco Elías Calles, gigantescos en el centro de un vacío de liderato tan notorio como la nómina de los que el remolino había apartado.

Parece lógico que en la constitución de ese vacío prosperaran, ante la sucesión de Calles, las ambiciones presidenciales de gente como Luis Morones, para entonces algo más que un poderoso líder de la CROM, también secretario de Trabajo y exaltado orador del obrerismo callista. En las mismas pretensiones del líder cromista, parecer haber leído Obregón la necesidad histórica de su propia candidatura, las felices bodas de las urgencias del país sin líderes con la ambición del caudillo sin rivales. La mayor parte del establecimiento revolucionario vio también en Obregón la carta segura y el hombre providencial, magnificado en su relieve por la crisis de dirigentes, y ahondado en su autoridad por la consolidación de prestigio.

Pero el nuevo camino a la presidencia de Obregón destapó una oposición antirreeleccionista que se condensó en las candidaturas presidenciales de Arnulfo R. (Partido Antirreeleccionista) y Francisco Serrano, que iniciaron en julio de 1927 su campaña. Las esperanzas electorales evolucionaron pronto hacia las certezas castrenses. Obregón y Calles —aseguraron Serrano y Gómez a sus seguidores oposicionistas— no permitirían unas elecciones limpias. Era necesario, por tanto —dijeron a sus íntimos— dar un golpe de mano y expulsarlos del poder con los mismos instrumentos violentos que ellos usaban para perpetuarse en él.

La conspiración encontró fecha: el día 2 de octubre de 1927 durante unas maniobras militares en el campo de Balbuena a las que debían acudir el presidente Calles, el candidato Alvaro Obregón y el nuevo secretario de Guerra, Joaquín Amaro, las tropas de un general sonorense, Eugenio Martínez, deberían aprehenderlos y convocarían al ejército y al país a inaugurar una nueva época bajo un gobierno provisional. Pero Obregón y Calles no acudieron a las maniobras ese día, Eugenio Martínez, viejo compañero de armas de Obregón, fue relevado del mando de las maniobras en Balbuena y enviado a Europa esa misma tarde, las unidades golpistas fueron fácilmente neutralizadas y sus jefes fusilados. El 3 de octubre, Francisco Serrano fue detenido con su comitiva en Cuernavaca. De regreso a la ciudad de México, fue bajado del automóvil en la carretera y fusilado junto con sus acompañantes a la altura de Huiztilac. La prensa del día siguiente ostentó mórbidamente las fotos de los cuerpos acribillados. Unas semanas más tarde, Arnulfo R. Gómez fue capturado en la sierra de Veracruz y fusilado el 5 de diciembre del mismo año. El espectáculo fue catártico, Calles y Obregón ajusticiaban en Serrano y Gómez no sólo a dos paisanos, compañeros de armas de la primera hora, sino a sus más fieles y asiduos lugartenientes, unidos por años de riesgos comunes, la guerra compartida, la fidelidad a toda prueba y hasta los lazos de familia. Nadie escapó al influjo de este terror ejemplarizante. Bajo el impacto de la ejecución de Serrano, Manuel Gómez Morín, fundador más tarde del Partido de Acción Nacional y uno de los técnicos creadores de instituciones como el Banco de México y el de Crédito Rural en los años veinte, levantó como meta de su generación "combatir el dolor".

La meta de Obregón fue presentar por segunda vez su candidatura a la presidencia. Había logrado ya que Calles pidiera al Congreso una reforma constitucional para permitir la reelección si no era inmediata, lo cual de cualquier modo equivaldría a revocar uno de los principios centrales de la Revolución: la no reelección. En realidad, aunque retirado formalmente de la actividad política al finalizar su mandato, Obregón no había dejado de ser un verdadero centro de poder. Cuando finalmente en 1928 se efectuaron las elecciones, triunfó sin problemas, como estaba previsto por todo mundo salvo por un militante católico, José de León Toral, que el 17 de julio de 1928 asesinó al candidato triunfante, creyendo ingenuamente que así aceleraría el triunfo de la causa cristera.

De La Bombilla *a las instituciones*

Contribuyó en realidad a que el sistema que tanto aborrecía diera un paso histórico hacia una institucionalización de largo plazo. La sorpresiva desaparición del caudillo sonorense restableció las notas del desequilibrio crónico del sistema. Para empezar, sólo la habilidad política de

Calles impidió que los obregonistas frustrados recurrieran inmediatamente a las armas para hacerse de un poder que ya consideraban suyo. Culpaban al presidente Calles de haber instigado el asesinato. El inculpado puso la investigación del asesinato en manos de los inculpadores, llegó a un acuerdo entre los principales generales con mando de tropas y logró que el Congreso nombrara al licenciado Emilio Portes Gil —un elemento aceptable tanto para Calles como para los obregonistas— presidente provisional, encargado de convocar a nuevas elecciones para elegir a un presidente constitucional que concluyera el sexenio que Obregón no había llegado a presidir. Así fue posible que el 30 de noviembre de 1928, Calles hiciera entrega formal del poder ejecutivo a Portes Gil, un civil que hasta entonces había sido figura dominante sólo de la política tamaulipeca.

Para llenar el vacío dejado por la muerte del caudillo, Calles propuso en su último informe presidencial "pasar de una vez por todas, de la condición histórica de 'país de un hombre' a la de 'nación de instituciones y leyes' ". El lugar del "hombre indispensable" debía ocuparlo una institución moderna: un gran partido que aglutinara a "los revolucionarios del país" y diera continuidad al grupo y a su obra. El 1° de diciembre de 1928 Calles y un puñado de allegados lanzaron al país el manifiesto proponiendo la creación del Partido Nacional Revolucionario (PNR), organismo que debería ser de ahí en adelante el disciplinado lugar donde la "familia revolucionaria" dirimiera sus diferencias y seleccionara a sus candidatos.

En marzo de 1929 se celebró en Querétaro la primera convención nacional del nuevo partido. Según su programa, debía dedicar los mejores esfuerzos al establecimiento de la democracia, el "mejoramiento del ambiente social" y la "reconstrucción nacional". Llegado el momento de la designación del primer candidato presidencial del reluciente y rechinante PNR, la voluntad inaugural de la familia revolucionaria ahí concertada, miró hacia el ingeniero Pascual Ortiz Rubio —exgobernador de Michoacán, carente de toda fuerza propia— y no hacia el prominente obregonista Aarón Sáenz, joven industrial, prototipo de la naciente burguesía concesionaria que habría de llenar con sus negocios y sus emporios protoestatales los años del capitalismo bárbaro mexicano.

La decisión favorable a Ortiz Rubio irritó a una parte importante del ejécito, que había sostenido la candidatura de Obregón buscando posiciones e influencias. Las medidas de profesionalización del propio ejército impuestas por el gobierno de Calles, a través de su secretario de Guerra, Joaquín Amaro, habían lesionado autonomías locales y sueños de independencia de jefes militares que pertenecían todavía a la camada directa de la guerra civil.

Antes de concluir la convención de Querétaro, el 3 de marzo de 1924, un grupo de generales y civiles obregonistas se pronunció en rebelión en el norte bajo el llamado Plan de Hermosillo, acusando a Plutarco Elías Calles, "el judas de la Revolución Mexicana", de usar el PNR para perpetuarse en el poder a través de la nominación de Ortiz Rubio.

Tras el Plan de Hermosillo se fueron treinta mil efectivos y un tercio de la oficialidad activa del ejército encabezado por Jesús M. Aguirre, jefe de operaciones militares en Veracruz; Gonzalo Escobar, de Coahuila; Fausto Topete, gobernador de Sonora; Marcelo Caraveo, de Chihuahua; Francisco R. Manzo, jefe de operaciones de Sonora; Roberto Cruz, de Sinaloa; Francisco Urbalejo, jefe de Durango y toda la armada. El gobierno retuvo la lealtad de la fuerza aérea, que jugó un papel decisivo y de los contingentes armados de obreros y agraristas de los cuales Saturnino Cedillo volvió a poner a las órdenes del gobierno, como en la rebelión delahuertista, cinco mil efectivos. El alzamiento alcanzó a implantarse en diez estados: Sonora, Sinaloa, Durango, Coahuila, Nayarit, Zacatecas, Jalisco, Veracruz, Oaxaca y Chihuahua, pero careció de duración y verdadero arraigo.

A fines de marzo en Jiménez, Chihuahua, unos 170 kilómetros al noroeste de Torreón, el ejército federal al mando de Juan Andrew Almazán inició con un triunfo la recuperación de Chihuahua y la batida sobre los rebeldes en la sierra, que incluyó el uso de los primeros bombardeos aéreos masivos de la historia de México, con asesoría y proyectiles norteamericanos. Durante el mes de marzo, el general Lázaro Cárdenas avanzó con su ejército sobre el occidente, por Jalisco y Nayarit hasta Sinaloa, recuperando los territorios para el gobierno con relativa facilidad. A fines de abril, los dirigentes rebeldes de Sonora habían abandonado el estado y emitían proclamas desde las ciudades fronterizas norteamericanas diciendo haber sido engañados. Siguieron rendiciones y deserciones en cascada. Pronto el gobierno pudo anunciar el balance de los costos de la última rebelión militar del México moderno: 14 millones de pesos gastados en la campaña, 25 millones perdidos en vías férreas destruidas y saqueos de bancos, 2 mil muertos. Lo ganado: un nuevo descabezamiento del ejército, la consolidación del pacto político que quería poner el acento en la negociación dentro de la familia revolucionaria, no en la conspiración y las pulsiones golpistas de los jefes militares. Reconociendo con ironía el carácter terminal de la revuelta escobarista, Luis Cabrera, escribió:

> Esta rebelión que se conoce con el nombre de la *rebelión ferrocarrilera y bancaria* fue más sencilla que la de 1923, pues se redujo a que los al-

zados cogieran el dinero de los bancos y se retiraran a Estados Unidos por la vía Central y por la vía del Sud Pacífico, respectivamente, destruyendo las comunicaciones ferrocarrileras.

En esa aventura de ribetes caricaturescos tomaba carta de naturalización uno de los ejes históricos del pacto social contemporáneo mexicano: la institucionalización del ejército y la segregación del modelo decimonónico de la revuelta y el golpe militar como expediente de acceso al poder en México.

Al final, cuando el polvo se asentó, había menos generales veteranos y más disciplina en el ejército.

La sombra de Morrow

A mediados del año 1927, el Comité Internacional de Banqueros con sede en Nueva York, consideró que había llegado el momento de intervenir más activamente para persuadir al presidente norteamericano de que la negociación activa y no la confrontación era la respuesta adecuada al problema mexicano. Al finalizar 1927, Coolidge había aceptado ya el planteamiento de los banqueros y nombrado un nuevo embajador en México, Dwight Morrow, abogado y miembro de la firma bancaria J. P. Morgan and Company, cuya tarea como nuevo embajador, se le dijo, era lograr un *modus vivendi* con Calles, sobre todo en relación con el problema petrolero. Era ésa justamente la política que Morrow deseaba poner en marcha, porque sólo así podría México continuar con el pago de su cuantiosa deuda externa, en la que J. P. Morgan tenía interés directo. Para Morrow había dos tareas inmediatas: hacer patente al gobierno mexicano que la negociación debía sustituir a la defensa de posiciones intransigentes, y convencer a los petroleros y a los cristeros de lo mismo.

Morrow se presentó como un tipo nuevo de embajador dispuesto a comprender e incluso a aceptar algunas de las posiciones mexicanas. De inmediato se puso en contacto con las principales figuras de la política mexicana y trató de ganar su confianza personal. El cambio de táctica fue recibido primero con sorpresa y luego con alivio y agrado. En un desayuno informal con Calles, después de haber avalado su política de obras públicas, Morrow propuso dar solución a la crisis modificando la controvertida legislación petrolera. La respuesta del presidente fue inmediata, en noviembre de ese año la Suprema Corte declaró inconstitucional

—por retroactiva— la ley petrolera de diciembre de 1925. Fue el primer paso en la solución del problema, al menos desde el punto de vista norteamericano. El segundo paso fue redactar otra ley aceptable ahora a los ojos de los petroleros. El embajador norteamericano vigiló de cerca ese proceso e incluso hizo sugerencias concretas sobre su contenido. A la vez, trató de convencer a las grandes empresas petroleras de que si no se fijaba límite de tiempo a sus derechos adquiridos y se definía liberalmente el "acto positivo", hicieran a cambio una concesión simbólica: aceptar que sus títulos originales de propiedad fueran transformados en "concesiones". Las empresas objetaron, pero Morrow insistió. Con el beneplácito de Washington, pero contra la opinión de los petroleros, el embajador dio el visto bueno a la nueva legislación que fue aprobada por el Congreso en 1928. A regañadientes, las compañías petroleras empezaron a hacer los trámites para cambiar sus antiguos títulos por los nuevos. Con esta victoria simbólica de México, puesto que en el fondo se respetaban los intereses creados de los petroleros, pareció cerrarse uno de los episodios más críticos en las relaciones con Estados Unidos.

Solucionado el problema petrolero, urgía resolver el conflicto cristero, pues mientras subsistiera el gobierno no podría contar con los recursos necesarios para efectuar sus pagos a los acreedores extranjeros. La tranquilidad interna era necesaria para que la economía pudiera funcionar y se restableciera plenamente.

El embajador Morrow resultó ser un intermediario excelente entre el Vaticano, la jerarquía eclesiástica mexicana y el gobierno de Calles. Desafortunadamente, cuando estaba a punto de lograrse un acuerdo en 1928 se produjo el asesinato de Obregón y las negociaciones se suspendieron, pero Morrow no desesperó e insistió hasta lograr que Portes Gil y la Iglesia aceptaran reanudarlos. Al final de cuentas, fue otra vez el embajador quien revisó los términos del acuerdo a que se había llegado en junio de 1929 entre el presidente Portes Gil y el arzobispo Leopoldo Ruiz y Flores. El fin de la guerra cristera fue visto como un triunfo personal por el embajador americano, y como la manera de preservar lo logrado hasta entonces por Washington.

La ayuda de Morrow al orden establecido fue igualmente importante cuando en marzo de 1929 estalló la rebelión escobarista. El gobierno de Portes Gil necesitaba urgentemente dos cosas de Estados Unidos: por un lado, armas y municiones, por el otro, la vigilancia estrecha de la frontera para evitar que los rebeldes recibieran pertrechos. El embajador procuró satisfacer ambas necesidades. El Departamento de Guerra de los Estados Unidos vendió directamente a México armas y parque, a la vez que autorizó a varios fabricantes para que le proveyeran de lo que el ejército norteamericano no estaba en posibilidad de facilitar directamente. Por su parte, el Departamento de Justicia vigiló muy de cerca, y en unión con el servicio de información del ejército, a los agentes escobaristas y en varias ocasiones decomisó embarques clandestinos de armas.

La tienda de Anzures

El presidente provisional Portes Gil habría de entregar a su sucesor un país razonablemente pacificado, aunque sacudido por los efectos de la Gran Depresión mundial que afectó muy negativamente a las exportaciones mexicanas e hizo disminuir los ingresos del gobierno federal. En las elecciones del 17 de noviembre de 1929, el ingeniero Ortiz Rubio tuvo sólo un contrincante de peso, el antiguo secretario de Educación Pública de Obregón, postulado por el Partido Nacional Antirreeleccionista: José Vasconcelos, ya entonces un intelectual cuya fama rebasaba las fronteras nacionales.

Vasconcelos y su grupo, formado básicamente por elementos urbanos y de clase media, entusiastas pero inexpertos, vivieron en carne propia las primeras contundencias políticas de la familia revolucionaria unificada. Al declararse vencedor a Ortiz Rubio, acusaron de fraude al gobierno y no reconocieron la derrota; en diciembre de 1930, antes de salir al exilio voluntario, Vasconcelos hizo un emotivo llamado a las armas, pero sus palabras no tuvieron efecto: el ejército respaldaba sólidamente al gobierno federal.

El triunfo de Ortiz Rubio demostró la naturaleza autoritaria del nuevo partido, pero no le dio al triunfador los poderes correspondientes a su alta investidura. Había postulado candidato y declarado el vencedor, no porque tuviera fuerza propia, sino por el apoyo que el verdadero poder tras el trono, Calles, le construía en el tinglado de los intereses y las facciones revolucionarias. El primer presidente penerriano se vería muy pronto impedido para gobernar. Al concluir la ceremonia de toma de posesión el 5 de febrero de 1930, sufrió un atentado del que salió herido y se vio obligado a la reclusión durante las primeras semanas de su gobierno. Al asumir las funciones normales de su cargo, se percató de que su control sobre el gabinete era mínimo, y no tardó en perder el poco que tenía sobre el Congreso, el PNR y las gubernaturas. Instrumento importante en este resquebrajamiento fue el mismo expresidente Emilio Portes Gil, metido en el gabinete ortizrubista por influencia de Calles. Aparentemente alejado del poder formal, Calles se consolidaba en realidad como el gran árbitro político, el "Jefe Máximo de la Revolución".

Las crisis dentro del gabinete, el partido, el Congreso y los gobiernos locales, se sucedieron unas a otras, la mayor parte de las veces por la decisión de Calles y sus incondicionales de socavar, en beneficio propio, la posición presidencial. Lo lograron plenamente.

Pese a su salud precaria, Calles dirigía la vida política del país desde su casa en la colonia Anzures o desde alguno de los ranchos a que con frecuencia se retiraba para recuperarse. Cuando alguna situación crítica lo requería (la rebelión escobarista, la reorganización de los ferrocarriles o la crisis en las finanzas) asumía el puesto público clave por unos cuantos meses, al cabo de los cuales se retiraba dejando invariablemente el cargo a una gente de su confianza. La situación, de suyo difícil, se hizo insostenible para Ortiz Rubio cuando Calles decidió "aconsejar" a sus seguidores que no aceptaran ninguno de los puestos administrativos vacantes en el gobierno federal, aun cuando se los ofreciera el propio presidente. El 2 de septiembre de 1932, después de haberlo notificado a Calles, Ortiz Rubio presentó su renuncia como presidente al Congreso de la Unión, misma que le fue aceptada sin discusión. El poder de Calles alcanzó entonces su clímax y el llamado Maximato su apogeo.

Por indicaciones de Calles, el Congreso decidió nombrar presidente sustituto para concluir el periodo de Ortiz Rubio al general Abelardo Rodríguez. El nuevo presidente, gente de las confianzas de Calles, era también sonorense; en 1931 había sido nombrado subsecretario de Guerra y Marina, justamente cuando el propio Calles había renunciado al puesto tras sortear una de las varias crisis de gabinete; luego Rodríguez había pasado a ser secretario de Industria, Comercio y Trabajo y más adelante titular de Guerra y Marina, sin dejar de crecer en todos los casos como un próspero hombre de negocios.

A diferencia de Ortiz Rubio, Rodríguez no tuvo que hacer frente a crisis graves originadas por diferencias con Calles. Hubo desde el principio un acuerdo tácito entre ambos: el presidente se encargaba de supervisar el buen funcionamiento de la administración pública, el Jefe Máximo se reservaba las principales decisiones políticas. Las fricciones así fueron mínimas y más de forma que de fondo.

Entre los principales problemas que se presentaron al presidente sustituto, destacaron dos: el resurgimiento de las tensiones entre el gobierno y la Iglesia, y la designación del candidato del PNR para el sexenio 1934-1940.

El nuevo conflicto con la Iglesia y con los católicos en general tuvo su origen en la decisión de Calles de implantar la llamada "educación socialista", cuya meta explícita era nada menos que cambiar la mentalidad tradicional de la mayoría de los mexicanos para dar el golpe definitivo al prestigio secular de la Iglesia. La designación del candidato del PNR se volvió problemática porque de la misma "familia revolucionaria" surgieron dos fuertes aspirantes: el general Manuel Pérez Treviño, presidente del PNR y hombre muy cercano a Calles, y el general Lázaro Cárdenas, más militar que el primero, exgobernador de Michoacán y secretario de Guerra y Marina. Además de contar con bastante apoyo dentro del ejército, Cárdenas se había convertido en líder de una sección del renaciente movimiento agrarista y no era mal visto por algunos de los líderes del fragmentado movimiento obrero. Después de medir por meses la fuerza de ambos y de considerar que en cualquier caso su predominio no sería puesto en entredicho, Calles decidió en junio de 1933 en favor de Cárdenas. Acto seguido, dando la segunda muestra ejemplar de disciplina partidaria (Aaron Sáenz la primera, en 1929), Pérez Treviño se retiró de la lucha y volvió al PNR a dirigir la campaña política en favor de Cárdenas.

El PNR sancionó la decisión de Calles y elaboró y aprobó un Plan Sexenal que debía regir los programas del nuevo gobierno. El Plan originalmente inspirado por Calles tenía un carácter marcadamente nacionalista, agrarista y laborista. En su larga y vigorosa campaña presidencial por toda la República, Cárdenas se presentó ante sus electores como representante del ala radical de la Revolución, en claro contraste con el relativo conservadurismo de Calles. Pocos creyeron entonces que Cárdenas fuera capaz de poner en práctica el programa. Al menos, no mientras el Jefe Máximo continuara actuando desde su tienda de Anzures.

La reconstrucción material

Cuando en 1910 estalló la Revolución, México vivía un auge económico sin precedentes desde fines del siglo XVIII y principios del siguiente. La minería, los ferrocarriles y la agricultura de exportación, eran las bases de tal prosperidad, sólida para algunos, precaria o aparente para otros.

La Revolución acabó con el clima de tranquilidad requerido por este tipo de economía y durante la etapa de la guerra civil, varios observadores propios y extraños consideraron que el país se había hundido irreversiblemente en la ruina moral y material. Más de uno desesperaba por volver a ver un México próspero en un plazo razonable. La obra destructiva de la Revolución fue aparatosa, pero menos de lo que sus detractores quisieron suponer. Como se ha dicho, las grandes empresas petroleras, mineras o manufactureras prácticamente no fueron tocadas, ni todas las haciendas saqueadas o incendiadas. En cuanto el paisanaje sonorense llegó al poder, empezó a poner las bases de una recuperación que sería lenta y difícil.

Los nuevos gobernantes eran gente práctica y modernizante, pequeños propietarios y empresarios del norte ansiosos de echar a andar la máquina económica en beneficio propio y del país. Querían acabar con algunas de las trabas del crecimiento surgidos durante el Porfiriato para llevar a México por el camino de un pleno desarrollo capitalista y nacionalista. Querían acabar con el latifundio, pero sólo con el improductivo y aceptaban la idea de desarrollar el ejido, pero sólo como forma marginal y transitoria de propiedad, ya que en su opinión el mejor productor agrícola era el mediano propietario: el ranchero, de cuyas filas habían salido tantos jefes revolucionarios. Anhelaban erradicar el monopolio del capital extranjero sobre la explotación de los recursos naturales mineros y petroleros, pero invitaban al inversionista externo a meterse en las áreas que interesaban al nuevo grupo en el poder. Deseaban, en fin, modernizar a México, y para ello no podían sino seguir, con ciertas variantes, el único modelo exitoso que habían visto de cerca, el norteamericano.

Como se ha descrito antes, para 1920 había pocos puntos brillantes en el panorama económico, sobre todo por contraste con los puntos oscuros: la precaria seguridad fuera de las ciudades, daños a las vías de comunicación, en particular a los ferrocarriles; la emisión desenfrenada de papel moneda y la confiscación de parte de las reservas de oro y plata habían desquiciado el sistema monetario y llevado al borde de la ruina o a la desaparición a varios bancos. La inseguridad y dificultad en conseguir financiamiento había hecho bajar la producción agrícola; muchas de las minas pequeñas estaban cerradas; el crédito externo simplemente ya no existía.

En algunas áreas no petroleras se notaba estabilidad e incluso avances modestos, como en la generación de energía eléctrica y de la construcción, pero dentro del contexto global no eran ramas muy importantes. El mexicano típico seguía viviendo en comunidades rurales y ganando su subsistencia en la actividad agropecuaria, donde la Revolución había causado daños graves y su obra constructiva aún no se iniciaba.

Durante el gobierno de Obregón, la riqueza producida creció a un ritmo relativamente lento, apenas poco más de 10 por ciento en cuatro años. Ni el Estado ni la empresa privada tomaron iniciativas de efectos positivos inmediatos sobre la actividad económica. El gran esfuerzo obregonista pareció concentrarse en la búsqueda de un arreglo con el exterior, básicamente con los petroleros y los banqueros a través de la reanudación del pago de la deuda externa, suspendido desde 1914. Quería alentar de nueva cuenta el ingreso de capitales del exterior. El acuerdo parecía dar frutos cuando la rebelión delahuertista de 1923 alteró el tablero, el gobierno no pudo cumplir los términos de su propio acuerdo sobre el pago de la deuda y el capital externo no llegó. Al dejar Obregón la presidencia en diciembre de 1924 la situación parecía, sin embargo, más estable que en 1921. Calles tuvo un proyecto de mayor impacto, aunque fue en lo general similar al de Obregón. Se propuso poner orden en el sistema monetario, balancear el presupuesto del gobierno federal y estructurar el crédito bancario. Alberto J. Pani, primero, y Luis Montes de Oca, después, fueron los secretarios de Hacienda encargados de llevar a la práctica el proyecto callista.

La reorganización del presupuesto empezó a dar frutos pronto. Al finalizar el primer año del gobierno callista, en 1925, el erario federal arrojó un superávit de 21 millones de pesos gracias a la cancelación de algunos subsidios, la reducción de las compras del sector público y la diversificación de las fuentes de ingresos. Parte importante de esta estrategia fue la devolución a manos privadas de varias de las líneas ferroviarias que el gobierno había incautado por razones militares durante la guerra civil. Se tenía la esperanza —que habría de resultar infundada— de que los ferrocarriles volverían a ser redituables si las empresas particulares los reorganizaban bajo estrictos criterios económicos, lo cual requería, entre otras cosas, reducir el personal.

Bancos, caminos y presas

En lo que hace a la política monetaria y crediticia, el gobierno callista dio un paso menos espectacular pero de mayor repercusión a largo plazo: fundó el primer banco central del país, el Banco de México, un proyecto que Obregón no pudo llevar a cabo. Hasta antes de la creación, en 1925, del Banco de México, la banca mexicana estaba completamente dominada por instituciones privadas, muchas de ellas extranjeras, y había pocas posibilidades de controlar su actividad para ajustarla a los planes económicos del gobierno.

El Banco de México se fundó con un capital de 50 millones de pesos oro, cantidad bastante respetable para el momento, y debió luchar contra la enorme desconfianza sellada en la población hacia el papel moneda, y contra la falta de cooperación de la banca privada. El Banco de México actuó primero como banca central y a la vez como un banco privado más. Al poco tiempo perdió este último carácter —y las pérdidas consiguientes de prestar a políticos influyentes— y sus poderes se ampliaron hasta garantizarle el pleno control del resto del sistema bancario.

Metido de lleno en la reforma, el gobierno creó también la Comisión Nacional Bancaria para reforzar su dominio sobre el sistema y diseñó nuevos bancos destinados a funciones vitales pero desatendidas por la banca privada. Así surgió, en 1926, el Banco de Crédito Agrícola para crear y controlar sociedades de crédito rural. Su éxito fue relativo. Para empezar, el banco nunca llegó a tener el capital inicial de 50 millones de pesos mencionados en el proyecto original. Para seguir, algunos de sus préstamos fueron a políticos (entre ellos Obregón) y no se recuperaron. Finalmente, fueron relativamente pocas las sociedades de crédito beneficiadas, dadas las necesidades del agro mexicano. Para 1930, el banco registraba pérdidas, pero había hecho escuela. Ese mismo año se creó el Banco Cooperativo Agrícola, con un capital de apenas cien mil pesos y desde el principio bajo la influencia de la CROM, en consecuencia de lo cual su acción fue prácticamente nula. Así, el nuevo sistema bancario tuvo éxitos, pero también lados grises, productos tripartitas de la falta de recursos, la corrupción y la ineficiencia.

Frente a las necesidades de la reconstrucción, la ausencia de capitales externos y la debilidad de la burguesía local, el Estado tuvo que echarse sobre los hombros responsabilidades que hasta entonces le eran desconocidas. Las más espectaculares fueron la reconstrucción de carreteras y la apertura de nuevas zonas de riego.

El proyecto caminero venía de atrás, del gobierno obregonista, pero fue Calles quien le dio forma al crear en 1925 la Comisión Nacional de Caminos. Dos años más tarde, estaba en plena marcha un ambicioso proyecto de construcción de diez mil kilómetros de carreteras en un periodo no mayor de siete años. Para entonces se habían terminado las carreteras que comunicaban a la ciudad de México con Pachuca y con Puebla, principios de la vía Panamericana y de la carretera Acapulco-Veracruz, respectivamente: dos grandes ejes carreteros que habrían de unir al Golfo de México con el Pacífico y la frontera norte con la sur, siempre pasando por la capital del país.

La principal empresa constructora de los caminos pertenecía a un prominente general y político, Juan Andrew Almazán, y los recursos para financiar la obra se obtuvieron en buena medida a través de un impuesto especial a la gasolina. El proyecto tomó más tiempo del planeado para concluirse, pero resultó uno de los mayores logros del callismo.

Igual que con los caminos, con respecto a la irrigación, ya Obregón había ordenado iniciar los estudios para aumentar la modesta superficie de riego del país, pero la falta de fondos le impidió seguir. Dos años después, la Ley Federal de Irrigación de 1926 creaba la Comisión Nacional de Irrigación que inició sus trabajos de inmediato, mediante asesorías y contratos con varias firmas norteamericanas. Para 1927 el presidente Calles podía anunciar que se habían concluido siete presas para irrigar casi doscientas mil hectáreas. Entre 1926 y 1928, el gobierno asignó a las obras de irrigación una partida de 40 millones de pesos, pero no logró en ese renglón un éxito equivalente al de la red camionera. Una de las grandes presas, la de Guatimapé, en Durango, resultó un fracaso, y en otros proyectos hubo también errores graves de planeación. A partir de entonces, sin embargo, el gobierno ya no dejaría en manos de empresas privadas, como había sido el caso en el Porfiriato, la tarea de la irrigación; los años veinte inauguraban así la que sería una prolífica tradición de construcción de infraestructura hidráulica e hidroeléctrica del Estado Mexicano.

La deuda imposible

A estas novedades se sumaron algunas reiteraciones, la mayor de todas ellas, el crónico problema de la deuda externa. En 1922 el ministro de Hacienda obregonista, Adolfo de la Huerta, había llegado a un acuerdo con los banqueros acreedores en virtud del cual México reconocía una deuda por la enorme suma de 700 millones de dólares. El acuerdo, conocido como Lamont-De la Huerta, significó un peso excesivo sobre el erario nacional, se entreveró además en su cumplimiento inicial con la rebelión delahuertista y no pudo llevarse a la práctica. En 1925, el nuevo ministro de Hacienda, Alberto Pani, renegoció el acuerdo y consiguió una disminución de 220 millones en las obligaciones mexicanas, al desligar la deuda ferrocarrilera de la suma total. Aceptó en cambio que México pagaría 21 millones de dólares destinados a un fondo de pago de intereses para iniciar en 1928 la verdadera amortización de la deuda.

Este pequeño respiro logrado por Pani suponía de todas formas un esfuerzo enorme y no incluía el otorgamiento de un préstamo inmediato a México tal como se había llegado a especular en círculos oficiales. El secretario de Hacienda recibió críticas por haber aceptado pagar los bonos de la deuda a su valor nominal, cuando de hecho en el mercado externo se habían devaluado mucho. Sea como fuere, todo parecía indicar una vez más que el país, al aceptar su cuantiosa deuda de alrededor de 480 millones de dólares, estaba en camino de normalizar sus relaciones económicas con los grandes mercados de capitales, que entonces prestaban a diestra y siniestra prácticamente a todos los países latinoamericanos, salvo México. La ilusión se desvaneció pronto. En 1928, el gobierno mexicano no pudo hacer el pago convenido y la historia se repitió de nuevo.

> Desde una perspectiva personal, el mayor interés del embajador Morrow era lograr que México liquidara su deuda externa. Irónicamente, fue en este punto donde fracasó. Como ya se dijo, tras una enmienda al convenio de 1922, México efectuó hasta dos pagos al Comité Internacional de Banqueros pero no pudo hacer el tercero. Al finalizar 1927 fue obvio para Calles y su Secretario de Hacienda que México no contaba con los fondos para cubrir la partida del año próximo. Para salir del paso se pidió a los banqueros que enviaran una comisión que estudiara las finanzas del país e hiciera recomendaciones realistas sobre la forma en que podría cubrirse la deuda. La recomendación de esta comisión fue muy sencilla: reducir el gasto público permitiría pagar 30 millones de dólares ese año y 70 tres años más tarde. Los banqueros no resultaron tan realistas como suponían; detener el programa de construcción de carreteras o presas era también hacer peligrar una de las bases de legitimidad del nuevo sistema. En 1928 las negociaciones continuaron pero México no hizo ningún pago. En 1929 la situación se repitió, el gobierno federal tuvo que hacer grandes gastos para continuar con la campaña cristera y sofocar la rebelión escobarista. En 1930 la situación no mejoró pues se empezaron a sentir los efectos de una menor recaudación debido a las bajas en el comercio exterior causadas por la crisis mundial. Pese a todo, México accedió ese año a renegociar los acuerdos de 1922 y 1925 y firmó el acuerdo Montes de Oca-Lamont, donde logró que se cancelaran 211 millones de dólares por concepto de intereses vencidos desde 1914. El monto a pagar seguía siendo impresionante: 267.5 millones de dólares más 50.7 millones de la deuda ferroviaria.

La crisis mundial siguió agravando el problema del erario mexicano y otros países se vieron forzados también a dejar de pagar sus deudas. El gobierno de Ortiz Rubio suspendió sus negociaciones con el Comité Internacional de Banqueros y sin negar sus obligaciones al respecto simplemente se desentendió del problema. El mal de muchos, dada la serie de países en quiebra, impidió que el gobierno de Washington pudiera presionar demasiado unilateralmente a México.

Los reclamantes

Otro de los problemas internacionales que debió de enfrentar la Revolución desde sus inicios fue la constante reclamación de las grandes potencias por los daños que la lucha civil causaba en las personas y las propiedades de los extranjeros. A este tipo de reclamos se unió otro en contra de acciones directas del gobierno, tales como expropiaciones, incautaciones, préstamos forzosos, etc. El conjunto de las reclamaciones ascendía a cifras estratosféricas.

La responsabilidad gubernamental por esos daños era difícil de evitar y se aceptó, aunque México alegaría siempre que, de acuerdo con el derecho internacional, el país no estaba obligado a recompensar a nadie por daños causados a extranjeros por elementos insurrectos imposibles de controlar. Los revolucionarios eran uno de los riesgos que los extranjeros deseosos de hacer fortuna en México debían asumir desde el principio. Las grandes potencias no aceptaron nunca esta argumentación a pesar de tener una sólida base legal, y como resultado de las pláticas de Bucareli, se formaron dos comisiones para examinar las reclamaciones mutuas entre México y Estados Unidos: una general que trataría todos los casos acumulados desde el siglo pasado, y otra especial para los surgidos durante la Revolución. Sentado este precedente, las otras potencias afectadas —Inglaterra, Francia, España, Alemania e Italia— recibieron una invitación para formar las respectivas comisiones especiales.

México tenía poco interés y recursos para solucionar este engorroso asunto y las negociaciones con Estados Unidos se demoraron hasta 1925, año en que se firmaron los convenios y se eligieron los árbitros que presidirían ambas comisiones (un panameño y un brasileño). La convención especial dejó de funcionar muy rápidamente, pues los norteamericanos se negaron a presentar sus quejas después de que el árbitro brasileño apoyó la posición mexicana en contra de los 16 norteamericanos asesinados por Villa en Santa Isabel. A partir de entonces las reclamaciones se trataron bilateralmente, fuera de la convención, y se fueron resolviendo poco a poco. Por lo que refiere a la convención general, los norteamericanos tenían más de 2,800 reclamaciones en contra de México y los mexicanos presentaron más de 800 contra los Estados Unidos, un mar de reclamaciones del que sólo se llegó a examinar una pequeña fracción. En 1934 se disolvería la convención general de reclamaciones pues Washington aceptó que la solución más práctica era que México pagara una fracción del total de las reclamaciones presentadas, evitándose el engorroso examen de cada una. Esta fracción fue el 2.67 por ciento del total, pero hasta 1941 se llegaría a precisar la forma y el monto del pago, que ascendió a sólo 10 millones de dólares. Al final de cuentas, puede decirse que México salió relativamente bien librado de este problema. Si Estados Unidos decidió aceptar sólo el 2.67 por ciento fue porque antes México había logrado que los países europeos aceptaran un porcentaje similar.

El crack de 29

Fue Calles quien pudo iniciar verdaderamente el proceso de reconstrucción económica del país, así fuera un proceso discontinuo y con altibajos. Los mejores años del cuatrienio fueron 1925 y 1926. Luego, el mercado de la plata entró en crisis afectando directamente a la principal exportación de ingresos del gobierno federal. Los metales industriales no acompañaron a la plata en su caída, y el valor total de la producción minera no decreció, pero la segunda materia de exportación, el petróleo, continuó la baja que había iniciado en 1922 y el valor de su producción en 1928 fue la mitad de la de 1925. Dado el carácter de enclave de estas actividades fundamentalmente vinculadas al mercado externo, los efectos negativos de su descenso en el resto de la economía fueron menores de lo que indican las cifras escuetas. La dislocación productiva de ciertos bienes y regiones agrícolas, inducida de la rebelión cristera, por ejemplo, fue un impacto de mayor peso en la vida diaria del país que las caídas en la balanza comercial externa o la baja de las exportaciones. De todas maneras, los tropiezos de 1927 y 1928 no fueron muy serios si se les compara con la crisis que se empezó a gestar al concluir 1929, y que tuvo su clímax en el Gran Crack estadunidense destado por la quiebra de los mercados de valores en el mes de octubre de 1929. Ese crack se tradujo en la gran depresión mundial de los años treinta, una reducción brutal de la demanda y la parálisis de toda la actividad económica. El fenómeno se comunicó rápidamente a toda Europa, y para 1930 México vio con impotencia reducirse el mercado de sus exportaciones. La caída se complicó con el hecho de que 1929 y 1930 fueron malos años agrícolas. La convergencia agudizó las cosas. El alivio vino entonces, paradójicamente, de la debilidad. Justamente por su atraso relativo respecto de los grandes países industriales y porque sus sectores modernos y de exportaciones estaban más ligados a las economías extranjeras que a la nacional, el desastre económico no fue tan generalizado en México como en Europa, en Estados Unidos o incluso en otros países latinoamericanos de economías más ligadas al mercado mundial. Entre 1929 y 1932 (los peores años de crisis) el valor de la producción minera mexicana cayó en un 50% y el de la petrolera en casi un 20%. Pero el producto bruto interno (PBI) sólo disminuyó en un 16%, lo que ciertamente significaba recesión económica pero no la catástrofe. La mayor parte de la población mexicana no estaba ligada directamente a las actividades modernas, sino a las tradicionales agropecuarias, que tampoco crecieron pero casi no registraron descensos.

Una buena parte de los impuestos que se cobraban venían de las exportaciones y el gobierno federal vio disminuidos sus ingresos; pero a precios constantes la caída fue de apenas un 9% entre 1929 y 1931, y para 1932 volvieron a aumentar. El gobierno no pudo hacer casi nada para evitar el cierre de minas y el desempleo, pero tampoco detuvo su programa de construcción de caminos y de irrigación que sólo continuaron a un ritmo menor. Es cierto que la burocracia vio disminuidos sus sueldos por un tiempo y que la deuda externa estuvo más lejos que nunca de saldarse, pero nada más. La falta de recursos y experiencia en el fenómeno impidió que los gobiernos federales y estatales hicieran algo sustantivo por dar empleo a los obreros cesantes y a los miles de mexicanos que repatrió Estados Unidos: los programas de obras públicas y la apertura de nuevos centros agrícolas, fueron mínimos. Sólo el reactivamiento de la economía en su conjunto, a partir de 1933, tuvo efectos benéficos sobre el desempleo.

Es imposible saber a cuántos mexicanos afectó la crisis porque no hay estadísticas sólidas al respecto. Puede decirse con seguridad, sin embargo, que el desempleo nunca alcanzó los niveles de Estados Unidos, donde afectó al 25% de la fuerza de trabajo. Según datos oficiales, en 1932 había en México 339 mil desempleados, alrededor del 6% de la población económicamente activa. La razón de esta tasa relativamente baja de desempleo puede atribuirse al hecho de que la economía agraria tradicional, no afectada por la crisis, ocupaba la mayor parte de la mano de obra y pudo absorber, temporalmente, al menos a algunos de los desempleos en la industria. Lo cierto es que para 1933 lo peor había pasado y cuando el general Cárdenas asumió la presidencia en diciembre de 1934, los indicadores de las diferentes ramas de la economía iban nuevamente hacia arriba, en México ya no había crisis.

La Gran Depresión dejó poca huella en las estructuras productivas del país, pero no en los proyectos de gobierno. En 1933 el PNR decidió elaborar por iniciativa de Calles un programa de gobierno para el sexenio 1934-1940. Debía definir las grandes líneas a seguir en las diferentes áreas de responsabilidad oficial, y dio como resultado una enunciación de principios, fuertemente coloreados de espíritu populista, nacionalista y contrario al gran capital internacional. La crisis del capitalismo mundial, decía el plan, aún no se superaba y podía agudizarse o volverse a repetir. En previsión de esto y para defender el interés nacional mexicano, el Estado debía tener una mayor ingerencia en la economía, no dejarla a la liberación de la oferta y la demanda y propiciar el control nacional de las grandes industrias de exportación. Fue precisamente ése el programa de gobierno que el general Cárdenas adoptó como propio al ser declarado candidato del partido del gobierno. A raíz de la huelga ferrocarrilera de 1936, el gobierno decidió nacionalizar las líneas férreas y crear un organismo dependiente del gobierno federal que se hiciera cargo de su manejo. El arreglo duró poco; ante la persistencia de la crisis en ese sector, Cárdenas decidió en 1938 pasar el control de los ferrocarriles a una administración obrera, que siguió operando hasta al final del sexenio, aunque no con mucho éxito: Avila Camacho puso nuevamente la red ferroviaria bajo la administración del Estado.

Los partidos de la Revolución

La Constitución de 1917, igual que su antecesora, definió a los partidos políticos como las organizaciones básicas para llevar a cabo la lucha democrática por el poder. En realidad, hasta ese momento México no había logrado encauzar partidariamente la raquítica participación política de sus ciudadanos. Para los mexicanos, la práctica electoral había sido una experiencia efímera, casi teórica; ningún grupo político había llegado al poder por la vía del voto. A partir de 1920, pese a las garantías constitucionales, la situación no fue muy diferente. El poder habría de adquirirse y mantenerse básico aunque no exclusivamente, por la fuerza.

Además de buscar el poder, se supone que los partidos políticos deben formular, articular y agregar las demandas de los grupos o clases más importantes. En la realidad mexicana, esto sólo lo hicieron a medias los primeros partidos que surgieron con la Revolución, dada su poca vinculación con las masas. En realidad, la mayoría de estos partidos se formaron y actuaron alrededor de ciertas personalidades revolucionarias: por ello, sirvieron más como un camino para promover los intereses particulares de sus líderes, que como representantes de intereses más generales y permanentes. Fueron casi todos "partidos de notables", no los partidos de masas que las circunstancias habrían hecho esperar. La fragilidad de la vida de los partidos posrevolucionarios fue una consecuencia de este clientelismo estrecho, marcadamente personalista, que ataba la suerte de las organizaciones a la muy azarosa y cambiante de sus dirigentes. Esto ocurrió incluso en el caso del Partido Laborista, órgano electoral de la Confederación Regional Obrero Mexicana y supuesto representante del grupo organizado de trabajadores más importante de México. Cuando la Confederación Regional Obrera Mexicana (CROM) y su líder Luis N. Morones, cayeron de la gracia del gobierno a fines de 1928, el partido perdió importancia y finalmente desapareció.

Hasta 1928 la única excepción a la regla había sido el Partido Comunista Mexicano organizado en 1919. A partir de 1929, con la fundación del partido oficial, el Partido Nacional Revolucionario (PNR), la situación cambió radicalmente: los partidos o al menos el PNR y sus secuelas, empezaron a trascender a los hombres. Antes de 1929 y aparte del comunista, los partidos que dejaron alguna huella en la vida cívica mexicana fueron unos cuantos. El Partido Católico, fundado a raíz de la caída de Díaz, apoyó a Victoriano Huerta e intentó presentar inútilmente un candidato presidencial en 1920. El Partido Liberal Constitucionalista se formó en 1916 encabezado por el general Benjamín Hill, y en 1919 postuló a Alvaro Obregón como candidato presidencial. A la muerte de Hill, los líderes del PLC entraron en conflicto abierto con el presidente, quien en 1922 les dio un golpe mortal favoreciendo en las elecciones legislativas a otro partido que también se había pronunciado en su favor, el Nacional Cooperativista, formado en 1917 con apoyo de algunos miembros del gabinete de Carranza. La estrella cooperativista fue en ascenso hasta 1923, en que sus dirigentes tuvieron la mala idea de pronunciarse por De la Huerta contra Calles. La derrota de la rebelión delahuertista en 1924 dio al traste con el partido.

El partido Nacional Agrarista, fundado en 1920, tenía dirigentes que eran en buena medida antiguos zapatistas, entre los que destacaba Antonio Díaz Soto y Gama. A diferencia del Partido Laborista, el PNA no tenía respaldo en una organización campesina nacional sino en el fuerte apoyo de Obregón que le permitió llegar a tener representación en el Congreso y en la burocracia agraria. El asesinato del caudillo en 1928 dejó al PNA en posición vulnerable y su descomposición se aceleró después de que sus principales dirigentes se unieron en 1929 a la rebelión escobarista contra Calles.

Al modificarse en 1927 la Constitución para abrir las puertas a la reelección de Obregón, Vito Alessio Robles y otros políticos revivieron al Partido Nacional Antireeleccionista para oponerse a los designios del caudillo. Encontraron en el general Arnulfo R. Gómez al "hombre de la hora", pero la rebelión fracasada de Gómez y su fusilamiento terminó con esa primera aventura partidaria. Cuando José Vasconcelos se presentó como candidato de oposición a Pascual Ortiz Rubio en 1929, los antirreeleccionistas se apresuraron a ofrecerle su apoyo. Las cifras oficiales dieron el triunfo a Ortiz Rubio, el llamado de Vasconcelos a las armas cayó en el vacío y el Partido Antireeleccionista pasó a la historia.

Aunque los partidos de alguna importancia fueron los de carácter nacional, hubo algunos partidos locales que dejaron huella. Entre ellos destaca, sin duda, el Partido Socialista del Sureste, dirigido por Felipe Carrillo Puerto, y cuyo antecedente fue el Partido Socialista de Yucatán, fundado por el general sonorense Salvador Alvarado cuando fue gobernador del estado. Tras el asesinato de Carrillo Puerto, en 1924, el PSS perdió energía pero aún pudo participar en la fundación del PNR y mantenerse activo por unos años más. El Partido Socialista Fronterizo de Tamaulipas, dirigido por Emilio Portes Gil, también tuvo sus días de gloria, pero cuando Portes Gil y Calles se distanciaron al inicio de los años treinta, el partido perdió el control de la política tamaulipeca y no volvió a recuperarse.

El partido del gobierno

El pluripartidismo exagerado de la Revolución Mexicana fue modificado fundamentalmente por la creación del Partido Nacional Revolucionario (PRI) —el "partido del gobierno"— en marzo de 1929. Con el correr de los años, este partido oficial habría de experimentar cambios de nombre y de naturaleza pero conservaría una característica fundamental a través de las décadas: dominio casi absoluto sobre los puestos de elección popular. El advenimiento del PNR puso fin a la proliferación de partidos. Al señalar en su último informe que la Revolución debía dejar atrás para siempre la etapa de la personalización del poder para entrar de lleno en la época de las instituciones, se preparaba el terreno para la creación de un gran partido oficial que aglutinara a todos los partidos y grupos de la "familia revolucionaria".

Para noviembre de ese año, Calles había logrado un acuerdo con la multitud de partidos existentes para confederarse en uno solo. En enero de 1929 se convocó en Querétaro a la primera convención nacional del nuevo partido, en marzo fue formalmente constituido el PNR en medio de una crisis mayúscula: estallaba la rebelión escobarista, el movimiento cristero seguía en pleno auge, el vasconcelismo impugnaba la legitimidad del grupo en el poder. Calles no aparecía formalmente como dirigente del nuevo partido, pero desde su posición de "simple ciudadano" logró que la mayoría de los delegados a la convención dejaran de apoyar a Aarón Sáenz —el favorito hasta ese momento— y se declararan unánimemente en favor del inexplicable Pascual Ortiz Rubio. Se perfilaba ahí otra de las características indelebles del nuevo partido: sus programas y políticas no serían producto de un debate razonablemente libre entre los integrantes, sino decisiones elaboradas desde la cúpula y trasmitidas e impuestas por el Comité Ejecutivo Nacional a las bases.

La aceptación de la tan buscada disciplina de la familia no fue perfecta ni inmediata; habría de pasar algún tiempo antes de que los broncos políticos revolucionarios comprendieran que cualquier diferencia o resistencia a la línea ordenada por el centro era suicida. Pero a la larga se logró lo que deseaban los dirigentes: la indiscutible disciplina partidaria y el acatamiento incondicional de las órdenes del jefe del partido, cualquiera que éste fuese.

El programa del PNR de 1929 no difirió en nada de lo que era en ese momento la política callista. En primer lugar —comprensible dado el conflicto cristero— se comprometió a hacer cumplir el artículo tercero en materia educativa a pesar de la oposición de la Iglesia. En segundo, a promover la industrialización. Por lo que hace a la política agraria, apoyaba la dotación de ejidos, la colonización de tierras vírgenes y los esfuerzos de los empresarios agrícolas. En relación a la política hacendaria, tomó una actitud conservadora por considerarse que lo prudente era nivelar el presupuesto y restablecer el crédito en el exterior. En fin, el objetivo central era la modernización del país a través de un vigoroso desarrollo capitalista, aunque sin perder de vista que "las clases obreras y campesinas son los factores más importantes de la colectividad mexicana".

El problema obvio de cómo conciliar los intereses contradictorios de las diferentes clases sociales, no fue abordado ni quedó resuelto en los días de la fundación. El PNR simplemente se declaró abierto a todas las clases y grupos identificados con la Revolución e hizo recaer su primera presidencia en el general Manuel Pérez Treviño, un elemento plenamente identificado con Calles. Pérez Treviño dirigió la campaña presidencial de Ortiz Rubio, contra la única oposición de Vasconcelos, una alternativa fuerte sobre todo entre los grupos urbanos cohesionados e irritados por la indignación moral ante la corrupción del grupo en el poder. Como se ha dado antes, en este primer encuentro con la oposición electoral, quedó claro que el PNR no estaba dispuesto a dejar en manos de los volubles electores una decisión tan importante como la de quién debía ejercer el poder en México. Las cifras oficiales reconocieron a los vasconcelistas escasos 110 mil votos y otorgaron abrumadores dos millones a Ortiz Rubio. El PNR nacía, pues, no tanto para disputar a sus contrincantes, en la urnas, el derecho del grupo revolucionario al ejercicio del poder, sino para disciplinar a la heterogénea coalición que formaba este grupo y para cumplir formalmente con los rituales de la democracia representativa. Hacían falta recursos para tan ambicioso proyecto. Se obtuvieron descaradamente al principio mediante un decreto del mismo presidente Portes Gil, según el cual los trabajadores al servicio del Estado deberían contribuir al Partido con un día de sueldo en los meses que tuvieran 31 días. Fue una medida burda e impopular que no tardó en derogarse. Pero a partir de entonces, y por las largas décadas por venir, fue claro que el propio gobierno subsidiaría directamente y sin intermediarios al partido oficial.

Cuando Ortiz Rubio asumió el poder, al mando del PNR pasó a un dirigente afín al nuevo presidente: el profesor Basilio Vadillo. Calles logró que muy pronto éste dejara el puesto en manos de un enemigo notorio de Ortiz Rubio, Emilio Portes Gil, cuya tarea en la construcción del "Maximato", según se ha dicho, fue minar la autoridad de Ortiz Rubio y ceder después la dirección del partido a un personaje menos controvertido, que procuró identificarse tanto con el presidente como con Calles: el general Lázaro Cárdenas. Cárdenas trató de mantener un delicado pero difícil equilibrio entre los dos poderes. No llegó muy lejos en su empeño, rápidamente chocó con callistas recalcitrantes que desde el Congreso desafiaban abiertamente a Ortiz Rubio. Para entonces, la balanza estaba ya definitivamente inclinada en favor de Calles y Cárdenas debió renunciar nuevamente en favor del político incondicional del "Jefe Máximo", Manuel Pérez Treviño, situación que se mantendría inalterable hasta la llegada de Cárdenas a la presidencia.

Introducir los elementos esenciales de la disciplina política entre el grupo gobernante no fue tarea fácil. Ahí donde había un cacique fuerte —como por ejemplo Saturnino Cedillo en San Luis Potosí— prácticamente no hubo problema: el PNR local se apoyó en la fuerza del cacique y viceversa. Pero en los estados donde había un claro elemento dominante se dieron luchas feroces entre dos o más partidos locales —todos afiliados al PNR y autoproclamados leales a Calles— por lograr la gubernatura, el dominio de las cámaras, el nombramiento de los presidentes municipales, etc. En esos casos era tarea del CEN del PNR, junto con la Secretaría de Gobernación y la de Guerra, decidir quién de los competidores obtenía el puesto y hacer respetar esa decisión. Después del vasconcelismo, el PNR enfrentó cierta actividad de partidos de oposición locales e incluso nacionales pero su importancia fue muy secundaria. Para facilitar el acatamiento de sus directrices, el partido oficial modificó su estructura interna. A partir de 1930 ya no fue indispensable ser miembro de un partido local para pertenecer al PNR y tres años más tarde, en la segunda convención ordinaria del partido, se hizo definitivamente a un lado a los partidos locales —que desaparecieron rápidamente— y se instauró la afiliación directa. Se dio así un paso más en el proceso de centralización y control del proceso político y en contra de la hipotética autonomía local. La verdadera lucha política se desarrollaría a partir de entonces dentro del PNR con Calles como árbitro temporal e indiscutible.

La administración de las masas

El PNR fue, sin duda, una de las grandes innovaciones políticas de la Revolución, pero no la única. La habían precedido las organizaciones de trabajadores del campo y la ciudad, cuya aparición había intentado evitarse durante el Porfiriato. La Revolución modificó radicalmente esa situación; en principio, la lucha se había hecho justamente para incorporar a las masas trabajadoras a una vida ciudadana plena. El paso inicial lógico era aceptarlos como actores políticos por derecho propio. Pero el proceso no fue tan claro ni tan sencillo.

Cuando se examinan los orígenes y naturaleza de la Revolución Mexicana, generalmente se ve al estallido de 1910 como la única salida para millones de campesinos a los que se había despojado de sus tierras y en algunas regiones se obligaba a trabajar para las grandes haciendas dentro de un sistema de servidumbre con rasgos feudales.

Sin el descontento rural por la gran expansión de la hacienda durante la segunda mitad del siglo XIX, no es posible explicarse la caída de Díaz, pero conviene tener presente siempre que la Revolucion no fue sólo y simplemente un levantamiento campesino. De lo contrario no se explicaría que a pesar de que los terratenientes habían sido derrotados política y militarmente y de haberse consagrado la reforma agraria en la Constitución de 1917, la inmensa mayoría de los trabajadores del campo permanecieron sin tierras en 1920 y años subsecuentes. La derrota del antiguo régimen no significó la victoria automática de las demandas campesinas, porque había fuerzas dentro de la Revolución que se oponían a ellas. Fue necesario que los representantes de las corrientes agraristas libraran una nueva y prolongada lucha dentro de los círculos revolucionarios para que sus intereses fueran tomados en cuenta. Durante los años de esa lucha, el campo no permaneció inalterable, las relaciones de producción cambiaron muy rápidamente.

Según cálculos de Frank Tannenbaum, la mitad de la fuerza de trabajo que vivía dentro de la hacienda en 1910 ya no estaba ahí en 1921, había pasado al mercado de trabajo libre, lo que no quiere decir necesariamente que su situación personal hubiera mejorado. México había sido durante toda su historia un país básicamente rural, y la lucha por la tierra, un eje de conflictos seculares. Desde la Colonia, los levantamientos indígenas a causa de la tierra fueron endémicos, y la situación persistió en el siglo XIX. Según una cronología elaborada por Jean Meyer, desde que Díaz tomó el poder en 1876 y hasta 1901, no hubo un año en que el gobierno no tuviera que sofocar algún levantamiento rural. El campo mexicano sólo quedó relativamente en paz a partir de 1902 (con la excepción de San Luis Potosí en 1905). La tranquilidad, pues, duró poco. La Revolución de 1910 volvió a convulsionar el agro y la tranquilidad desapareció por varios decenios. En vísperas de la Revolución, el 72 por ciento de la población activa en México trabajaba en actividades agropecuarias, y aunque un buen número de pueblos había logrado conservar todo o parte de sus propiedades frente a los embates de la hacienda, la concentración de la propiedad era mayor que nada. Según los cálculos más dramáticos, alrededor del 1 por ciento de los propietarios poseían el 97 por ciento de las tierras disponibles. Según cálculos menos demoledores, el 54 por ciento de la tierra en 1910 estaba en poder de 11 mil latifundios (con un promedio de 8 mil hectáreas cada uno); el 20% era propiedad de parvifundistas, el 10% correspondía a terrenos nacionales, 10% a terrenos estériles y sólo un 6% estaba en manos de las comunidades y los pueblos.

Durante los años más difíciles de la Revolución muchas haciendas y no pocos ranchos y pueblos sufrieron saqueos e incautaciones, pero al afianzarse el carrancismo empezaron a devolverse propiedades, la inseguridad disminuyó y la reforma agraria no se llevó muy lejos. Entre 1915 y principios de 1920 Carranza firmó dotaciones definitivas de tierras a ejidos por un total de 132 mil 540 hectáreas contra los 88 millones de hectáreas que se suponían entonces en manos de latifundistas.

De las tres grandes corrientes de la Revolución —zapatismo, villismo y carrancismo— la más comprometida con una reestructuración del sistema de la propiedad agraria fue la zapatista, pero la que finalmente triunfó fue la más conservadora: la carrancista. Para 1920 la reforma agraria aún estaba por hacerse. Obregón y Calles tampoco representaban a una corriente de opinión favorable a la pronta destrucción del latifundio, aunque la presión política de los agraristas les obligó a dar una importancia relativamente mayor al reparto de la tierra.

El grupo de Agua Prieta llegó al poder con el apoyo, entre otros, de los restos de zapatismo. Por eso y por otras razones políticas, se vio obligado también a mostrar una mejor disposición hacia las demandas campesinas. En los seis meses de su interinato, Adolfo de la Huerta entregó en definitividad 84 mil hectáreas y en sus cuatro años de gobierno Obregón aumentó la superficie ejidal en casi un millón. Como cabe esperar, el estado de Morelos, corazón del zapatismo, fue la región más beneficiada. A partir de 1920 el poder político y militar fue entregado a antiguos jefes rebeldes y los hacendados sufrieron su primera gran derrota. Para 1923, 115 de los 150 pueblos del estado habían recibido dotaciones ejidales. Calles continuó este reparto y para 1927 sólo quedaban cinco haciendas en la región en tanto que el 80% de las familias campesinas estaba en posesión provisional o definitiva de sus tierras. Según el censo de 1930, el 59% del área cultivada de Morelos pertenecía a los ejidos, aunque el área de propiedad privada seguía mostrando una alta concentración.

Sueño y realidad de Morelos

El valor político del reparto agrario se hizo obvio en la crisis de 1923, frente a la rebelión delahuertista: el estado de Morelos permaneció tranquilo y fiel al gobierno federal. Al iniciar su gestión, Calles aceleró aún más el proceso de dotaciones ejidales y durante su mandato distribuyó de manera definitiva más de tres millones de hectáreas. De ahí el apoyo militar que los agraristas armados le dieron durante la rebelión cristera. En innumerables ocasiones, al frente de las columnas gobiernistas que iban en busca de los insurrectos no se encontraban tropas regulares sino milicias agraristas.

La experiencia de Morelos fue en cierta medida también la de Yucatán, pero no se hizo extensiva a los otros estados de la República, donde el latifundio siguió rigiendo. En 1923, Obregón dijo claramente que la aplicación de las leyes agrarias debería hacerse con prudencia, "para no quebrantar nuestra producción agrícola"; el objetivo último no era dividir la tierra sino hacerla producir mejor. Para Calles lo ideal era "terminar con el reparto agrario, indemnizar a los propietarios y formar una clase de pequeños propietarios modernos con la ayuda de una política de riego, crédito [y] formación técnica" (1925). La parcela ejidal era vista por los dirigentes mexicanos como una forma transitoria de propiedad, una reminiscencia poco útil del pasado prehispánico.

Desde la perspectiva de los sonorenses la parcela ejidal individual era preferible a la comunal, porque prepararía a su beneficiario para entender las reglas del juego de la agricultura capitalista moderna, la meta a lograr. La parcela ejidal, decía Luis L. León en 1925, debía ser simplemente el "solar de la familia" de donde saldrían "los espíritus inquietos, o con mayores ambiciones [...] a buscar mejoramiento fuera de él". En suma, el ejido estaba lejos de ser visto como la base de la nueva sociedad rural mexicana.

En su último año de gobierno, Calles repartió menos tierras que en los anteriores. A partir de entonces, mientras conservó influencia política echó su peso del lado de los que pugnaban por cerrar el capítulo de la reforma agraria, una posición que no fue aceptada por todo el grupo gobernante. El presidente Portes Gil la juzgó una política errada porque todavía le parecía indispensable ampliar la base de apoyo del gobierno incrementando las filas agraristas para hacer frente a cristeros, escobaristas o emergencias similares. Entre fines de 1928 a principios de 1930, Portes Gil repartió 1.2 millones de hectáreas, el doble de lo otorgado por Calles en 1928. Según el testimonio del propio Portes Gil, al iniciarse el gobierno de Ortiz Rubio, el "Jefe Máximo" pidió al nuevo presidente y a su gabinete que detuviera definitivamente el proceso de reparto agrario, y en los dos años y ocho meses que duró el ejercicio presidencial de Ortiz Rubio, se ejecutaron resoluciones ejidales definitivas por alrededor de millón y medio de hectáreas. La reforma agraria disminuyó nuevamente su marcha. Alentados por la poca simpatía de los altos círculos oficiales hacia el programa agrario, los terratenientes asociados en la Cámara Nacional de Agricultura (CNA) propusieron fijar un plazo para que los pueblos con derecho a dotación ejidal la solicitaran y se cerrara después definitivamente la época de las expropiaciones. Sólo así, decían ellos, retornaría la tranquilidad y el crédito al campo. Para el momento en que hizo esta propuesta, según cifras del censo de 1930, todavía existían 648 propiedades agrícolas mayores de 10 mil y 837 que variaban entre las 5 mil y las 10 mil hectáreas. La desaparición del latifundio estaba lejos.

El gobierno no dio respuesta oficial a la petición de la CNA pero empezaron a fijarse fechas terminales en varios estados para dar por concluida la reforma agraria. El 7 de mayo de 1930 Ortiz Rubio informó a la Comisión Nacional Agraria que dadas las pocas peticiones de dotación ejidal aún pendientes en Aguascalientes, se debía dar un plazo de 60 días para presentación de nuevas solicitudes y acto seguido declarar terminado el reparto agrario en el estado. No pasó un mes antes de que se tomara una decisión similar para el caso de San Luis Potosí, al que en poco tiempo se añadirían Tlaxcala, Zacatecas, Coahuila, Morelos y el Distrito Federal. En 1931 se anunció concluido el reparto en Querétaro, Nuevo León y Chihuahua. Las organizaciones de propietarios de Jalisco, Sonora, Sinaloa y La Laguna pidieron lo conducente para sus estados. Para septiembre de 1931 el reparto agrario "había terminado" en doce entidades federativas.

Ortiz Rubio justificó su política diciendo que no debía verse como un abandono del programa agrarista, sino como una prueba de que la Revolución había cumplido con sus propósitos y no tenía sentido prolongar más la incertidumbre entre los propietarios particulares. Para reforzar esta política, se dispuso a fines de 1930 que cualquier ampliación de dotaciones ejidales pudiera hacerse previo pago de las propiedades afectadas. Dada la pobreza del erario iba a ser muy difícil en el futuro lograr una ampliación de los ejidos ya existentes.

El surco en el Golfo

La acción del gobierno parecía confirmar el triunfo del ala conservadora, pero la corriente agrarista no estaba liquidada. El centro de la lucha por la tierra se había desplazado de Morelos y el centro del país al estado más poblado del país en ese entonces, Veracruz. En 1920 asumió la gubernatura de ese estado el coronel Adalberto Tejeda, singularizado de tiempo atrás por haber organizado políticamente a varias comunidades indígenas hasta convertirlas en una notable fuente de poder local. Desde la gubernatura, Tejeda amplió su radio de acción y fomentó el surgimiento de agrupaciones de trabajadores urbanos y rurales. Al frente de esta campaña de agitación, y apoyado por Tejeda, estaba un dirigente obrero, Ursulo Galván, quien rápidamente se convirtió en el líder agrario más importante de la zona.

Como resultado de la acción de Tejeda y Galván, las solicitudes de tierra empezaron a aumentar en Veracruz y a principios de 1923 surgió la famosa Liga de Comunidades Agrarias del Estado de Veracruz (LCAEV), que sirvió de apoyo a Tejeda y de motor a la reforma agraria en el estado. Durante la crisis de fines de 1923, los agraristas veracruzanos se organizaron en "guerrillas" y entraron en acción contra el general delahuertista y antiguo comandante militar del estado, Guadalupe Sánchez. Superada la crisis, la fidelidad política de la LCAEV al gobierno federal dio por resultado que Tejeda fuera Secretario de Gobernación y que el gobierno del centro aceptara la permanencia de algunos cuerpos agraristas armados, que sirvieron como primera línea de defensa de los ejidatarios contra los terratenientes y sus "guardias blancas".

En 1926 Tejeda y Galván impulsaron la formación de una organización agraria que rebasara las fronteras veracruzanas, la Liga Nacional Campesina (LNC). En 1928 Tejeda volvió a la gubernatura de su estado. Tenía lugar otra crisis en la "familia revolucionaria". El grupo de Tejeda permaneció leal a Calles y repitió en su estado la situación de

1923: las "guerrillas" veracruzanas participaron del lado del gobierno en la lucha contra los escobaristas en 1929. Así, la organización veracruzana se consolidaba justamente cuando el gobierno de Ortiz Rubio era sólo cuestión de tiempo: entre más conservadora era la política del gobierno federal más radical se volvía la veracruzana.

Aparte de las agraristas, Tejeda y su grupo adoptaron otras medidas que los hicieron antipáticos a los ojos del centro, se opusieron a la solución negociada del conflicto cristero, rechazaron los acuerdos para el pago de la deuda externa y promulgaron una ley que permitía expropiar por interés público cualquier empresa comercial, industrial o agrícola en el estado. La gran prensa nacional —toda ella conservadora— pidió a gritos la cabeza de Tejeda. Hacían el efecto de un estímulo. Mientras en otros estados se ponía fin a la reforma agraria, Tejeda seguía expropiando y entre 1928 y 1932 se dieron 493 resoluciones provisionales en Veracruz que afectaron 335 mil hectáreas en beneficio de 46 mil campesinos.

La respuesta del gobierno federal a los tejedistas se hizo sentir en varios frentes. En 1930 decidió minar la fuerza de la LCAEV y no tardó en provocar una división que dio por resultado que un grupo se afiliara al PNR y otro se ligara a los comunistas; un tercero —al parecer el mayoritario— siguió fiel a Tejeda. Ursulo Galván acababa de morir y la organización tejedista se transformó en Liga Nacional Campesina Ursulo Galván (LNCUG). El esfuerzo desintegrador del centro no se detuvo y pronto fue evidente que dentro de la LNCUG empezaba a surgir una tendencia moderada que no seguía la línea tejedista. Para 1933 el conflicto entre las dos tendencias llegó a un nuevo clímax, la LNCUG "roja" decidió apoyar la candidatura presidencial independiente de Tejeda y los moderados se unieron a la corriente cardenista dentro del PNR.

El embate federal siguió hasta derrumbar el núcleo de su estructura de poder: la organización armada, que en su momento había llegado a tener entre 20 y 30 mil efectivos. En noviembre de 1931, la Secretaría de Guerra envió al general Eulogio Ortiz, con pocas simpatías por el agrarismo, para que vigilara a los cuerpos paramilitares y, de ser posible, los desarmara. No fue posible, y en agosto de 1931, Ortiz fue sustituido por el general Lucas González que traía la orden de subdividir por la fuerza si era necesario, los ejidos colectivos de Veracruz. En enero de 1933 se dio el paso definitivo con el envío del general Miguel Acosta y un refuerzo de tropas federales a desarmar de una vez por todas a los cuerpos agraristas. Aunque hubo alguna resistencia, la orden se cumplió rápidamente.

Sin armas y hostilizada por el gobierno, la LNCUG "roja" perdió efectividad y la campaña presidencial de Tejeda como representante del agrarismo radical no tuvo mayor aliento. El exgobernador de Veracruz estaba consciente de lo inútil de su empeño, pero insitió en seguir adelante como una forma de influir sobre el próximo presidente y sobre Calles en relación a la reforma agraria. En cierta medida tuvo razón. Fue neutralizado el agrarismo radical que se proponía una transformación a fondo del sistema de propiedad, pero las autoridades centrales tuvieron que hacer concesiones a los agraristas moderados, a la larga los verdaderos triunfadores en la lucha interna.

El triunfo de la moderación

El agrarismo moderado no buscaba enfrentamientos directos con Calles, y el grupo "veterano" tenía una representación muy heterogénea. Entre sus líderes destacaba el general Lázaro Cárdenas, cuidadoso en todo momento de no adoptar las actitudes extremas de Tejeda, disciplinado a lo dispuesto por el gobierno central y en particular por el Jefe Máximo, pero atento también a no ser identificado plenamente con el círculo íntimo de Calles, corrupto y conservador.

En prueba de esta independencia relativa, mientras la mayoría de los gobernadores liquidaron o aminoraron la marcha de la reforma agraria en sus estados, Cárdenas la aceleró en Michoacán. Como Tejeda en Veracruz, decidió fincar parte de su poder estatal en una organización de trabajadores y campesinos, pero no creó una fuerza paramilitar, como la veracruzana. Así surgió la Confederación Revolucionaria Michoacana del Trabajo (CRMT), que agrupó sindicatos y ligas campesinas leales a Cárdenas y se convirtió en el motor de la reforma agraria y social en el estado. Cuando el divisionario michoacano dejó la gubernatura, su sucesor, el general Benigno Serratos se dedicó sistemáticamente a desmantelar a la CRMT y a poner obstáculos a la acción de los agraristas. Pero eso no evitó que Cárdenas quedara claramente identificado como uno de los líderes del ala agrarista.

La heterogeneidad del agrarismo moderado se evidencia en el contraste de Cárdenas con otro representante de ese grupo, el cacique de San Luis Potosí y también general, Saturnino Cedillo. Cedillo no pretendía organizar agraristas para acabar con el latifundio sino simplemente obtener una base de poder mediante el reparto discriminado de tierras. A la caída de Carranza, Cedillo y los remanentes de su "Brigada José María Morelos" formaron varias colonias agrícola-militares en el estado. Los miembros de esas colonias sirvieron como fuerzas irregulares contra los delahuertistas, los cristeros y los escobaristas. Al iniciarse los años treinta, Cedillo y su grupo disponían ya de varios millares de agraristas armados que el gobierno central debía tomar en cuenta. A diferencia de Tejeda o Cárdenas, Cedillo no favorecía una reforma agraria total sino una parcial y selectiva, la indispensable para permitir un reclutamiento adecuado de seguidores personales. De ahí que el gobierno federal se enfrentara a los veracruzanos y en cambio no mostrara prisa en proceder contra los cuerpos agraristas potosinos. A principios de los años treinta, Cedillo aceptó que se decretara en San Luis Potosí el final del reparto agrario y todo parecía indicar que ahí convivirían tranquilamente, bajo la tutela de Cedillo, el ejido y las grandes propiedades.

En mayo de 1933, cuando se estaban jugando las precandidaturas del PNR para las elecciones presidenciales del año siguiente, los principales líderes agraristas moderados creyeron llegado el momento de actuar en el plano nacional y formaron la Confederación Campesina Mexicana (CCM), usando como base la fracción de la Liga Nacional Campesina que se había separado de Tejeda. El dirigente de la nueva organización fue Graciano Sánchez, de San Luis Potosí, y con él Enrique Flores Magón, Emilio Portes Gil, Gonzalo N. Santos, Saturnino Cedillo, Marte R. Gómez, León García y otros líderes menores. La CCM se pronunció de inmediato en favor de la candidatura de Cárdenas, y Graciano Sánchez intervino activamente en los debates sobre el famoso "Plan Sexenal" durante la convención del PNR en diciembre de ese año. El plan había sido originalmente una idea de Calles para imponer al próximo presidente un proyecto de gobierno, pero la redacción final del documento escapó de las manos de los callistas. Los elementos menos conservadores del PNR le dieron la forma final, hicieron a un lado la idea de que convenía dar por terminado el reparto agrario e insistieron en que no había alternativa al fraccionamiento de los latifundios.

Había una atmósfera política propicia para esas audacias. El gobierno de Abelardo Rodríguez había podido desmantelar la maquinaria de los agraristas veracruzanos, pero no continuar la política agraria conservadora de Ortiz Rubio. Rodríguez debió de aceptar la imprudencia de insistir en acabar con el reparto de tierras y reabrió los canales para que los pueblos hicieran nuevas solicitudes de dotación agraria, y el Congreso aceptó negar a los hacendados el recurso de amparo, recurso hábil y diligentemente utilizado por los terratenientes para entorpecer las acciones en su contra.

Rodríguez insistió en la idea de subdividir el ejido en lotes individuales, pero cobijó también la propuesta agrarista de crear un Departamento Autónomo Agrario, que pasó a depender directamente del presidente de la República. Se amplió en esos años el concepto de ejido, que de ahí en adelante comprendería no sólo la tierra cultivable sino también pastos, montes y aguas. Finalmente, en marzo de 1934 entró en vigor el primer Código Agrario, que, entre otras cosas, permitía por primera vez que los peones acasillados pudieran tener derecho a la dotación ejidal.

Sin embargo, el cambio en la política agraria sólo se reflejó en la legislación. El ritmo del reparto no se aceleró sino en realidad todo lo contrario: en más de dos años de gobierno Rodríguez entregó a los campesinos sólo 800 mil hectáreas, superficie bastante menor de la que había dado Ortiz Rubio. A contrapelo de esta realidad, en su gira electoral por todo el país Cárdenas aseguró que la Revolución cumpliría con las promesas hechas a los campesinos y les daría la tierra. No es de extrañar que muchos oyeran con escepticismo las promesas del candidato oficial, sobre todo seguros de que Calles se mantenía como el verdadero poder tras el trono.

El México rural que Cárdenas encontró en su gira electoral era todavía una sociedad dominada por la gran propiedad privada. Según los datos recogidos en 1930, de los 131.5 millones de hectáreas registradas por el censo, el 93% correspondía a propiedades privadas y el 7% a ejidos. La relación entre propiedad privada y ejido en su nivel regional confirma el carácter de "apaciguador" político de este último. Como ya se dijo, sólo en el antiguo centro zapatista —Morelos— el ejido era la forma de propiedad dominante (59%). En el Distrito Federal, donde el zapatismo también se había dejado sentir y no era prudente tener agitación agraria, la propiedad ejidal también tenía fuerza (25.4%), lo mismo que en los estados vecinos de México (21.8%) y Puebla (18.4 por ciento). Yucatán, con tradición agrarista y socialista desde la época de Salvador Alvarado, contaba con un notable 30% de propiedad ejidal. En cambio en Veracruz o Michoacán, con agrupaciones agraristas militantes, apenas el 7% de la superficie cultivable era ejidal. En el otro lado del espectro, había estados donde el ejido no llegaba a representar una fracción significativa dentro de la estructura de propiedad; en Baja California y Quintana Roo era menos del 1%; en Coahuila, Nuevo León, Oaxaca y Tabasco, menos del 2 %; en Chiapas y Tamaulipas menos del 3 por ciento.

El trayecto obrero

Como es lógico suponer, los obreros tuvieron una posibilidad mayor que los campesinos para la creación de organizaciones que representaran de alguna manera sus intereses de clase. Antes de la revolución, pese a la hostilidad porfirista hacia estas asociaciones, los grupos mutualistas habían proliferado. A fines del siglo XIX y principios del XX habían estallado huelgas decisivas como las de Cananea y Río Blanco. Con la Revolución el proceso se aceleró, los sindicatos se multiplicaron y con el surgimiento de la Casa del Obrero Mundial (COM) se intentó dar una primera unidad al movimiento obrero y apoyo a los elementos obreristas dentro del grupo dirigente revolucionario. Al desaparecer la COM bajo la hostilidad de Carranza, el liderato lo tomó la CROM, una organización que se definía a sí misma como socialista y opuesta a una colaboración directa con el Estado, pero cuyo surgimiento había sido auspiciado por el propio gobierno de Carranza. No tardó mucho en darse un distanciamiento entre el presidente y los cromistas, y en 1919 la CROM suscribió un pacto secreto con el entonces candidato presidencial Alvaro Obregón: a cambio del apoyo que el general daría a las demandas laborales de la organización, ésta le respaldaría en su búsqueda de la presidencia. A la caída de Carranza, la CROM apareció definitivamente en el panorama como la organización más importante de los trabajadores, lugar de privilegio que sólo perdería en 1929, cuando factores imprevistos cambiarían la naturaleza de su relación con el gobierno y el régimen.

En el auge y en la decadencia, la CROM estuvo dirigida por Luis N. Morones y su llamado "grupo acción", un pequeño núcleo de líderes que tenían los principales puestos directivos de la confederación. Alcanzó su punto culminante entre 1925 y 1928 cuando Morones fue secretario de Industria, Comercio y Trabajo y uno de los políticos más poderosos del momento; tanto, que llegó a considerar viable la idea de presentarse como candidato a la presidencia.

En 1928, antes de que se iniciara su decadencia, la CROM decía contar con dos millones de afiliados (algunos observadores consideraron la cifra real mucho menor, alrededor de la mitad), dos mil sindicatos y 75 federaciones. A la derecha de la CROM se encontraban los sindicatos católicos, que carecían de un ambiente adecuado para desarrollarse por la crisis de la relación Iglesia-Estado. El espectro sindical a la izquierda de la CROM era quizás el más interesante. Para 1920 ya existía el Partido Comunista Mexicano y se proponía, desde luego, enfrentar a la CROM.

En 1921 se celebró la Convención Nacional Roja, como resultado de la cual se formó la Confederación General de Trabajadores (CGT), una central anarcosindicalista —corriente de gran tradición en México— que por esa misma razón se negó a formar un partido político o a buscar alguna relación institucional con un gobierno burgués. Su independencia no facilitó la relación con el nuevo régimen, y menos aun después de que en 1923 mostrara simpatías por el movimiento delahuertista. Justamente cuando la CROM entró en crisis, la CGT llegó a su momento de mayor auge, presentándose como una alternativa a la central de Morones y diciendo contar para principios de los años treinta con 80 mil afiliados. A la larga, la CGT no pudo capitalizar la crisis de su adversario y para 1933 apenas había en sus filas 80 mil obreros, por su mayor parte textiles. Los comunistas también trataron de aprovechar la crisis política de 1929 y se reorganizaron, formaron la Confederación Sindical Unitaria de México (CSUM) para reemplazar el antiguo Bloque Obrero Campesino, de existencia precaria. Como la CGT, la CSUM logró avances pero permaneció en un lugar secundario, enfrentando al gobierno y sufriendo la represión oficial.

Al agudizarse la crisis de la CROM, a principios de los treinta, ninguna de las centrales rivales pudo o supo ocupar su puesto. La situación cambió sólo a raíz de una escisión dentro de la propia CROM, al frente de una de cuyas fracciones, la llamada "CROM Depurada", apareció un brillante intelectual socialista, Vicente Lombardo Toledano.

A mediados de 1933, esta nueva CROM sirvió de base para la formación de la Confederación General de Obreros y Campesinos de México (CGOCM), cuya membresía inicial fue de casi mil sindicatos. Como la CROM, la CGOCM se declaró anticapitalista aunque su programa inmediato no fue particularmente radical. Simplemente se propuso luchar para que se cumpliera cabalmente con el artículo 123 constitucional y otras disposiciones similares. Se situó junto a la CROM en el centro del espectro ideológico y no puso obstáculos a su eventual cooperación con el gobierno. Calles no mostró interés en renegociar una alianza con los trabajadores, pero la CGOCM empezó a tomar posiciones y a prepararse para cuando llegara el momento.

Conviene subrayar que muchos sindicatos se mantuvieron fuera del pleito por la hegemonía de las centrales, sobre todo los de industrias importantes: petroleros, electricistas, mineros o ferrocarrileros. Esos trabajadores ocupaban una posición privilegiada, que les permitía negociar directamente con las empresas. No escaparon sin embargo a la fragmentación ya que en ninguna de las grandes ramas de la industria hubo un sindicato que agrupara a todos los trabajadores. Los distintos agrupamientos estaban divididos y muchas veces en conflicto directo.

En conclusión, puede decirse que para 1933 la organización del movimiento obrero mexicano se caracterizaba por su dispersión y por los incesantes esfuerzos de agruparse. Los obreros sindicalizados medían tentaleantemente su fuerza entre ellos y frente al Estado.

Laborantes y dirigentes

El llamado movimiento obrero no sólo encuadraba a los trabajadores industriales propiamente dichos, sino también a buen número de empleados de establecimientos artesanales y del sector terciario. De los 5 millones de mexicanos que formaban la fuerza de trabajo en 1910, 1.4 estaban clasificados como trabajadores no agrícolas y de éstos aproximadamente la mitad caía dentro de la categoría de obreros. Estos últimos se concentraron en la industria manufacturera (más de 600 mil) y el resto en actividades extractivas, generación de electricidad, ferrocarriles y la industria petrolera. En 1921 la situación seguía siendo básicamente la misma de diez años atrás. Según el censo de 1930, la proporción seguía sin variar, aunque había alrededor de 400 mil personas más en el mercado de trabajo. En cualquier caso, entre 1910 y 1930 los trabajadores clasificados como obreros no pasaron de ser el 15% de la población activa total. (Ver cuadro 1). La industria mexicana prácticamente no creció en ese periodo, pero la vida obrera sufrió modificaciones notables, no tanto en su aspecto material como en su capacidad de influir en la toma de las decisiones políticas que le afectaban.

Cuadro 1

ESTRUCTURA OCUPACIONAL

DISTRIBUCION PORCENTUAL

Actividades	*1910*	*1921*	*1930*
Agricultura[1]	71.9	75.2	67.7
Minería	1.7	0.6	1.0
Industria	11.3	12.4	12.9
Transportes y Comunicaciones	1.1	1.6	2.0
Comercio y Fianza	5.0	5.8	5.0
Servicios	5.9	3.0	4.6
Gobierno	1.3	1.4	2.9
Otros	1.8	---	3.9
Total	100	100	100

[1] Incluye ganadería, silvicultura y pesca.

Fuente: Nacional Financiera, *50 años de Revolución Mexicana en cifras* (México: Naccional Financiera, 1963), p. 29.

Gracias en buena medida a la alianza de la CROM y los sonorenses, luego de la caída de Carranza los dirigentes cromistas gozaron de amplia libertad para organizarse y reivindicar los nuevos derechos que les había dado la Constitución de 1917. Ese año se registraron 173 huelgas, al año siguiente hubo más de 300 y el número de huelguistas sobrepasó los cien mil. Celestino Gasca, un exzapatero y miembro prominente de la CROM, asumió el puesto de gobernador del Distrito Federal, posición relativamente modesta pero impensable apenas unos años atrás.

La CROM era entonces, sin duda, la mayor organización de trabajadores y sus filas engrosaban rápidamente. Para 1922 decía tener 400 mil miembros —el 50% obreros— y al finalizar el gobierno de Obregón triplicó esa cifra. Quizá la CROM exageraba su fuerza pero era una fuerza real. Sin embargo, junto al crecimiento de su influencia, los dirigentes de la CROM tuvieron que hacer crecer su "cordura". A partir de 1922 las huelgas empezaron a descender y llegaron a su nivel más bajo justamente cuando la CROM ocupó —a través de Morones— la Secretaría de Industria, Comercio y Trabajo, entre fines de 1924 y mediados de 1928. Cordura y competencia: la CROM no sólo controló directamente a sus miembros sino que en ocasiones impidió o saboteó movimientos de sindicatos o centrales antagónicas. La nueva fuerza de los trabajadores se puede medir también por la fuerza de los laudos de la autoridades. Bajo Carranza los fallos favorables eran pocos, pero a partir de 1920 resultaron mayoría junto con los casos en que hubo un arreglo entre las partes con concesiones a los trabajadores.

El centro del movimiento obrero estaba situado en la capital de la República, ciertas zonas de Veracruz, Puebla y otras poblaciones mineras o petroleras. Junto a esta distribución geográfica, los sectores más militantes por ramas de actividad, eran los trabajadores textiles, los mineros, los ferrocarriles, los petroleros, los tranviarios, los camioneros y los panaderos.

La rama textil empleaba mucha mano de obra, en buena medida porque se encontraba atrasada respecto de los patrones tecnológicos de otros países. Intentó ponerse al día en estos años pero las innovaciones tecnológicas amenazaron con despidos masivos y los sindicatos obstaculizaron este tipo de soluciones. Las frecuentes crisis en el mercado mundial de los metales, hicieron muy fluctuante la actividad minera y muy defensiva la actitud de los sindicatos mineros. Los ferrocarriles, en su mayor parte en manos del Estado, vivieron también con el problema de exceso de operarios, pero sus trabajadores se defendieron de la reorganización con violentas huelgas.

Desde sus orígenes, los trabajadores petroleros se encontraban divididos en múltiples sindicatos enfrentados sistemáticamente a las empresas extranjeras, sobre todo en Tampico y Minatitlán. La existencia de algunos "sindicatos blancos" nunca logró neutralizar la agresividad de los auténticos, que lograron niveles salariales relativamente altos si se les compara con el promedio.

Los panaderos constituyen el ejemplo de un grupo disperso en miles de establecimientos y sin una posición estratégica dentro del aparato productivo, pero que gracias a su organización pudieron concertar algunas suspensiones de labores en las grandes ciudades y a través de esta presión sus demandas fueron escuchadas y algunas aceptadas. Lo mismo ocurrió con los tranviarios o con los camioneros.

Los sindicatos de industrias que empleaban poca mano de obra de alto rendimiento, como los electricistas, pudieron negociar mejor que la mayoría de los trabajadores organizados y no recurrieron con igual frecuencia a la huelga.

Rumbo a la Depresión

Lo cierto es que ante la presencia de los obreros como una fuerza social reconocida y con derechos propios, la Revolución triunfante debió de empezar a crear mecanismos especializados para hacer frente de manera ordenada a sus demandas. Desde sus orígenes, la CROM había presionado para que se estableciera una Secretaría del Trabajo. En 1921 el Congreso rechazó la propuesta y pasaron varios años antes de que el proyecto reviviera y se hiciera realidad. Entretanto, los asuntos obreros fueron tratados por la Secretaría de Industria, Comercio y Trabajo. Como parte del pago al apoyo obrero al movimiento de Agua Prieta, De la Huerta creó en 1920 un Departamento de Previsión Social, que puso en manos de la CROM y más tarde Obregón entregó a los cromistas el Departamento de Trabajo. En 1931 se promulgó, por fin, una ley federal del trabajo ampliando las atribuciones del Departamento y, ante la insistencia de las organizaciones laborales, el gobierno anunció que se le desligaría de la Secretaría y se le daría un estatus autónomo. En 1933 empezó a desempeñar sus funciones el Departamento Autónomo del Trabajo (DAT), que de inmediato incorporó dentro de sí a la Procuraduría de Defensa del Trabajo y a las Juntas Federales de Conciliación y Arbitraje.

Antes de 1920, la mayor parte de los asuntos laborales estaban en manos de las autoridades locales, pero poco a poco los poderes centrales tomaron cartas en el asunto. Para 1933 resultaba evidente que el gran regulador de las relaciones obrero-patronales era el gobierno federal.

Como ya se ha dicho, el efímero milenio de la CROM se vino abajo, colgado del asesinato de Obregón. Calles, su gran patrocinador y aliado puso rápida distancia entre él y los líderes cromistas para no irritar más a los seguidores de Obregón, particularmente fuertes en el ejército, que desde el principio acusaron a Calles y vieron en Morones al autor intelectual del asesinato de su líder. El distanciamiento no hizo desaparecer la central, pero sí la debilitó y facilitó su fragmentación. Muchos sindicatos no vieron ya utilidad alguna en seguir el carro de Morones ya que la CROM había dejado de controlar el Departamento del Trabajo y las juntas de conciliación y arbitraje. Empezó el abandono y se hizo el vacío. Por sus choques con el gobierno ni los comunistas ni los anarcosindicalistas de la CGT pudieron ocupar el lugar de la CROM; el PNR hizo débiles e infructuosos intentos por crear organizaciones obreras propias, de modo que a corto plazo las notas dominantes fueron la confusión y la dispersión: el "desmoronamiento" de Morones.

Precisamente en ese momento de crisis interna del laborismo, sentó sus reales la depresión de 29. Como se ha explicado, el desempleo provocado por esa recesión del capitalismo mundial no tuvo en México los efectos desastrosos de otras partes, pero golpeó seriamente a ciertos sectores. En la minería, por ejemplo, para 1932 sólo tenía empleo la mitad de los 90 mil mineros que trabajaban en 1927 y muchos de ellos tuvieron que aceptar una disminución de su salario, en la jornada de trabajo o en ambos.

La baja en la carga de mineral volvió más grave la crisis económica del sistema ferrocarrilero. Obreros textiles, burócratas y otros trabajadores sufrieron y aceptaron también bajas en sus salarios. Afortunadamente para los que conservaron el empleo, el índice del costo de la vida también disminuyó, la caída del nivel de vida fue menor de lo que indica la simple caída salarial.

Los sindicatos trataron de defender a sus agremiados, pero no pudieron evitar despidos. Curiosamente, las huelgas disminuyeron: el temor al desempleo, la falta de apoyo del gobierno (en ocasiones sólo hubo represión) y la fragmentación de los sindicatos explican que entre 1930 y 1933 sólo se hayan registrado 95 huelgas que involucraron a 8,603 trabajadores. Las tendencias a la reunificación del movimiento obrero bajo nuevas bases empezaron a manifestarse desde el principio de la crisis de la CROM. En 1930 surgió —deseo más que realidad— un Comité General de Unificación Obrero-Campesina Nacional, que proponía la eliminación de Morones y su grupo como punto de partida para un movimiento obrero regenerado y vigoroso. La crisis económica segó este impulso pero el año de 1934 la vio surgir con ímpetu, fundamentalmente por dos razones: lo peor de la crisis mundial había pasado y la campaña presidencial abría oportunidades para una nueva alianza del movimiento obrero y las facciones menos conservadores de la "familia revolucionaria".

El camino de Lombardo

A fines de 1933, como se ha dicho, Lombardo Toledano formó la Confederación General de Obreros y Campesinos de México (CGOCM). Las dos grandes centrales obreras tradicionales no comunistas, CROM y CGT, tuvieron reacciones diferentes ante la nueva organización. La CROM la combatió, pero la CGT mantuvo abierta por un tiempo la posibilidad de una alianza, que no ocurrió debido a diferencias tácticas. Los comunistas simplemente se mantuvieron al margen. Al finalizar 1934, la CGOCM decía contar ya con 890 mil afiliados. Sus planteamientos generales y a largo plazo eran radicales —acabar con el sistema capitalista—, pero los objetivos inmediatos no pretendían sino el mejoramiento de las condiciones de vida del proletariado, justamente la táctica que abría la puerta de una colaboración con el régimen.

Para 1934, siendo ya un hecho la candidatura de Cárdenas, Lombardo impulsaba huelgas para demostrar la capacidad de movilización de su central y simultáneamente tendía puentes hacia el candidato. El 2 de julio de 1934 Lombardo llamó a una huelga general de solidaridad con los paristas del ingenio El Potrero, de la fábrica de cemento Landa y de las líneas de autobuses del D.F. En octubre de 1934, en vísperas de la toma de posesión de Cárdenas, la CGOCM decidió participar en el Comité Nacional de Defensa de la Reforma Educativa, que tenía como propósito respaldar a la "educación socialista" propuesta por Calles y que era parte del Plan Sexenal, es decir, de la plataforma política de Cárdenas. Esperaban que el cambio político al final de 1934 les permitiera recuperar parte de su antigua fuerza. A estas alturas la CROM y la CGT decidieron no quedarse atrás y se adhirieron al frente común para no dejar toda la iniciativa a su enemigo. Ambas agrupaciones habían jugado antes con la idea de unirse a la corriente "ortizrubista", pero cuando el presidente perdió fuerza, la brecha entre las confederaciones y Calles se ahondó, de modo que al asumir Cárdenas la jefatura del gobierno, la situación de la CROM y la CGT era crítica y ambas organizaciones vivían una ansiosa expectativa.

Los sindicatos ajenos a las grandes centrales se mostraban activos pero fragmentados y en varios casos tenían problemas con el régimen. Algunos ejemplos: cuando la CROM se encontraba en la cresta de la ola, favoreció la creación de la Federación Nacional Ferrocarrilera (FMF) que, sin embargo, estuvo lejos de poder agrupar a la mayoría de los trabajadores. La Confederación de Transportes y Comunicaciones (CTC) se mantuvo como el agrupamiento principal, con una línea independiente de la CROM que en ocasiones le llevó a mostrar simpatías por los antagonistas del gobierno. En 1933 esta Confederación se reorganizó como Sindicato de Trabajadores Ferrocarrileros de la República Mexicana (STFRM), y siguió conservando su tradicional antagonismo hacia la CROM.

Desde 1929 la relación entre ferroviarios y empresa se había hecho muy conflictiva. Los trabajadores culpaban a la administración de las dificultades económicas del sector y las huelgas menudearon, lo que no impidió el despido de 11 mil trabajadores como parte de un plan de organización del sistema en su conjunto. Cuando Cárdenas llegó a la presidencia, el descontento ferrocarrilero era considerable, y a unos días de iniciado el nuevo sexenio trabajadores y policía chocaron violentamente en las calles del Distrito Federal.

Los mineros se encontraban aún más dispersos que los ferrocarrileros cuando se les vino encima la crisis económica. Pasado lo peor, la CROM trató de asegurar su presencia en esa área estratégica y formó la Federación de la Industria Minera (1934). Usando como base a la Confederación Minera Hidalguense, los enemigos de la CROM crearon el Sindicato de Trabajadores Mineros, Metalúrgicos y Similares de la República Mexicana (STMMSRM), que las autoridades laborales vieron con simpatía, justamente porque neutralizaba a la CROM.

Los petroleros, por su parte, se habían enfrascado durante 1933 y 1934 en una serie de huelgas que afectaron a las dos empresas mayores: El Aguila y La Huasteca, y al iniciarse el sexenio en 1934 se encontraban en plena efervescencia aunque sin haber logrado todavía formar su gran sindicato. Los electricistas habían capeado relativamente bien el temporal de la crisis económica y habían mantenido buenas relaciones con la empresa, pero en las postrimerías del gobierno de Abelardo Rodríguez se lanzaron, y con buen éxito, a la huelga.

El ramo textil arrastraba un problema de fondo, como se ha dicho, por exceso de mano de obra. El conflicto había amainado tras un acuerdo obrero-patronal en 1927, pero la tensión volvió a surgir con la crisis mundial. Los industriales amenazaron con cerrar plantas y los obreros con apoderarse de las mismas. En 1933 se planteó la posibilidad de una huelga general textil, pese a que no había un sindicato único sino varios controlados por las tres grandes centrales antagónicas. Para evitar una catástrofe en una rama industrial importante, el gobierno federalizó la industria e impuso una solución a obreros y patrones, con lo que salvó la situación, al menos por el momento.

De todo lo anterior se puede inferir que al dejar la presidencia Abelardo Rodríguez, el movimiento obrero mexicano se encontraba en una etapa de descontrol y reagrupamiento. No era posible prever dónde desembocaría este proceso, pero estaba claro que la CROM había dejado de ser su centro. La CGOCM y Lombardo habían probado fuerza frente a las otras organizaciones y al Estado, y se presentaban como una alternativa al grupo de Morones, pero aún no podían hablar como voceros de la mayoría de los obreros mexicanos.

IV

La utopía cardenista
1934-1940

Cuando Lázaro Cárdenas fue designado candidato presidencial por el partido del gobierno, pese a su juventud, ya era uno de los divisionarios más importantes del ejército. Su carrera militar había sido hecha, básicamente, en campaña y no en la política; conocía bien al ejército y tenía una posición sólida dentro del mismo. Para 1933 contaba en su haber con 24 hechos de armas importantes además de acciones menores y había sido comandante de varias jefaturas de operaciones. Por lo demás, no era un neófito en política pues había sido gobernador de Michoacán y presidente del PNR. No era miembro del grupo original de jefes revolucionarios. Era más joven y se le veía ya como de una nueva generación. Finalmente, había sido un fiel subordinado de Calles, pero no se podía contar entre los incondicionales del Jefe Máximo. No había atacado a Ortiz Rubio ni compartido las opiniones conservadoras de Calles sobre política agraria, independencia relativa que le ayudó a obtener la candidatura oficial.

Adiós al Maximato

Lázaro Cárdenas llegó a la presidencia con más elementos que sus antecesores para desempeñar el cargo, pero pocos pensaron en su tiempo que pudiera librarse de la influencia conservadora y asfixiante de Calles. La prensa de la época es fiel y cruel reflejo de esa opinión generalizada. En muchos círculos se menospreció la capacidad intelectual del nuevo presidente y se le auguró un destino similar al de Ortiz Rubio. Los dados políticos estaban efectivamente cargados en su contra. En el gabinete cardenista original había connotados callistas que no veían a su jefe en el presidente. Tomás Garrido Canabal en Agricultura, Rodolfo Elías Calles en Comunicaciones y Obras Públicas, Juan de Dios Bojórquez en Gobernación, Fernando Torreblanca en la Subsecretaría de Relaciones Exteriores, eran todos hijos directos o artificiales de la poderosa mano del Jefe Máximo. Otros elementos, sin ser callistas furibundos, estaban lejos de compartir las ideas políticas de Cárdenas: Aarón Sáenz en el Departamento del Distrito Federal o Emilio Portes Gil en Relaciones Exteriores. El cardenista era un grupo minoritario dentro del gabinete; y lo que sucedía en el gabinete se repetía en el PNR (presidido por Carlos Riva Palacio), en el Congreso y en los gobiernos de los estados. Desde el primer momento empezaron a surgir tensiones dentro del nuevo gobierno. Finalmente estallaron debido en gran medida a la ola de huelgas que se desató tras la toma de posesión de Cárdenas y a la actitud benigna que ante las mismas adoptó el presidente. En diciembre de 1934 Calles rompió su silencio y advirtió contra la "agitación innecesaria". Pero el ambiente no se calmó. Al inicio de 1935 había problemas con ferrocarrileros, electricistas, telefonistas, petroleros y cañeros, entre otros.

El Congreso desarrolló con rapidez dos alas políticas, tal como al inicio del gobierno de Ortiz Rubio: una minoría identificada con la izquierda y con Cárdenas; otra mayoritaria, no adherida abiertamente a ninguna tendencia ideológica pero identificada con Calles. En junio, el Jefe Máximo decidió dar a la prensa unas nuevas declaraciones condenando las divisiones en el Congreso, el "maratón de radicalismos" que se había desatado y las huelgas que sacudían al país. Estas declaraciones —que el presidente trató de suprimir— fueron consideradas por todos los observadores como una crítica indirecta, y por tanto, una advertencia velada al jefe de gobierno.

Cárdenas actuó con rapidez ejerciendo el poder que le quedaba a la presidencia en tanto jefatura del ejército, recogiendo el sentimiento anticallista de muchos miembros de la élite gobernante y del público en general, y apoyándose en las organizaciones obreras que atacaban al Jefe Máximo. Envió representantes personales a los jefes de operaciones militares y los gobernadores planteando la necesidad inmediata de tomar posición: Calles o él. Obtuvo sin excepción respuestas positivas y entonces publicó una réplica a las declaraciones del Jefe Máximo. A inmediata continuación, pidió la renuncia a los miembros del gabinete en su conjunto y al presidente del PNR.

La acción fue sorpresiva y dio el resultado esperado: empezaron a llegar a Palacio Nacional miles de telegramas de adhesión, el ala izquierda en el Congreso se fortaleció instantáneamente y Calles abandonó la capital, para luego salir del país por un tiempo. Regresó a México en diciembre, acompañado del líder de la CROM, Morones. En abril de 1936 tuvo que comparecer ante las autoridades acusado de acopio de armas y abandonó nuevamente el país, esta vez por la fuerza, para un exilio físico y político que habría de durar casi un decenio. Antes de que el callismo pudiera reaccionar, el Maximato había tocado a su fin y se iniciaba la era cardenista.

La purga

La desaparición de Calles y su grupo del escenario político logró que las aguas de la política volvieran a su cauce normal. La institución central del sistema político mexicano, la presidencia, asumió plenamente el papel rector que habría de caracterizarla crecientemente por las siguientes décadas.

El gabinete nombrado por el Presidente el 19 de junio era realmente suyo aunque había en él personajes como Saturnino Cedillo, cuya fuerza e intereses propios lo apartaban del movimiento cardenista. Desde la presidencia del PNR, Portes Gil se erigió en ejecutor de la purga inevitable, contra legisladores y gobernadores desleales al presidente. En una profusa cadena de desafueros y desaparición de poderes, el caso más espectacular de la purga fue la destrucción de la maquinaria política de Garrido Canabal y sus "camisas rojas" en Tabasco.

Terminada su tarea de eliminar a los callistas irredentos del PNR, el Congreso y las gubernaturas de los estados, Portes Gil mismo dejó la presidencia del PNR, desgastado por las muchas animadversiones y por la acusación de no estar poniendo el partido enteramente al servicio del presidente sino de sí mismo. Cárdenas lo sustituyó con un hombre de su total confianza, Silvano Barba González, antes secretario de Gobernación, a quien en 1938 hizo dejar su lugar a Luis I. Rodríguez, secretario particular del presidente. Rodríguez abandonaría la jefatura del partido poco después en medio de fuertes pugnas internas, para ser gobernador y ocuparía su lugar el general veracruzano Heriberto Jara, antiguo constituyente y hombre de izquierda, que dirigiría al partido hasta el fin del gobierno cardenista. Lo significativo de todos esos cambios es que, a partir de la salida de Portes Gil, la dirección del partido oficial quedó enteramente subordinada a las decisiones del presidente. A este control presidencial del partido, del Congreso y las gubernaturas, debe añadirse el de otra pieza clave: el ejército. En la reestructuración del gabinete, la Secretaría de Guerra quedó al mando de un hombre muy leal a Cárdenas, el general Andrés Figueroa, quien moriría antes de terminar el sexenio pero no antes de quitar de en medio a los callistas abiertos, Joaquín Amaro de la dirección de Educación Militar, Manuel Medinaveitia de la guarnición de la plaza en la capital, Pedro J. Almada de la jefatura de operaciones de Veracruz y otros de menor importancia. Con el correr del tiempo, por temor a la política obrera de Cárdenas, surgiría una corriente anticardenista dentro del ejército, personificada por el general de división Juan Andrew Almazán, pero la institución armada permanecería hasta el final obediente a las órdenas del presidente, y el secretario de Guerra, Manuel Avila Camacho, sería el sucesor de Cárdenas.

La nueva alianza

El régimen revolucionario se definió a sí mismo y frente al Porfiriato, como enteramente abierto a la participación popular. Sin embargo, al formarse el PNR el nuevo partido no se decidió a incorporar plena y directamente a los nuevos actores políticos, obreros, campesinos y las clases medias. Esa reticencia fue un paso atrás respecto al pasado inmediato, en que la CROM representó el esfuerzo por mantener unidos al gobierno y a las masas organizadas. El PNR en cambio dejó fuera a la mayoría de las agrupaciones de trabajadores y la política empezó a volverse cada vez más un juego exclusivo de un círculo cerrado, el callista.

Cárdenas pudo seguir en esa línea, pero al precio de seguir subordinado al Jefe Máximo. Cuando decidió deshacerse de Calles no le quedó otro camino que fortalecer a la presidencia allegándose la fuerza de los sectores populares. El estrecho círculo político anterior a 1934 se desbarató e irrumpieron en el mundo público los representantes de las organizaciones de masas. El apoyo que ofrecían la CCM y la confederación obrera de Lombardo Toledano fue estimado, aceptado y agradecido.

Hasta 1934 los grandes terratenientes habían mantenido una posición privilegiada, gracias no a su poder propio sino a la tolerancia del nuevo régimen. Con Cárdenas la tolerancia llegó a su fin. La alianza de vastos núcleos campesinos con el gobierno de la revolución debía ser pagada, y el pago sólo pudo hacerse a costa de la hacienda. La reforma agraria se aceleró notablemente a partir de 1935 y el nuevo reparto no tocó sólo la periferia, sino el corazón mismo de la agricultura comercial. Las expropiaciones más espectaculares del cardenismo se hicieron en La Laguna, donde se cultivaba comercialmente el algodón; en Yucatán, centro henequenero del país; en Lombardía y Nueva Italia (Michoacán), zona productora de granos para el consumo interno.

Después del cardenismo, la agricultura mexicana no volvería a ser la misma, la gran propiedad heredada de la Colonia y afianzada en el siglo XIX fue tocada en su centro. Lo que hasta entonces sólo había sucedido en Morelos y estados circunvecinos se hizo extensivo al resto del país y al finalizar el gobierno de Cárdenas, el ejido representaba casi la mitad de la superficie cultivada de México. A cambio de esta entrega a los campesinos de entre 18 y 20 millones de hectáreas, el gobierno contó con más de 800 mil agraristas, que sumados a los beneficiados por administraciones anteriores, daban un gran total de poco más de millón y medio. Era una fuerza nada desdeñable, a una parte de la cual se le dio armas para defender la tierra recién adquirida y al gobierno que se las había otorgado. Ya en enero de 1936, algunos de ellos habían formado una reserva rural de 60 mil hombres armados, cifra muy similar a los efectivos del ejército federal. Los agraristas —junto con el ejército— pusieron fin a los remanentes de la rebelión cristera y se abstuvieron de apoyar en 1938 la rebelión del general Cedillo. Encuadrados dentro de la Confederación Nacional Campesina —formada a finales de 1938— constituyeron entonces la base más sólida del gobierno.

La alianza de los obreros con el nuevo régimen se fortaleció a raíz del conflicto entre el presidente y Calles. El Jefe Máximo había acusado directamente a Lombardo Toledano de ser el responsable del clima de tensión que vivía el país en ese momento. La respuesta fue una acción frontal. Mientras Morones y la CROM se situaron al lado de Calles, Lombardo y la CGOCM formaron el núcleo central del Comité Nacional de Defensa Proletaria, que apoyó a Cárdenas y efectuó grandes movilizaciones en las ciudades. Ganada la partida, Cárdenas aceleró el proceso de unificación del movimiento obrero hasta llegar a la creación de la Confederación de Trabajadores de México (CTM).

El pago de la renovación de la alianza de los obreros con el régimen corrió básicamente a cuenta de las grandes empresas industriales, en buena medida en poder del capital extranjero: minería, petróleo, tranvías, parte de la red ferroviaria y del sistema telefónico, las empresas eléctricas, etc. La burguesía nacional apenas iniciaba su proyecto industrial y no fue ella la más afectada por la agresividad del movimiento obrero, aunque no dejó de resentir el coletazo, como lo demostraron las protestas de los empresarios de Monterrey.

La CTM, organizada a principios de 1936, junto con la CNC, se convirtió en un pilar del cardenismo, aunque la base no llegó a mostrar la incondicionalidad del movimiento campesino. Cuando la crisis económica posterior a marzo de 1938 exigió una disminución de la ola huelguística, la mayor parte de las organizaciones sindicales se disciplinó al requerimiento gubernamental. Frente al reto lanzado en contra de Cárdenas en 1940 por el general Almazán y sus apoyos conservadores, los organismos obreros sostuvieron la candidatura de quien Cárdenas había designado como sucesor, el general Manuel Avila Camacho.

La utopía cardenista

La preocupación del gobierno cardenista, como la de sus predecesores, giró en torno al desarrollo económico del país. Sin embargo, a raíz de los acontecimientos políticos y económicos que se sucedían en el ámbito nacional y mundial, Cárdenas llegó a considerar que estaba en la posibilidad de optar entre dos alternativas para ese desarrollo: imitar la estrategia del modelo capitalista seguido por las sociedades industrializadas o intentar un camino diferente que combinara el crecimiento de la producción con el desarrollo de una comunidad más integrada y más justa. La utopía propiamente cardenista consistía en tratar de ir más allá del keynesianismo o del fascismo, sin desembocar en el modelo soviético.

Entre 1935 y 1940 el producto interno bruto creció en 27 por ciento, una cifra global que oculta variaciones notables dentro del periodo, porque el crecimiento fue constante y casi de la misma magnitud entre 1935 y 1937, pero entre 1938 y 1940 la economía casi se estancó. En 1939 registró un ligero respiro, pero debido simplemente a un aumento en la actividad comercial, que no se reflejó en las principales ramas productivas. El deterioro repentino de la economía en 1938 fue resultado directo de la crisis petrolera. La expropiación petrolera de ese año no sólo afectó a las exportaciones de combustibles sino que, por la represalia internacional, arrastró tras de sí también las ventas de minerales y creó un clima de desconfianza que prácticamente detuvo las inversiones en buena parte del sector privado de la economía.

El gobierno de Cárdenas llevó la reforma agraria muy lejos, pero la destrucción de la hacienda tuvo un efecto económico negativo inmediato y la producción agrícola comercial prácticamente se estancó en 1937. Para 1940 había caído a los niveles de cinco años atrás. Con ligeras variaciones, lo mismo ocurrió con la ganadería. El deprimente panorama rural se agravó por condiciones climatológicas adversas.

Así, los ejes de la economía tradicional mexicana —la actividad agropecuaria y la exportación de minerales y petróleo— se vieron sometidos a una dura prueba, pero los embriones del México moderno empezaron a mostrar un nuevo vigor. El valor de la producción manufacturera en el sexenio creció en 53 por ciento, más del doble que la economía en su conjunto. El país asistió a un principio de sustitución de importaciones a la vez que al uso intensivo de la capacidad instalada. La producción industrial para el consumo interno creció sin que la afectara gran cosa la crisis en el sector tradicional. Otro sector de crecimiento notable fue el propio gobierno, cuyo gasto aumentó 100 por ciento. Entre 1934 y 1940, el Estado asumió nuevas funciones y ahondó las que ya tenía; se convirtió en un "Estado activo", involucrado directamente en la producción y creación de infraestructura.

El bienestar invisible

Las cifras muestran claramente que durante el sexenio cardenista hubo una baja en el valor de la producción agrícola negativamente asociada al reparto agrario. Las regiones norte y centro del país experimentaron los mayores crecimientos de la producción agrícola por habitante y la menor participación del ejido en el total de la superficie cultivada. La zona norte de la costa del Pacífico, donde fue mayor el ritmo de la reforma agraria, tuvo el menor índice de crecimiento productivo.

El fenómento era previsible y natural. Por un lado, el ejidatario siempre contó con un financiamiento menor que el propietario privado. Hubo también un cambio en la naturaleza de los cultivos. Muchas haciendas se dedicaban parcial y totalmente a la producción para el mercado internacional o nacional, pero al quedar en manos de los ejidatarios sus tierras se destinaron al autoconsumo y salieron de la economía del mercado. Por ello, la baja en el valor de la producción no necesariamente significó un empeoramiento de la situación del campesino. Por el contrario, probablemente el consumo de alimentos aumentó en las zonas rurales sin que lo registrara la economía monetaria.

Pero no toda la baja en la producción agrícola se explica por el cambio de cultivo o la falta de crédito. Hubo también errores y trastornos temporales. Al expropiarse medio millón de hectáreas de magnífica tierra algodonera y triguera en La Laguna en el increíble lapso de 45 días, se procedió a una fragmentación de la propiedad que impidió seguir aprovechando plenamente las economías de escala. Para mantener la eficacia de la infraestructura de canales de riego y acceso al crédito, el gobierno alentó entonces la formación de 300 ejidos colectivos. Después de haber bajado la producción triguera en el ciclo 1936-1937, se recuperó en el de 1937-1938 y la de algodón entre 1941 y 1942.

Si bien los ejidos, sobre todos los individuales, contaron con muy pocos insumos —capital, fertilizantes, etc.— no hay duda de que usaron más intensamente los que tenían a la mano: tierra y trabajo, lo cual ayudó a un empleo más racional de estos medios de producción e hizo descender el desempleo rural. El aumento del autoconsumo y la baja real en la producción de ciertos bienes agrícolas provocaron un alza en los precios de los alimentos y el malestar consecuente en las zonas urbanas, pero permitió una transferencia real de ingresos del sector industrial y de servicios al agropecuario, en plena congruencia con el programa cardenista. En resumen, la reforma agraria no produjo un crecimiento inmediato de la economía pero los beneficiados por el proceso vieron de inmediato mejorada su forma de vida. El campesino que recibió la tierra durante el gobierno de Cárdenas efectivamente mejoró su posición relativa dentro del complejo esquema social de la época.

Las palancas financieras

Fue el presidente Cárdenas quien por primera vez empleó el gasto público primordialmente para alentar el desarrollo económico y social del país. Durante la breve administración de Abelardo Rodríguez, el 63 por ciento de los egresos efectivos del gobierno federal se destinaron simplemente a cubrir los propios gastos del aparato burocrático. En promedio, durante el sexenio cardenista los egresos se distribuyeron en la siguiente forma: 44 por ciento a gastos burocráticos, 38 por ciento a objetivos de desarrollo económico (carreteras, irrigación, crédito y otros similares) y el 18 por ciento a gastos de tipo social (educación, salubridad, etc.). En el momento culminante del cardenismo, es decir, entre 1936 y 1937, los gastos de tipo económico fueron superiores al 40 por ciento, destinados fundamentalmente al desarrollo de las comunicaciones, la irrigación y el crédito a la agricultura. El gasto cardenista no tuvo necesariamente una contrapartida exacta en el aumento de las recaudaciones como se puede apreciar en el siguiente cuadro:

Cuadro 2

INGRESOS Y EGRESOS DEL GOBIERNO FEDERAL
(1934-1940)
(MILONES DE PESOS)

Años	*Ingresos*	*Egresos*	*Diferencia*
1934	295	265	30
1935	313	301	12
1936	385	406	-21
1937	451	479	-28
1938	438	504	-66
1939	566	571	- 5
1940	577	610	-33

Fuente: René Villarreal, *El desequilibrio externo en la industrialización de México, (1929-1975)*, México, Fondo de Cultura Económica, 1976, p. 39.

Quiere decir que el gobierno dejó atrás la ortodoxia mantenida hasta entonces, que insistía en la gran ventaja de mantener un estricto balance entre sus ingresos y sus egresos. A partir de Cárdenas se empezó a echar mano del déficit fiscal y la oferta monetaria total pasó de 454 millones de pesos en 1934 a 1,060 en 1940. Junto con los beneficios acelerados del gasto, fue inevitable una dosis de inflación, que se hizo más notable al final del régimen, por la crisis del comercio exterior de 1938 y la disminución en la oferta de productos agropecuarios. Por otro lado, la decisión cardenista de mantener a toda costa el ritmo de crecimiento de la economía benefició a la industria manufacturera.

El "Estado activo" del cardenismo siguió ensanchando la estructura institucional. En 1934, Abelardo Rodríguez había creado la Nacional Financiera (NAFINSA), cuya tarea original era administrar los bienes raíces que la crisis económica anterior había dejado al sistema bancario por quiebras de los prestatarios. Con Cárdenas esta función pasó a un plano secundario y en cambio NAFINSA empezó a actuar como lo que sería en el futuro: el banco de desarrollo del gobierno. El comercio exterior se vio apoyado con la creación de un banco dedicado exclusivamente a su promoción. Y si el ejido era la pieza central de la economía agrícola, apenas fue normal que surgiera entonces un banco para atender las necesidades específicas de ese sector, limitado como sujeto de crédito de la banca comercial. Ante los conflictos con las empresas eléctricas extranjeras, cuya capacidad instalada no crecía al ritmo que se demandaba, se creó la Comisión Federal de Electricidad, que con el paso del tiempo sería la empresa dominante.

A raíz de la huelga ferrocarrilera de 1936, el gobierno decidió nacionalizar las líneas férreas y crear un organismo dependiente del gobierno federal que se hiciera cargo de su manejo. El arreglo duró poco; ante la persistencia de la crisis en ese sector, Cárdenas decidió en 1938 pasar el control de los ferrocarriles a una administración obrera, que siguió operando hasta el final del sexenio, aunque no con mucho éxito: Avila Camacho puso nuevamente la red ferroviaria bajo la administración del Estado.

Los límites comerciales

Según se ha dicho, la Gran Depresión golpeó muy duramente al comercio exterior de México al cerrarle mercados a algunas de sus materias primas, pero durante el primer año de gobierno de Cárdenas, el intercambio con el exterior se había recuperado bastante y la exportación ascendió a poco más de doscientos millones de dólares (en 1932 apenas 96 millones). El ascenso siguió hasta la expropiación petrolera, cuyo efecto político volvió a derrumbarlo. En 1937 México había vendido productos al exterior por valor de 247.6 millones de dólares, en 1938 sólo pudo exportar por 183.4 millones; al dejar Cárdenas la presidencia las ventas al exterior eran sólo de 177.8 millones, en gran medida debido a la baja en las exportaciones de petróleo y minerales.

Las ventas de plata al Departamento del Tesoro de los Estados Unidos se suspendieron en 1938, pero la producción y exportación del mineral casi no varió. Desafortunadamente, el precio del metal bajó y los ingresos en dólares disminuyeron en 27 por ciento entre 1937 y 1940. La exportación de zinc bajó en igual proporción en el mismo periodo y la de cobre en 22 por ciento. Sin embargo, la contracción de ventas más seria fue la del petróleo.

Cuando Cárdenas asumió la presidencia, la producción de petróleo, aunque baja respecto al pasado, iba en aumento:

PRODUCCION DE PETROLEO ENTRE 1934 Y 1940
(en miles de barriles)

Años	*Barriles*
1934	38,172
1935	40,141
1936	41,028
1937	46,907
1938	38,818
1939	43,307
1940	44,448

Había pasado lo peor de la depresión mundial y "El Aguila", la gran empresa anglo-holandesa, había empezado a explotar los depósitos de Poza Rica. En 1937, se exportó el 61 por ciento de la producción, es decir alrededor de 28.7 millones de barriles, pero al año siguiente sólo la mitad: 14.8 millones.

El esfuerzo mexicano por colocar su petróleo en los países del Eje y en América Latina permitió que en 1930 las ventas al exterior subieran a 19.2 millones y a 20.8 millones en 1940. Pese a ello, México ya no recuperaría el mercado foráneo. A partir de entonces y por muchos años la producción de PEMEX se destinaría básicamente a cubrir el mercado interno. De esa forma un tanto imprevista la actividad petrolera dejó de ser un enclave para convertirse en la principal fuente de energía de la economía nacional, pero en el corto plazo el petróleo dejó de ser un proveedor de las necesarias divisas extranjeras.

La utopía cardenista, II

La industrialización, como sinónimo de modernización, fue uno de los objetivos perseguidos por prácticamente todos los gobiernos mexicanos antes y después del Porfiriato. El cardenismo intentó modificar este esquema. De acuerdo con Ramón Beteta, entonces subsecretario de Relaciones Exteriores y uno de los principales ideólogos oficiales, México se encontraba en una posición ideal: podía aprovechar la experiencia derivada de la industrialización de los países capitalistas avanzados para no repetir sus errores ni pagar su enorme costo social. Según Beteta, el proyecto oficial buscaba una "industrialización consciente", lo que significaba, básicamente, construir "un México de ejidos y de pequeñas comunidades industriales". La industria estaría al servicio de las necesidades de una sociedad agraria y no al revés como era la tendencia. La industrialización no debería ser la meta principal sino el desarrollo de la economía agrícola ejidal. El cardenismo visualizaba al México del futuro como un país predominantemente agrícola, rural y cooperativo. Mientras los grandes países de América Latina, como Brasil y Argentina, continuaban un claro proceso de industrialización basado en la sustitución de importaciones, México parecía dispuesto a seguir un camino más justo en donde la meta fuera el desarrollo integral del individuo y la sociedad, no el simple crecimiento de la producción.

Contra lo expresado por Cárdenas y sus funcionarios la industria manufacturera siguió creciendo sin supeditarse a la agricultura y hasta empezó a sustituir importaciones de bienes de consumo. La planta ensambladora de la Ford se implantó en los años veinte, y en los treinta la siguieron General Motors y Chrysler. Los nombres de Gastón Azcárraga y Rómulo O'Farril, socios iniciales y duraderos de la novedad automotriz engrosaron la lista de los industriales ya establecidos en otros campos, como Garza Sada, Benjamín Salinas, Joel Rocha, William Jenkins y Carlos Trouyet. Aparecieron nuevas industrias y se encumbraron nuevos empresarios: Harry Steele y Antonio Ruiz Galindo en la fabricación de equipos de oficina, Emilio Azcárraga en el cine y la radiodifusión, Eloy Vallina en la industrialización de la madera. En un ambiente cargado de frases anticapitalistas, verbalmente propicio a la construcción de un México de y para los trabajadores, la incipiente burguesía nacional, industrial y comercial se afianzó sin grandes dificultades. La utopía cardenista era desbordada y negada por la realidad. No pasaría mucho tiempo antes de que esa burguesía en marcha —no los ejidatarios ni las cooperativas— se volviera el eje del proceso económico mexicano con el decidido apoyo del Estado.

Todo el poder a la organización: los obreros

Desde su campaña presidencial, Cárdenas adoptó una línea bastante clara con relación al movimiento obrero. Tomó el Plan Sexenal como punto de partida y apoyó la generalización del contrato colectivo de trabajo, la cláusula de exclusión y el rechazo de "sindicatos blancos". Fue el programa político inmediato; el acariciado para el largo plazo era crear una planta industrial básicamente de cooperativas de modo que los obreros fueran, a la vez, los dueños de los medios de producción.

Este proyecto, la tolerancia a las huelgas y el enfrentamiento de Cárdenas con Calles por su política obrera, llevaron a Vicente Lombardo Toledano y a la CGOCM a encabezar, en 1935, un bloque de organizaciones sindicales de respaldo activo a la política del presidente. Fue el Comité Nacional de Defensa Proletaria (CNDP), formado por nueve confederaciones y sindicatos de industria con la notoria ausencia de la CROM, la Cámara del Trabajo y la CGT. El Pacto de Solidaridad tenía por objeto neutralizar las presiones del callismo y sentar las bases de un magno congreso obrero y campesino del cual pudiera surgir una central única de todo el movimiento laboral capaz de poner fin a la dispersión que había caracterizado al trabajo organizado desde 1928, pero sobre otras bases: la nueva organización debería aceptar como premisa la existencia de la lucha de clases y la imposibilidad de la cooperación con la clase capitalista.

Lombardo Toledano surgió claramente como el nuevo dirigente unificador, aunque manifiesto tras manifiesto las organizaciones rivales atacaran al grupo lombardista resaltando el peligroso radicalismo de las posiciones del comité. En diciembre —después de un choque en el Zócalo entre miembros de la CGOCM y un grupo pro-fascista llamado los "camisas doradas"—, Cárdenas insistió en que no era necesario expulsar a Calles y a sus seguidores. En abril de 1936, sin embargo, cambió de parecer, y el ex Jefe Máximo y Morones fueron sustraídos sorpresivamente de sus domicilios y exiliados. El frente obrero antilombardista se vino abajo y el campo quedó libre para la CGOCM.

La reacción negativa de los empresarios de la Ciudad de México, Yucatán, La Laguna, León y Monterrey a la política obrera cardenista, fue respondida por el presidente el 11 de febrero de 1936 en Monterrey en un discurso conocido como el de los "catorce puntos". Subraya ahí la necesidad de poner fin al conflicto entre las agrupaciones obreras y dar paso a un frente unido de los trabajadores. Una vez formado el frente, el gobierno trataría con sus representantes todos los problemas laborales excluyendo de la negociación a las organizaciones que insistieran en mantenerse al margen. A continuación desechó los temores de que los comunistas pudieran ponerse al frente de la nueva pirámide porque a su juicio la raíz de la agitación obrera era básicamente el incumplimiento de las justas demandas de las masas trabajadoras. La calma volvería no a través de la represión sino mediante el cumplimiento de la ley.

La respuesta obrera no se hizo esperar. No terminaba aún el mes de febrero, cuando Lombardo inauguró el Congreso Constituyente de la Central Sindical. Los debates no fueron muy largos, las piezas estaban de antemano en su lugar. Tres días después, los cuatro mil delegados que decían tener la representación de 600 mil trabajadores, aceptaban formar la Confederación de Trabajadores de México (CTM) y disolvían, en consecuencia, la CGCOM y las otras centrales que habían participado en el congreso. Lombardo Toledano fue electo secretario general de la flamante organización.

Los estatutos de la confederación refrendaron el principio de la lucha de clases y la eventual transformación de la sociedad capitalista en socialista. Pero en el corto plazo no se plantearon el derrocamiento del orden capitalista ni la instauración de la dictadura del proletariado sino algo más compatible con la política gubernamental: la liberación de México del yugo imperialista y el cabal cumplimiento del artículo 123. La lucha real sería por cosas tangibles: salarios, horas de trabajo, prestaciones sociales, respeto absoluto al derecho de huelga. La lucha ideológica sería por el fin de la historia: la sociedad socialista y la abolición de la propiedad privada.

Poco después de la formación de la CTM, en marzo de 1936, Cárdenas recibió un documento de un grupo empresarial cuestionando algunos de los puntos expuestos en Monterrey. En todo conflicto obrero patronal, respondió Cárdenas, donde la razón no estuviera claramente en favor del patrón, el gobierno se inclinaría por la parte obrera. El Estado revolucionario no podía ser neutral, debía echar su peso en favor de la parte más débil de la relación capital-trabajo, porque sólo así podría haber una justicia social sustantiva. Si esta nueva situación llevaba a un "cansancio" de los empresarios, éstos podían retirarse y dejar su empresa en manos de una administración obrera. La vieja alianza del movimiento obrero organizado y el nuevo régimen en los años veinte volvía a surgir así, pero en un plano más claro y de mayor compromiso que el pasado.

La CTM y el movimiento obrero aprovecharon la circunstancia propicia para acelerar el paso. En sus catorce puntos, Cárdenas había propuesto que los salarios no se fijaran según el péndulo de la oferta y la demanda de trabajo, sino según la capacidad de cada empresa para seguir actuando de manera redituable. El criterio abrió aún más las puertas del conflicto laboral y las huelgas aumentaron; en 1934 habían sido 202, al año siguiente 642 y en 1936, 674, con movilización de 114 mil trabajadores.

Entre los conflictos más espectaculares de 1936 se cuentan el de los ferrocarrileros, que llevaría a la nacionalización de esa actividad y el de los trabajadores agrícolas de La Laguna, que concluyó también en la expropiación de las grandes propiedades de la región. Los persistentes jaloneos en el ramo petrolero culminaron con un emplazamiento a huelga del recién formado Sindicato de Trabajadores Petroleros de la República Mexicana (STPRM).

En 1937, cuando la amenaza de huelga contra toda la industria petrolera se hizo realidad, el litigio rebasó su naturaleza sindical y se volvió un problema político nacional que obligó al gobierno a intervenir para evitar que la paralización de actividades dejara al país sin combustible. Los tribunales laborales primero y la Suprema Corte después sostuvieron que era procedente un aumento en sueldos y prestaciones. Las empresas rehusaron el laudo legal. Luego de infructuosas y agrias negociaciones, la balanza llegó a un punto muerto. El gobierno mexicano hizo el recuento legal y político del conflicto y sancionó la rebeldía de las compañías decretando el 18 de marzo de 1938, la nacionalización de la industria petrolera, una de las decisiones de mayor peso en el futuro y la conformación de la nación de la historia de México.

Principio y fin de fiesta

En su momento de máximo esplendor, pese a su manifiesta vocación totalizadora, la CROM no llegó a meter bajo su sombrilla a todos los trabajadores organizados. La CTM tampoco pudo hacerlo, heredó la vocación y la imposibilidad. Apenas constituida empezaron a surgir diferencias entre la dirección y algunos de sus más fuertes sindicatos de industria. Pronto vino la separación del Sindicato de Mineros, Metalúrgicos y Similares y del Sindicato Mexicano de Electricistas, organizaciones estratégicas que tenían fuerza propia y poca utilidad práctica aceptar la disciplina y lineamientos de una central de sindicatos de empresa, a veces muy pequeños, no estratégicos y con intereses relativamente diferentes. Origen es destino, y en el futuro, esos y otros grandes sindicatos de industria se mantendrían fuera de la CTM, que tampoco logró eliminar la competencia de la CGT y la CROM. A regañadientes, tuvo que compartir con ellas el control de ciertos sectores, como el textil, lo que no dejó de producir choques. El Partido Comunista, en cambio, unió sus fuerzas a las de Lombardo dentro del frente popular, pero no pasó mucho tiempo antes de que comunistas y lombardistas se disputaran el control de la central. El resultado fue la expulsión de los primeros de la CTM, aunque en un alejamiento temporal: la presión del movimiento comunista internacional para la preservación de los frentes populares antifascistas, hizo a los comunistas mexicanos reconsiderar su actitud y volver al seno de la confederación aceptando la directiva lombardista.

El reagrupamiento del movimiento obrero durante el cardenismo y su alianza con el gobierno mejoró la posición del trabajo organizado frente al capital. En tres de las grandes huelgas de la época —ferrocarrileros, La Laguna y petroleros—, el apoyo del gobierno a las demandas obreras condujo a la expropiación de las empresas. Las huelgas contra la Compañía de Luz y Fuerza, la ASARCO (minera), la compañía de tranvías, la de teléfonos, la de Cananea (minera) y otras menos espectaculares, lograron contratos colectivos con ganancias sustanciales para los trabajadores. Sin embargo, la acción de los trabajadores casi nunca desbordó los límites impuestos por el gobierno. Para empezar, Cárdenas se opuso a que la CTM incluyera campesinos en sus filas, ya que ese tipo de unión la fortalecería demasiado. Las huelgas inconvenientes para lo que el gobierno definió como "interés nacional", fueron declaradas inexistentes por los tribunales, como fue el caso de la huelga ferroviaria en 1936. El gobierno apoyó las demandas de los trabajadores frente a las compañías petroleras extranjeras, pero cuando éstas fueron nacionalizadas, Cárdenas se negó a volver PEMEX una empresa con administración obrera, aunque dio a los trabajadores participación en el manejo de la nueva organización estatal. Al desencadenarse sobre el país la crisis económica producida, entre otras cosas, por la expropiación petrolera, la CTM se comprometió frente a Cárdenas a detener sus emplazamientos a huelga para no agravar la situación: el número de huelgas de 1940 fue casi la mitad de las de 1936 y los huelguistas involucrados, apenas una quinta parte.

Para 1940 había sectores obreros en desacuerdo con la política oficial y el hecho se manifestó claramente durante la sucesión presidencial. La CTM respaldó la candidatura de Avila Camacho, pero no evitó el surgimiento de un movimiento obrero favorable al general Almazán: el Partido Central Ferrocarrilero Pro-Andrew Almazán, el Partido Minero Almazanista y el Frente de Tranviarios Pro-Almazán. No fue un sector disidente muy importante, pero reflejó el malestar de algunos trabajadores ante la inflación y el freno oficial a sus demandas.

La vocación ejidal

El Plan Sexenal sostuvo la necesidad de seguir dotando de tierra y agua a todos los núcleos agrarios que no las tuvieran o que las tuvieran en cantidades insuficientes; incluyó a los peones acasillados entre quienes debían contar con derecho a la tierra y exigió simplificar los trámites para conseguir la dotación. Contra los deseos de Calles, el plan consideró que el motor de la producción agraria debía ser el ejido y reiteró la necesidad de apoyarlo con crédito e infraestructura.

Dar tierra al campesino por la vía ejidal significaba organizarlo. En un discurso pronunciado en Guerrero en mayo de 1934, Cárdenas declaró que una parte importante de esa organización consistiría en armar y encuadrar a los campesinos en unidades de autodefensa para que pudieran sostener sus derechos frente a los previsibles ataques de terratenientes y "guardias blancas". Se trataba de hacer irreversible el cambio de estructura en el agro mexicano.

En torno al ejido, sobre todo el colectivo, giraría la nueva sociedad rural. La sociedad urbana e industrial habría de supeditarse a las necesidades de la economía agrícola, que daría ocupación a la parte sustantiva —y esencial— de la población.

Durante el sexenio cardenista se repartieron en promedio 3.3 millones de hectáreas anuales (casi 20 millones durante todo el periodo), a 771,640 familias campesinas agrupadas en 11,347 ejidos. Cada uno de los beneficiados recibió en promedio 25.8 hectáreas para convertir a Cárdenas no sólo en el presidente que repartió más tierra sino también en el que dio las mayores parcelas.

Cuando Cárdenas asumió el poder, el cultivo colectivo de las tierras ejidales era una verdadera excepción pese a que su existencia había quedado validada desde 1922; así pues, las innovaciones ejidales del cardenismo tuvieron un doble aspecto: uno cuantitativo, por la dotación sin precedentes de tierras y aguas; otro cualitativo, por el apoyo a los ejidos colectivos, una organización se desarrolló por la convergencia de al menos dos de tres circunstancias: a) el que la tierra expropiada fuera fértil e irrigada, b) el que la producción de la zona tuviera importancia comercial (como por ejemplo algodón, henequén, trigo o arroz), c) el que ya existieran organizaciones sindicales importantes demandándolas.

El ejido colectivo fue visto como la única posibilidad de que las regiones agrícolas importantes, una vez expropiadas, no se transformaran en zonas donde cada ejidatario se dedicase sólo al cultivo de autoconsumo, especialmente maíz, en detrimento del conjunto de la economía agrícola nacional. Para dar realidad a esta política se creó el Banco Nacional de Crédito Ejidal, que proveería el capital necesario para echar a andar y mantener estos grandes proyectos de explotación comercial.

Tierras mayores

El primer ejido colectivo importante del cardenismo se estableció en 1936 en la región de La Laguna, entre Coahuila y Durango, una ancha meseta de 1.4 millones de hectáreas de las cuales aproximadamente medio millón eran irrigadas con las aguas de los ríos Nazas y Aguanaval. El conflicto entre los campesinos y las haciendas laguneras —alrededor de un centenar— venía de tiempo atrás y tuvo cauce político en la serie de huelgas promovidas por sindicatos campesinos del lugar entre 1935 y 1936. Cárdenas decretó la expropiación de una tercera parte de la zona agrícola, es decir, 146 mil hectáreas. A pesar de los problemas creados por la división de las grandes unidades, la producción de la región no se derrumbó como habían pronosticado las detractores de la medida, aunque hubo problemas serios, sobre todo al principio. La segunda gran expropiación tuvo lugar en 1937 en Yucatán: 366 mil hectáreas de henequén en beneficio de un sistema de ejidos colectivos que agrupó a 34 mil ejidatarios dispersos en 384 poblados. La tercera expropiación se dio en el valle del Yaqui, donde una empresa extranjera —la Richardson— había creado desde fines del siglo XIX un sistema de riego aprovechando las aguas del Río Yaqui. Cárdenas decretó la expropiación de 17 mil hectáreas de riego y 36 mil de temporal —muchas en manos de extranjeros— en beneficio de 2,160 ejidatarios, lo que dio un promedio excepcional de 8 hectáreas de riego *per capita*, es decir, más del doble que en La Laguna.

La cuarta gran expropiación tuvo lugar en el propio terruño de Cárdenas, en 1938, con la afectación de los dos grandes latifundios de Lombardía y Nueva Italia en poder de una familia de origen italiano: las 61,449 hectáreas expropiadas, humedecidas por los ríos Tepalcatepec y Márquez beneficiaron a 2,066 ejidatarios pero esta vez, a cuenta de las lecciones del pasado, la propiedad no se dividió en varias cooperativas; se mantuvieron las dos grandes unidades originales intactas y toda la maquinaria y animales de trabajo de la antigua compañía pasaron a formar parte del patrimonio de los nuevos ejidos.

La última gran expropiación fue en Los Mochis, en Sinaloa, una zona cañera irrigada por el Río Fuerte y en poder de una empresa azucarera extranjera. La expropiación, en 1938, entregó 55 mil hectáreas a 3,500 ejidatarios agrupados en 28 ejidos, pero que cultivaron el terreno como una sola unidad en beneficio del ingenio, que no fue expropiado. No hubo después de 1938 ninguna expropiación similar, las condiciones económicas y políticas a las que ya se ha hecho referencia lo impidieron. Pero la memoria de las grandes expropiaciones cardenistas pareció total por primera vez desde el reparto de tierra en Morelos durante la guerra civil, el verdadero corazón agrario de la Revolución Mexicana.

El ala campesina

Uno de los apoyos visibles a la candidatura de Cárdenas, había sido la Confederación Campesina Mexicana (CCM), núcleo del agrarismo moderado en los finales del Maximato. Nacida al calor de la contienda electoral, la CCM no era precisamente el tipo de organización que mejor cuadraba a la nueva etapa y una vez resuelto el problema con Calles, el presidente Cárdenas se apresuró a formar el 10 de julio de 1935 un decreto sobre la necesidad de organizar ligas de comunidades agrarias en cada estado de la República; las ligas locales servirían de base para la creación de una gran central campesina nacional y directamente el PNR, no a la CCM, recibió en encomienda la tarea.

Aunque la CTM había aspirado a aglutinar también a los campesinos, Cárdenas decidió de otra manera: si alguien habría de concentrar poder sería la presidencia y nadie más. En efecto, el presidente mismo supervisó directamente las tareas iniciales de esa primera organización campesina verdaderamente nacional, y asistió a varias de las convenciones estatales organizadas por el PNR. El proceso fue, sin embargo, bastante lento; la primera convención de la liga del Distrito Federal, por ejemplo, se llevó a cabo dos años después de firmado el decreto.

Sobre las bases de la CCM, se procedió a formar entonces la Confederación Nacional Campesina (CNC), cuyo programa sostuvo que la única forma de defender los intereses de los trabajadores del campo era admitiendo la realidad de la lucha de clases; la tierra debía pertenecer a quien la trabajara y, por tanto, en la organización estarían representados ejidatarios, peones acasillados, aparceros, pequeños agricultores y en general todos los trabajadores organizados del campo.

La meta de la CNC era nada menos que la "socialización de la tierra". Para lograrlo, la central debía volver al ejido la unidad de producción básica, acabar con el latifundio, solidarizarse con las demandas de los obreros y apoyar la educación socialista de las masas campesinas.

La coordinación de este esfuerzo organizativo estuvo primero en manos de Emilio Portes Gil como presidente del PNR, y luego de Silvano

Barba González. En 1937 no estaba aún constituida la CNC y fue la CCM quien firmó el pacto del frente popular electoral con el PNR, la CTM y el Partido Comunista Mexicano (PCM). Lo mismo sucedió cuando en marzo de 1938 se transformó el PNR en Partido de la Revolución Mexicana (PRM). La CCM sirvió de organización base al sector campesino en unión de las ligas de comunidades agrarias y de los sindicatos campesinos ya existentes. Paradójicamente, no fue sino hasta agosto de 1938, en plena crisis del cardenismo, cuando pudo celebrarse el congreso constituyente de la CNC. Los 300 delegados que asistieron a este congreso el 28 de agosto dijeron representar a casi tres millones de trabajadores del campo. La membresía de la CNC quedó abierta a los ejidatarios, a los campesinos sindicalizados, a los miembros de las cooperativas campesinas, a los integrantes de las colonias agrícolas militares y a los pequeños propietarios. Finalmente, se aceptó también a toda persona no comprendida en las categorías anteriores, pero cuyos antecedentes y aptitudes permitieran suponer que podía prestar servicios provechosos a la causa campesina, como los ingenieros agrónomos.

La CNC precisó en sus estatutos que sería la única organización representativa de los campesinos; la CCM se disolvió pero su líder, el profesor Graciano Sánchez, fue nombrado secretario general de la nueva organización. León García, secretario de Acción Agraria del PRM, fue designado su suplente. Por afiliación indirecta, todo miembro de la CNC fue considerado automáticamente miembro del PRM, de modo que, de su mismo nacimiento, la CNC adquiría la función consustancial de ser el ala campesina —y por tanto mayoritaria— del partido oficial. Desde la izquierda, la Liga Nacional Campesina "Ursulo Galván" no aceptó la representatividad de la CNC y se comprometió a intentar la unificación campesina al margen de los partidos políticos. No pasó de ser una buena intención, por el momento nadie pudo hacer sombra a la nueva central campesina.

Desgajamientos

La oposición principal a la política agraria de Cárdenas vino del otro extremo del espectro político. En mayo de 1937 se había organizado la Unión Nacional Sinarquista (UNS), agrupación de claras resonancias fascistas, que adquirió pronto vuelo en las zonas rurales del centro del país, donde aún palpitaba, fresca, la cicatriz de la lucha cristera. La UNS se manifestó desde el principio en contra del ejido y pidió en cambio que la acción oficial se desarrollara en el sentido de apoyar y consolidar a la pequeña propiedad privada. El sinarquismo no sólo fue un movimiento anticomunista de propietarios, sino que en sus filas se encontraron también campesinos que se suponían clientela natural del cardenismo: ejidatarios y jornaleros. Los sinarquistas atrajeron a ejidatarios cuya situación de miseria no se había modificado debido a la pequeñez de sus parcelas y la falta de crédito. Cuando la agitación política suscitada por la sucesión presidencial llegó al Bajío, la UNS se volvió aliada natural de Almazán y de los elementos que buscaban sembrar un amplio movimiento fascista en México. Afortunadamente para el gobierno, el sinarquismo no pudo rebasar el ámbito de donde surgió originalmente y no alcanzó dimensiones de un movimiento realmente nacional.

Pero hubo otros desgajamientos. Meses antes de que se formara la CNC, en marzo de 1938, el cacique de San Luis Potosí, Saturnino Cedillo, uno de los puntales del ascenso cardenista, se declaró contrario a su causa primera y se levantó en armas tratando de usar como punta de lanza en su ofensiva a los cuerpos rurales paramilitares potosinos organizados de tiempo atrás. Confiado en que otros elementos se le unirían, debió convencerse con rapidez de la realidad contraria ya que incluso la mayor parte de sus cuerpos de agraristas no tardaron en abandonarlo.

Cedillo, casi solo, murió en combate en 1939, pero la defensa que hizo el general potosino de la propiedad frente a los embates del ejido y su denuncia del fracaso de los experimentos colectivistas en La Laguna y Yucatán, hacían eco de una opinión poderosa y generalizada. En mayo de 1938, el presidente Cárdenas creó la Oficina de la Pequeña Propiedad y anunció su decisión de combatir las invasiones de parvifundios para evitar así que los pequeños propietarios "se unieran a la contrarrevolución". En septiembre, a escasas dos semanas de haber formado la CNC, se inauguró un congreso nacional de pequeños propietarios que dijo representar a 25 mil de ellos, y atacó duramente tanto a las invasiones como al ejido. Entre ciertos gobernadores, particularmente los de Sonora, Puebla y Michoacán, las peticiones de los propietarios hallaron buena acogida. En Michoacán, Gildardo Magaña insistió en que la política del antiguo régimen había golpeado tanto al peón sin tierra como al pequeño propietario, y que por tanto la revolución estaba obligada a defender a ambos por igual.

La derrota de Cedillo y las seguridades otorgadas a los pequeños propietarios detuvieron o aminoraron estos agravios oposicionistas pero no los eliminaron. Almazán habría de cultivar abiertamente las corrientes antiagraristas, al grado de presentar un programa que atacaba la "colectivización" del país, que a su juicio no era otra cosa que revivir la encomienda. Almazán se comprometió a buscar un remedio inmediato a lo que él describió como el "desastre agrario" —parcelas abandonadas, baja en la productividad— y propuso una solución sencilla: depurar los censos ejidales y escriturar las parcelas a los agraristas honrados que ya la tuvieran, de modo que se volvieran propietarios independientes con superficies promedio de veinte hectáreas y quedaran al fin libres tanto de la manipulación política como de la miseria. Hecho esto, según el programa de Almazán, no habría más reparto de propiedades privadas.

Pese a todos los problemas y contratiempos, el gobierno de Cárdenas pudo ver la destrucción del latifundio. No se trató de una destrucción absoluta sino del fin histórico o irremediable de la posición de privilegio de la hacienda. El Segundo Plan Sexenal, que sirvió de plataforma política a la campaña presidencial del general Manuel Avila Camacho, fue elaborado por un grupo con representación de elementos moderados y radicales. Su capítulo agrario dejó claro que se impediría la reconstitución del latifundio y se mantendría el ejido como base de la economía agrícola, pero también que se determinaría con toda claridad la situación jurídica de la pequeña propiedad. El ejido, sobre todo el colectivo, seguiría recibiendo el apoyo del Estado, pero no habría abandono de la parcela ni rechazo a los sistemas de explotación que más cuadraran con el interés económico general.

El partido del presidente

Dada la nueva relación de los órganos directivos y las masas organizadas, Cárdenas consideró necesario transformar el sistema de partidos y reestructuró el partido oficial; desapareció el PNR y ocupó su lugar el Partido Revolucionario Mexicano (PRM), con una base semicorporativa formada por los cuatro sectores en que oficialmente se apoyaba la política presidencial: obrero, campesino, popular y militar.

Para esos momentos el PNR que llevó a Cárdenas a la presidencia en 1934, era ya bastante diferente del formado por Calles en 1929. La coalición de partidos original se había transformado radicalmente. En el congreso de octubre de 1932, se acordó disolver a todos los partidos que hasta ese momento constituían la estructura del PNR y en su lugar promover la afiliación directa e individual al partido. Fue un golpe para los innumerables líderes locales que hasta ese momento dirigían a los centenares de partidos y seudo-partidos que proliferaron a lo largo y ancho de la República. Los ganadores en la maniobra fueron sin duda el Comité Ejecutivo Nacional del partido y su máximo numen tutelar, el general Calles.

El jefe del PNR durante la campaña presidencial de Cárdenas fue el coronel Carlos Riva Palacio, un hombre más leal a Calles que al futuro presidente. La máquina partidaria funcionó y Cárdenas fue declarado vencedor con un increíble 98% de los votos. Al iniciarse el nuevo sexenio, Riva Palacio fue sustituido por el general Matías Ramos, tampoco una gente de las confianzas de Cárdenas. Todo parecía marchar normalmente dentro del partido hasta que tuvo lugar el choque definitivo entre el Jefe Máximo y el presidente Cárdenas en junio de 1935. Matías Ramos se alineó en la disciplina del jefe máximo y Cárdenas le pidió de inmediato su renuncia. Fue uno de los primeros pasos para solucionar la crisis política general. Al producirse el conflicto entre el presidente y el Jefe Máximo, la cúpula directiva del PNR se encontraba claramente dividida. En las cámaras del Congreso, reflejo fiel de las principales fuerzas que integraban en ese momento el partido oficial, había dos facciones bien identificadas: un "ala izquierdista", minoritaria y cardenista, y una mayoría abierta partidaria de Calles. Cuando los legisladores se enteraron que el expresidente y exsecretario de Relaciones Exteriores, Emilio Portes Gil, sustituiría a Matías Ramos en la presidencia del PNR, supieron que había llegado una nueva hora de definiciones, y el ala izquierdista empezó a ganar adeptos con rapidez.

Portes Gil tenía cuentas pendientes con Calles y su grupo, y no perdió tiempo en la tarea que Cárdenas le había encomendado: hacer del PNR un instrumento de apoyo leal y eficaz a la política presidencial. La función inmediata de Portes Gil fue de hecho la de un verdugo político. Las cabezas empezaron a rodar y el ambiente en el Congreso subió de tono hasta el rojo vivo. La crisis llegó a su punto culminante en septiembre, cuando las diferencias entre cardenistas y callistas dieron por resultado un encuentro a balazos en plena Cámara con saldo de dos muertos y otros tantos heridos. Como resultado del escándalo, fueron inmediatamente desaforados 17 diputados federales de fibra callista.

Calles volvió a México el día 13 de diciembre de 1935 y empezaron a correr rumores de que venía a preparar un movimiento subversivo. Como respuesta, el día 14 fueron desaforados cinco senadores callistas por habérseles encontrado culpables de incitar a la rebelión. El día 16, un Senado ya depurado declaró desaparecidos los poderes locales en Guanajuato, Durango, Sonora y Sinaloa: y lo mismo hizo más tarde en otros estados.

Con la destrucción política de Calles desapareció el "poder tras el trono", y por fin la dirección del PNR quedó, de hecho, en manos del presidente. Desde su fundación y hasta mediados de 1935 ningún jefe del ejecutivo había podido tomar plenamente las riendas del partido, el PNR había sido elemento central para mantener la "diarquía" presidente/

jefe máximo que hasta ese momento, desde la muerte de Obregón, había caracterizado la política nacional de México. A partir de la crisis de 1936 el partido oficial se convirtió rápidamente en una de las bases más sólidas del presidencialismo posrevolucionario.

El Partido de la Revolución

A los ojos de muchos dirigentes, el enfrentamiento de Cárdenas con Calles y las resistencias creadas por la reforma agraria y por la militancia de los obreros organizados, hicieron evidente la necesidad de transformar al PNR en una organización más activa, donde estuvieran plenamente representadas las fuerzas en que pretendía apoyarse el cardenismo. Hasta ese momento, el partido oficial había sido, básicamente, la expresión de una alianza electoral de líderes políticos locales y nacionales, pero el meollo de la política cardenista era la organización e incorporación al sistema de los obreros y los campesinos. Las organizaciones populares debían representación directa en la estructura partidaria.

El antecedente inmediato de esa transfiguración no deja de ilustrar los modos laberínticos y a la vez directos del estilo político cardenista, y tuvo que ver, como tantas cosas de aquel gobierno, con una iniciativa de Lombardo: la creación de un frente popular antifascista que englobara a todas las fuerzas progresistas que apoyaban a Cárdenas, entre otras el partido oficial.

En los años veinte, Morones había logrado establecer ligas bastante estrechas de la CROM con la American Federation of Labor (AFL), la gran central obrera norteamericana. Los unía el afán compartido de neutralizar la influencia de la izquierda radical en sus países y la voluntad moderada de aumentar el nivel de vida de sus agremiados. La CTM lombardista rompió esa conexión y buscó alianzas más radicales. En enero de 1937 Lombardo anunció que la CTM propiciaría la formación de un frente popular, tal y como se había hecho ya en Francia y España, para contrarrestar la ofensiva de la extrema derecha fascista, justamente la política de la izquierda internacional respaldada por la Unión Soviética. Lombardo proponía la alianza de la CTM con el PNR, la flamante Confederación Nacional Campesina (CNC) y el Partido Comunista Mexicano.

Cárdenas no dejó ir muy lejos el proyecto pero utilizó su impulso original para darle un giro distinto, haciendo que fuera el partido del gobierno quien diera cobijo —y por tanto dirección— a las otras agrupaciones interesadas en formar el frente progresista.

La reorganización formal del PNR tuvo lugar en 1938. La idea se había planteado públicamente por primera vez en el informe presidencial de 1936, pero hasta el 18 de diciembre de 1937 no se dio ningún paso concreto. Cádenas volvió a pronunciarse entonces en favor de que el partido en el poder reflejara fielmente a la coalición de obreros, campesinos, intelectuales y militares que apoyaban al régimen de la Revolución. Se procedió a consultar a las organizaciones representativas de esas fuerzas y se lanzó la convocatoria para celebrar una asamblea constitutiva. Al finalizar marzo de 1938, en medio de la movilización general creada por la expropiación petrolera, se transformó al PNR en el Partido de la Revolución Mexicana (PRM), surgido como una coalición de sectores: el sector campesino, representado primero por las ligas de comunidades agrarias y por la CCM y, tras la disolución de ésta, por la CNC; el sector obrero, constituido por la CTM, la CROM, la CGT y los dos grandes sindicatos de industria afiliados a las centrales: el minero y el de electricistas; el sector popular, que se identificó de inmediato con la burocracia y el sector militar, donde quedaron incluidos de hecho, todos los miembros de las fuerzas armadas. Fue un mecanismo de afiliación indirecto que permitió al flamante PRM contar de inmediato con cuatro millones de miembros, cifra nada despreciable en el contexto de un país de poco menos de 19 millones de habitantes.

La expropiación petrolera: historia

El conflicto entre el gobierno de Cárdenas y las empresas petroleras de nacionalidad extranjera, tenía un antiguo linaje. A principios de siglo, para estimular la producción de las modestas cantidades de petróleo que requería la demanda interna, Porfirio Díaz hizo que el Congreso modificara las leyes que al respecto se mantenían desde la época colonial. En virtud de la ley de 1909 los depósitos de hidrocarburos —que un estudio oficial de la época consideró no muy ricos— pasaron a ser propiedad del propietario superficiario y se otorgaron a los empresarios petroleros —prácticamente todos extranjeros— extraordinarias concesiones fiscales (durante un buen periodo sólo debían pagar el impuesto del timbre, menos del 1% del valor de la producción). La situación cambió dramáticamente al iniciarse la Revolución y percatarse el gobierno por primera vez del gran potencial petrolero del país.

Ya para 1910 el mercado interno le resultaba chico a la industria petrolera, que empezó a exportar la mayor parte del combustible. En 1921, con una producción récord de 193 millones de barriles se exportó el 99%. A los gobiernos de la Revolución a los que les tocó intentar modificar una situación en que un recurso natural no renovable, extraído en grandes cantidades por empresas extranjeras era exportado casi en su totalidad sin dejar beneficios ostensibles al país.

La actitud nacionalista en materia petrolera de los gobiernos posteriores a Díaz se debió tanto a la naturaleza y magnitud de la industria, como a la necesidad de contar con recursos para hacer frente a los gastos de la lucha revolucionaria. Las grandes exportaciones de petróleo —México llegó a ser en la segunda década del siglo el principal exportador mundial— fueron vistas como una fuente idónea para cubrir los grandes déficits presupuestales. Naturalmente, las empresas extranjeras que dominaban la industria, resistieron al máximo, con el apoyo de sus gobiernos —en particular del norteamericano y del inglés—, los esfuerzos mexicanos encaminados a modificar sus privilegios. Madero, por ejemplo, tuvo que hacer frente a una verdadera crisis internacional cuando en 1912 decretó un impuesto general a la producción de petróleo crudo de veinte centavos por tonelada.

La lucha entre empresas y gobierno se agudizó a partir de 1917. El párrafo IV del artículo 27 de la nueva Constitución declaró los depósitos petroleros propiedad de la Nación. A partir de ese momento, y por los siguientes doce años, el meollo del conflicto petrolero sería decidir si la disposición constitucional afectaba o no a los depósitos otorgados en propiedad absoluta a las compañías extranjeras antes de 1917. El problema quedó más o menos resuelto con el llamado "acuerdo Calles-Morrow", de 1928, que desembocó en una ley petrolera que explícitamente reconocía el principio de la no retroactividad.

A partir de 1922 la gran producción petrolera mexicana empezó a declinar y muy pronto el país perdió su lugar como productor mundial importante. Las grandes empresas internacionales empezaron entonces a concentrar su actividad en Persia, Venezuela y Colombia. Al iniciarse los años treinta, México era ya un productor marginal, situación que empezó a cambiar sin embargo, aunque no mucho, con los descubrimientos de los depósitos de Poza Rica en 1930.

Los petroleros ingleses, ansiosos de explotar estos nuevos yacimientos pero temerosos de los obstáculos que pudiera hallar en el gobierno cardenista —el Plan Sexenal sostenía la conveniencia de seguir una política petrolera nacionalista— estuvieron dispuestos a hacer concesiones. En noviembre de 1937, con la desaprobación de las empresas norteamericanas, la compañía inglesa El Aguila y el gobierno Mexicano llegaron a un entendimiento sobre la explotación de Poza Rica. A cambio del usufructo de uno de los depósitos de petróleo más ricos, la compañía reconocía el derecho original de propiedad de la nación mexicana sobre todos los yacimientos de hidrocarburos y aceptaba pagar regalías al gobierno por una suma que variaría entre el 15% y el 35% del valor de la producción. Era un paso gigantesco en la lucha del gobierno por reafirmar su control sobre el petróleo, dado que El Aguila controlaba las zona de Poza Rica desde antes de que entrara en vigor la Constitución de 1917. Pero el conflicto no había empezado aún.

La negociación con el consorcio inglés no era el único motivo de preocupación de los petroleros norteamericanos. Los alarmó tanto o más que eso la ley de expropiación aprobada por el Congreso en 1936. En virtud de esa legislación, el gobierno mexicano podía nacionalizar por causa de utilidad pública cualquier tipo de propiedad y pagarla de acuerdo con su valor fiscal —generalmente menor que el del mercado— dentro de los diez años siguientes al momento de la decisión. Para tranquilizar a los inversionistas extranjeros y a sus gobiernos, el presidente Cárdenas aseguró al embajador norteamericano que no pretendía emplear la nueva ley contra las grandes empresas mineras o petroleras. Pero las compañías no se tranquilizaron demasiado, a sabiendas de la poca simpatía que Cárdenas sentía por ellas. Justamente en esa época el gobierno estaba retrasando el otorgamiento de los títulos confirmatorios que según la ley de 1928 debía darse a las propiedades adquiridas antes de 1917. Más aún, los títulos originales estaban siendo examinados con mucho cuidado porque, según los petroleros, el gobierno estaba empeñado en encontrarles fallas para cancelarlos.

La expropiación petrolera: el conflicto

El choque definitivo del gobierno y las empresas petroleras no habría de originarse, sin embargo, por una disputa legal en torno a la propiedad del subsuelo, sino en un enfrentamiento de las empresas y sus obreros, fenómeno totalmente inédito hasta entonces en el litigio de los gobiernos de la Revolución con las compañías extranjeras. Tradicionalmente los sindicatos petroleros se habían destacado por su combatividad. Casi desde el principio de sus actividades, las compañías debieron hacer frente a acciones obreras organizadas, localizadas a veces en una sola planta o las instalaciones de una empresa, pero a veces extendidas al conjunto de la industria. En parte como resultado de esta actitud, los trabajadores petroleros se encontraban entre los mejor pagados del país. Sin embargo, no habían llegado a formar un sindicato único que estableciera las condiciones de trabajo para toda la industria. Alentados y asesorados por la CTM y por la política de Cárdenas, los principales líderes de 19 sindicatos se reunieron en 1935 en el Distrito Federal y crearon el Sindicato de Trabajadores Petroleros de la República Mexicana (STPRM), que de inmediato se afilió a la CTM y se dispuso a negociar su primer contrato colectivo de trabajo con las compañías.

Desde el principio, la negociación fue difícil. Las empresas rechazaron el monto del aumento pedido (65 millones de pesos) y ofrecieron en cambio uno equivalente a alrededor de la quinta parte. En 1937 el STPRM anunció que iría a la huelga. Hubo un paro, pero no duró mucho porque el gobierno consideró que la suspensión en el abastecimiento de combustible desquiciaba a la economía nacional. Dictaminó el asunto como una "conflicto económico" y los obreros volvieron al trabajo. No obstante, la Junta Federal de Conciliación y Arbitraje tuvo que nombrar a una comisión que debía definir en plazo breve si efectivamente las empresas podían o no aumentar los salarios y las prestaciones en una cantidad mayor a los catorce millones de pesos anuales que habían ofrecido.

A partir de ese momento el conflicto adquirió una nueva dimensión, su carácter básicamente laboral fue convitiéndose en un conflicto de carácter político. Los expertos nombrados por el gobierno produjeron un voluminoso documento (2,700 cuartillas) que abordó no sólo el tema de la capacidad económica de las empresas para hacer frente a las demandas de sus trabajadores, sino también la revisión histórica del papel que esas empresas habían jugado en México. Su conclusión fue una condena abierta y tajante: la presencia de las empresas petroleras extranjeras había sido más perjudicial que benéfica para el país. Por lo que hace al aspecto estrictamente salarial, la situación financiera de las empresas, refería el estudio, les permitía aumentar los sueldos y prestaciones hasta en 26 millones, doce más de lo que decían estar dispuestas a otorgar. Como era de suponerse, las compañías juzgaron inadecuados los cálculos y las conclusiones de los expertos; insistieron en cambio en que, de cumplirse cabalmente con las recomendaciones del estudio, el aumento real no sería de 26 sino de 41 millones de pesos. Admitieron a continuación que podían ofrecer un aumento de hasta 20 millones y el problema pasó otra vez a los tribunales laborales.

En diciembre de 1937 las autoridades del trabajo consideraron que las conclusiones de los expertos eran válidas y que las empresas podían, y debían, pagar la cantidad que se les había señalado. Las empresas elevaron entonces sus quejas a la Suprema Corte y empezaron a presionar al gobierno retirando sus depósitos bancarios, lo que ocasionó una pequeña crisis de confianza. En esa atmósfera caldeada y con la CTM exigiendo un fallo favorable a los obreros, el 1o. de marzo de 1938 la Suprema Corte dictaminó que las compañías debían otorgar un aumento de 26 millones, como sostenía el estudio, pero en el entendido de que esta suma incluía salarios y prestaciones. Las empresas simplemente se negaron a acatar la orden, sustrayéndose de hecho a la obediencia de las leyes mexicanas y a la soberanía misma del país. No había forma de soslayar la gravedad del momento. Si el gobierno no hacía nada en contra de la rebeldía de las empresas, su prestigio y capacidad de liderato quedarían en entredicho.

La expropiación petrolera: el rayo

En los medios políticos, entre los líderes de las organizaciones de masas y entre los miembros de la colonia extranjera, se tenía una aguda y agitada conciencia del dilema. Para muchos, el siguiente paso de Cárdenas sería nombrar un interventor en las empresas, que se hiciera cargo de pagar el aumento decretado por los tribunales. La solución, sin embargo, sería temporal pues tarde o temprano, después de una negociación, las instalaciones serían devueltas a sus propietarios. Por contraste con la élite dirigente, la opinión pública no parecía estar más interesada que de ordinario en el asunto. En realidad, la gran mayoría de los radioescuchas debieron de sorprenderse bastante cuando en la noche del 18 de marzo de 1938 se anunció en todas las estaciones la suspensión de los programas normales y el encadenamiento de las transmisoras con el Departamento Autónomo de Publicidad y Propaganda para escuchar un mensaje que el presidente iba a dirigir a la nación. A continuación, el general Cárdenas hizo saber al país la decisión de su gobierno de cortar por lo sano y expropiar a las empresas petroleras, pues no podía permitirse que una decisión del más alto tribunal fuera anulada por la voluntad de una de las partes mediante el simple expediente de declararse insolvente. De no tomarse esta decisión, dijo el presidente, la soberanía misma del país hubiera quedado en entredicho. Desde luego señaló que los bienes expropiados serían pagados, pero de acuerdo con los términos de la ley de 1936. México tomaba ese 18 de marzo una medida sin precedentes en su historia y con muy pocos en la mundial. Sólo la Unión Soviética se había atrevido antes a dar un paso de esa magnitud.

Las grandes inversiones extranjeras en los países periféricos se sintieron afectadas. Uno de los testimonios más interesantes y suscintos del impacto que produjo en propios y extraños la decisión del general Cárdenas, fue dado por el propio embajador norteamericano, quien admitió que la decisión de Cárdenas lo había sorprendido como "la caída de un rayo en un día de cielo despejado". A partir del día 19 de marzo, los principales diarios del país y del mundo dedicaron sus titulares al conflicto petrolero y se inició entonces en México una movilización popular de magnitudes nacionales. Las organizaciones de masas y los medios de comunicación alentaron la solidaridad popular con la medida presidencial; la campaña cayó en suelo fértil y el apoyo a Cárdenas resultó casi unánime.

El 22 de marzo tuvo lugar la primera manifestación pública frente al Palacio Nacional por un grupo que hasta hacía muy poco tiempo se había manifestado como un crítico notorio del gobierno: los estudiantes univesitarios. El día 23, el mismo lugar fue ocupado por un cuarto de millón de personas pertenecientes a los sindicatos, al PRM o sin filiación. El presidente debió permanecer en el balcón de Palacio desde las once de la mañana hasta las tres de la tarde para recibir las muestras de apoyo y en el interior del país se celebraron manifestaciones similares. La movilización era general.

Las notas diplomáticas de Gran Bretaña criticando la medida expropiatoria y poniendo en duda la capacidad del país para pagar lo que había tomado, magnificaron la exaltación nacionalista. El rompimiento de relaciones diplomáticas con el gobierno británico fue bien recibido por la opinión pública mexicana. En abril, el presidente ordenó la emisión de bonos por cien millones de pesos para formar un fondo compensatorio y se formó el Comité de Unidad Mexicana Pro Liberación Económica (CUMPLE) para recibir los donativos del pueblo. La respuesta inicial fue entusiasta, miles de mexicanos aportaron dinero, joyas e incluso animales domésticos para poder pagar al extranjero sus propiedades y mantener así la dignidad mexicana. El entusiasmo fue, sin embargo, mayor que la capacidad del público para reunir la cantidad requerida y Cárdenas consideró prudente, en julio, suspender tanto la emisión de bonos como la actividad del CUMPLE. Su objetivo político había sido alcanzado, el embajador norteamericano informó a sus superiores que el apoyo popular a la medida expropiatoria era incuestionable y que por tanto era improbable que Cárdenas diera marcha atrás, como lo pedían los ingleses y lo deseaban los norteamericanos y algunos más.

La expropiación petrolera: el boicot

La oposición oficial de Inglaterra a la expropiación —cuya inversión petrolera en 1938 era mayor que la norteamericana— no preocupó gran cosa a México. Con los norteamericanos la situación fue más difícil. En buena medida la suerte de la expropiación dependía de la reacción de Washington. En principio, el gobierno norteamericano reconoció el derecho que México tenía, como país soberano, a nacionalizar la propiedad de las empresas extranjeras, pero condicionó ese derecho al pago pronto, efectivo y adecuado de los bienes expropiados. Y fue en este último punto que las posiciones de México y Estados Unidos diferirían de manera irreconciliable.

México aceptó desde el principio pagar lo que había tomado, pero no inmediatamente sino dentro del plazo de diez años fijado por la ley. Para Washington un pago diferido convertía la acción de marzo no en una expropiación sino en una confiscación, contraria a las normas del derecho internacional. Estaba además el problema del monto. ¿Se tomaría o no en cuenta el valor del petróleo que aún estaba en el subsuelo? Para los petroleros norteamericanos no había duda: las propiedades incluían el combustible aún no extraído. Para México la discusión volvía a plantear el significado de la letra y el espíritu del artículo 27 constitucional.

Era evidente que el gobierno de Cárdenas no podría pagar los 400 ó 500 millones de dólares en que extraoficialmente las compañías petroleras calculaban el valor total de sus bienes expropiados. De todas maneras el presidente mexicano propuso a Washington la formación de una comisión mixta para hacer un avalúo y sugirió que el pago se hiciera con combustible. Las empresas rechazaron la propuesta, ya que desde un principio se habían negado a reconocer la legalidad de la medida tomada por Cárdenas; se declararon en cambio víctimas de una denegación de justicia. El gobierno de Washington sugirió entonces como única solución que México devolviera lo tomado, a lo cual Cárdenas se negó.

Las empresas petroleras expropiadas desataron desde 1938 una feroz campaña internacional de propaganda contra México al tiempo que se propusieron cerrar a Petróleos Mexicanos (PEMEX) los mercados internacionales, "ahogar a México en su propio petróleo" y negarle el acceso al equipo necesario para mantener el ritmo de producción. PEMEX pasó una época muy difícil para mantenerse a flote, pero logró burlar parcialmente el bloqueo e intercambiar petróleo por equipo y otros productos con los países fascistas entre 1938 y 1939. Al declararse la segunda Guerra Mundial se perdieron esos mercados europeos, y a partir de 1940 —hasta 1976— México habría de ser un exportador raquítico de crudo. El gobierno norteamericano —como lo había hecho el británico— contribuyó a bloquear la exportación, prohibiendo a sus dependencias que lo adquirieran y presionando en el mismo sentido a algunas de las empresas privadas de su país y a ciertos gobiernos latinoamericanos. Sin embargo, la demanda interna iba en aumento y de prisa; PEMEX se dedicaría básicamente a cubrirla. La industria petrolera dejó de ser un enclave.

Adicionalmente, el Departamento del Tesoro dejó de adquirir las grandes cantidades de plata que de tiempo atrás compraba al Banco de México. Washington recurrió tanto a la presión diplomática como a la económica para obligar a Cárdenas a dar marcha atrás pero se abstuvo de hacer uso de la fuerza. En esos momentos Estados Unidos buscaba que América Latina aceptara y apoyara la política de la Buena Vecindad, propuesta por el presidente Franklin D. Roosevelt, para consolidar una gran alianza interamericana en contra de la penetración del fascismo. Tras esa política norteamericana estaban los nubarrones de la segunda guerra, cuyo inicio, a fines de 1939, hizo aun más evidente la necesidad de esa cooperación. Dado ese contexto internacional, el interés nacional de los Estados Unidos exigía respetar la soberanía mexicana aun si eso significaba sacrificar intereses de algunas poderosas empresas petroleras.

En 1940 el presidente Cárdenas llegó finalmente a un arreglo para indemnizar a una de las empresas norteamericanas expropiadas: la Sinclair, que tras una ardua negociación reconoció el derecho de México a expropiar a cambio de una indemnización sustancial que se pagaría parte en efectivo y parte con combustible (entre 13 y 14 millones de dólares). También hubo negociaciones informales con las otras empresas, pero la Standard Oil —que era la más importante y llevaba la voz cantante— sistemáticamente bloqueó cualquier tipo de arreglo que no fuera en sus términos. El acuerdo con la Sinclair permitió a México sostener ante el gobierno norteamericano, que era posible llegar a un arreglo justo y directo con los intereses afectados. Que no fuera así en todos los casos era menos culpa de México que de la intransigencia de la Standard Oil y las empresas que negociaban a su sombra.

Cuando Cárdenas abandonó la presidencia no se llegaba todavía a un arreglo definitivo con la mayor parte de las empresas expropiadas. Pero era claro que esas empresas difícilmente volverían a México; la opinión dominante en los círculos rectores del país era que el petróleo habría de ser explotado única y exclusivamente por México.

La sucesión conservadora

El cardenismo llegó a su clímax, con la expropiación de las grandes empresas petroleras extranjeras en marzo de 1938. A partir de ese momento la combinación del boicot decretado por los intereses petroleros, la presión política y económica de sus gobiernos y los ataques del ala conservadora de la "familia revolucionaria", cocinaron una crisis que se reflejó entre otras cosas en el descenso del reparto agrario y de la movilización obrera.

Los políticos "veteranos" que habían quedado un tanto marginados después del triunfo de Cárdenas, volvieron por sus fueros. Y dentro del propio partido oficial y otras instituciones gubernamentales, surgieron corrientes adversas a la acción presidencial. La nueva crisis de la "familia revolucionaria" se manifestó dentro del PRM como una explosión de futurismo, prematura fiebre por la sucesión presidencial. Desde 1937 se había iniciado la movilización de ciertos grupos en favor de posibles candidatos. En 1938, los corrillos políticos se jugueteaban los nombres de los generales Francisco J. Múgica, representante del ala más radical del cardenismo, Rafael Sánchez Tapia, Manuel Avila Camacho, Juan Andrew Almazán. Fuera del partido oficial, se formaron también organizaciones que postularon a elementos abiertamente anticardenistas: el general Manuel Pérez Treviño buscó dar forma a un Partido Revolucionario Mexicano Anticomunista; el general Ramón F. Iturbe, se puso a la sombra del Partido Democrático Mexicano; al general Francisco Coss, del Partido Nacional de Salvación Pública. En una perspectiva más civilista pero igualmente conservadora, surgió el Partido Acción Nacional (PAN), con el distinguido abogado Manuel Gómez Morín a la cabeza, el único partido de aquella súbita horneada que habría de tener una vida regular y duradera.

A fines de 1938, y cuando al gobierno del general Cárdenas aun le quedaban dos años de vida, renunciaron a sus puestos en el gabinete los generales Francisco Múgica y Manuel Avila Camacho, para quedar en libertad de trabajar por sus precandidaturas. Lo mismo hizo el general Sánchez Tapia al abandonar la comandancia de la primera zona militar. Los partidarios de Almazán también se movilizaron y el PRM entró en crisis. Luis T. Rodríguez, el presidente del PRM, incondicional cardenista, empezó a ser atacado abiertamente por los partidarios de Sánchez Tapia y Múgica y a fines de mayo de 1939, se vio obligado a renunciar. Su lugar fue ocupado por un prestigiado revolucionario y constituyente, el general veracruzano Heriberto Jara. De todas maneras, la crisis interna del PRM no pudo ser superada enteramente. En julio de 1939 Almazán se dio de baja en el ejército y entró de lleno en la lucha sucesoria. Cárdenas debió tomar una decisión definitiva y en noviembre de 1939 el PRM anunció que su candidato para el sexenio 1940-1946 sería el exsecretario de Guerra, general Manuel Avila Camacho, y no quien parecía continuación natural de la reforma cardenista, Francisco J. Múgica. Las condiciones exigían una tregua y una consolidación moderada de lo ganado, no una nueva oleada radical. Dentro de las grandes organizaciones de base del partido hubo expresiones de descontento, pero Lombardo logró disciplinar a la CTM, Graciano Sánchez a la CNC y el presidente mismo al ejército y a la burocracia, lo cual no impidió que numerosos grupos de obreros, oficiales de ejército, campesinos y burócratas, voltearan sus simpatías hacia Almazán. Múgica contó con el apoyo de ciertas ligas de comunidades agrarias, grupos obreros y burócratas, pero al final aceptó disciplinarse y se retiró de la contienda. No fue el caso de Almazán y Sánchez Tapia, quienes al ver cerrado el camino dentro del PRM se dieron a la tarea de formar sus propios partidos.

La disputa y el reflujo

Las pasiones políticas se desataron a lo largo y ancho del país. De todas las oposiciones a Cárdenas y a su candidato, ninguna resultó tan efectiva y peligrosa como la que encabezó el general Almazán. A pesar de encontrarse a la derecha de la posición oficial, su clientela política no se redujo a los sectores más conservadores y burgueses. Contó también con apoyo de obreros, campesinos, militares y burócratas, agrupados en torno al Partido Revolucionario de Unificación Nacional (PRUN), que de inmediato se dio a la tarea de crear clubes en todo el país. El PRUN fue pronto la cabeza de un movimiento con bases lo suficientemente amplias como para constituir un serio reto al PRM.

Almazán inició su campaña a mediados de 1939 con un manifiesto de lema ambiguo y por lo mismo aceptable para los grupos más variados: "Trabajo, cooperación y respeto a la ley". En ese tono se mantendría toda su campaña. Avila Camacho inició la suya en abril, afirmando que seguiría adelante con la marcha de la Revolución. La verdad es que en los discursos de ambos candidatos se notaba la búsqueda del justo medio, como un claro indicador político de que la utopía cardenista y su vena radical no podrían tener continuidad de obra y propósito en los años por venir.

Pese a la búsqueda compartida de la moderación, la campaña presidencial de 1939-1940 estuvo lejos de ser ordenada y tranquila, los choques entre almazanistas y avilacamachistas menudearon, sobre todo a partir de enero de 1940, y la lista de heridos y muertos por razones políticas empezó a crecer hasta llegar a su clímax el 7 de julio, fecha de las elecciones. En la capital de la República y en muchas poblaciones del interior hubo ese día balaceras, pedradas y asalto a casillas. La policía y el ejército debieron disolver numerosos encuentros entre grupos políticos rivales. Al final, pese a las protestas de los partidarios de Almazán, se dio la victoria a Avila Camacho.

El general Almazán abandonó México. Sus partidarios insistieron en que se le había arrebatado la victoria por medios fraudulentos y amenazaron con la rebelión. En efecto, hubo brotes armados en el norte, pero las fuerzas federales los pudieron neutralizar. La calma se asentó aún más cuando Almazán regresó a México en noviembre y declaró que renunciaba a reclamar la presidencia del país y que se retiraba de la política. Muchos de sus partidarios se consideraron traicionados pero no pudieron hacer nada para evitar el desenlace, la desaparición política de su líder. Su retiro de la política activa y su paso a la rememoración colérica y nostálgica, cerró un capítulo crítico del México contemporáneo que todavía espera el buen historiador que devuelva el rostro verdadero de aquellas elecciones, las más disputadas y conflictivas del México revolucionario.

La expropiación de 1938 fue una de las páginas más brillantes de la Revolución Mexicana y del cardenismo, pero su costo fue alto. A partir de la expropiación, y debido a las presiones económicas originadas por los elementos externos, hubo una crisis interna económica y política de tal magnitud que el programa de reformas debió ir más lentamente y en ciertos casos de plano se detuvo. Cárdenas debió contemporizar con sectores de su propio partido que pedían un freno al radicalismo.

Al entregar la Presidencia, el partido del gobierno seguía sosteniendo que la lucha de clases era el motor del desarrollo histórico y que la meta última de la Revolución era construir una sociedad en donde los instrumentos de producción estuvieran bajo el control directo de los trabajadores. El ejido, las cooperativas y la propiedad estatal debían ser los ejes económicos y sociales del México nuevo. Sin embargo, las fuerzas contrarias al proyecto cardenista iban en ascenso dentro y fuera del país, y a finales de 1940 era un proyecto en clara condición defensiva.

Cuando el general Avila Camacho asumió la presidencia era claro para muchos que el camino hacia la construcción de un "socialismo mexicano" había terminado. Con el correr de los años se afianzaría la idea de que al finalizar el sexenio de Cárdenas, había llegado también a su fin la Revolución Mexicana.

V

El milagro mexicano 1940-1968

La Revolución como legado

La Revolución dejó de ser una fuerza real después del sexenio de Manuel Avila Camacho (1940-1946) pero su prestigio histórico y el aura de sus transformaciones profundas siguió dando legitimidad a los gobiernos mexicanos de la segunda mitad del siglo XX. Ese brillo mitológico y real del periodo reciente, permitió a partir de Cárdenas que el *status quo,* plagado de fallas e injusticias, fuera presentado verosímilmente al país como algo pasajero, ya que el verdadero México era justamente el que aún no surgía, el que estaba por venir. Fue ése un salto ideológico crucial y tiene su propia historia: la conversión del hecho revolucionario en un presente continuo y un futuro simple promisorio.

La certeza de que la Revolución Mexicana no fue sino la secuela culminante de los grandes movimientos del siglo XIX —la Independencia y la Reforma— es común a los gobernantes de México desde Venustiano Carranza. Pero el modo como esta convicción fue siendo asumida por los diversos regímenes revolucionarios hasta volver al Estado mexicano no sólo el heredero y el guardián, sino la vanguardia sucesiva y patriótica de esa historia en acción, registra cambios notables.

La Revolución Mexicana y la Constitución de 1917 fueron perdiendo su condición de hechos históricos precisos para volverse, como la historia toda del país, un "legado", una acumulación de aciertos y sabidurías que avalaban la rectitud revolucionaria del presente.

Hasta Cárdenas, la porción de historia requerida para legitimar los regímenes revolucionarios era en lo fundamental la que empezaba con la insurrección de 1910. A partir de 1940, empezó a dominar el lenguaje oficial, la certeza de ser el gobierno heredero y continuado de una historia anterior que se remontaba hasta la Independencia.

El presidente Alvaro Obregón (1921-1924) se desentiende de las peculiaridades del pasado revolucionario inmediato (su deseo es que se mire ese pasado como un hecho consumado) por una razón inversa a la que obligará a presidentes como Adolfo Ruiz Cortines (1952-1958), Adolfo López Mateos (1958-1964), o Gustavo Díaz Ordaz (1964-1970) a acordarse en exceso de él y a extender la unidad de ese pasado hasta la Independencia. Obregón no dudaba de su legitimidad, no se cuestionaba la validez de su origen porque nadie cuestionaba tampoco la liga obvia, reciente, de su gobierno con ese origen. Era un caso estricto de "buena conciencia" revolucionaria. De ahí que pudiera hablar sin rubor de la "buena fe" como sustento de todo lo que emanaba del gobierno, incluso de los errores.

> No importan los errores que se cometan pues siempre habrá tiempo de corregirlos; y si se cometen, siempre será de buena fe, y no habrá ningún inconveniente en reconocer un error.

Para Obregón, la "revolución" consistía escuetamente en el hecho armado; el gobierno no era su encarnación, era simplemente su legítimo sucesor. Con Calles el rumbo cambia. Ha resumido el proceso el historiador Guillermo Palacios:

> La popularidad de la revolución durante el periodo de Calles, nace, al contrario de sus predecesores, no de sus orígenes, de sus ingredientes casuales, sino de su porvenir [...] Calles no considera, como lo hizo su antecesor, la dicotomía definitiva entre el movimiento revolucionario y el gobierno resultante. Esto, importantísimo para la idea del fenómeno, es lo que ofrece el panorama de continuidad, lo que otorga a los gobiernos revolucionarios (la noción) de desarrollo [...] Así, la concepción de la revolución como un fenómeno definitivamente compuesto por momentos distintos, libra a su idea de la molesta limitación en que la habían sumido anteriormente: la del periodo bélico. Este será en adelante, sólo una etapa de la lucha y, como dice Calles en su último informe, "la más fácil y sencilla de hacer" [...] El presente continúa y finca la revolución hasta nuestros días en los cientos y miles de cuartillas de la literatura presidencial y, por extensión, oficial: "La Revolución, generosa y dignificadora, está siempre en marcha" [...] Calles obliga a la idea de revolución a irse hacia atrás para reafirmar los avances, convencerse de la ruta y vanagloriarse de los logros [...] El futuro representa en realidad el terreno sobre el cual podría realizarse la Revolución que, hasta el momento, según palabras textuales de Calles, sólo se ha limitado a

"verdaderos ensayos de realismo y socialización". [El futuro] será también el terreno de la consolidación del fenómeno, no en tanto facción política con un pensamiento propio, sino como el pensamiento por antonomasia.

Un eterno futuro

Si Calles descubrió el futuro de la Revolución, Cárdenas impuso, de algún modo, su perpetuidad. A la noción de continuidad y de etapas sucesivas agregó la de tareas interminables, siempre renovadas por la historia, a las que la Revolución daría en cada momento la solución pertinente. Mirando hacia atrás, Cárdenas distinguió ciertas "etapas" de la Revolución como, propiamente, historia, es decir, hechos pasados que guardan una relación de continuidad, pero no de simultaneidad con el presente. Se instauraba así una tradición revolucionaria, con un presente progresista y un futuro de continua e incesante renovación. "A unos —dice Cárdenas— les tocó iniciar y desarrollar el movimiento armado y sentar las bases fundamentales de nuestro futuro; a otros, poner en acción las nuevas doctrinas organizando los distintos factores de ejecución que nos permitieran caminar al éxito y a nosotros resolver problemas que influyen en el proceso de nuestra vida social y que han de ayudar a perfeccionar nuestro régimen institucional".

La Revolución a su vez, venía a escribir la página culminante de la integración de la nación al añadir a la independencia política (movimiento de Independencia) y la consolidación ideológica (Reforma y Constitución de 1857), la emancipación económica.

La idea ferviente de la nación como depositaria moderna de un legado histórico sin fisuras se inició quizás con Avila Camacho. Al aliento polémico e insatisfecho del cardenismo inicial, Avila Camacho opuso la idea de una historia reciente llena de logros. En su discurso de protesta como presidente, aseguró que quien reflexiona sin prejuicios llegaría

> a la conclusión de que la Revolución Mexicana ha sido un movimiento social guiado por la justicia histórica que ha logrado conquistar para el pueblo una por una sus reivindicaciones esenciales [...] Cada nueva época reclama una renovación de ideales. El clamor de la República demanda ahora la consolidación material y espiritual de nuestras conquistas sociales en una economía próspera y poderosa.

Al final de ese discurso, Avila Camacho tendió una pacífica mirada sobre la historia de la nación ya no como lucha sino como herencia, no como fricción social sino como un terreno fraterno de concordia: "Pido con todas las fuerzas de mi espíritu a todos los mexicanos patriotas, a todo el pueblo, que nos mantengamos unidos, desterrando toda intolerancia, todo odio estéril, en esta cruzada constructiva de fraternidad y de grandeza nacionales". La noción política de unidad nacional fue el odre que empezó a añejar la idea de la historia y los valores espirituales de México como un tesoro acumulado con las luchas del pasado.

El gran viraje

Con este equipaje ideológico a cuestas, los "gobiernos de la revolución" viraban a partir de los años cuarenta, hacia la decisión central de industrializar el país por la vía de la sustitución de importaciones, lo que desplazó duramente el centro de gravedad tradicional de la sociedad mexicana, del campo a la ciudad. Las filas del proletariado, la burguesía y la clase media crecieron y se expandieron las ciudades, su ambiente natural. Los incipientes burgueses mexicanos —industriales, comerciantes y banqueros—, afianzaron su primacía y con el tiempo volvieron a dar cabida al socio extranjero; tanto, que ya en los años sesenta empezó a ser manifiesta, como en el Porfiriato, la dependencia industrial mexicana del capital y la tecnología extranjeras, en particular las de origen norteamericano.

Desatada la industrialización en parte como reacción al eco popular del cardenismo que terminó dividiendo a la familia revolucionaria, los gobiernos dudaron sobre el papel del Estado y el grado deseable de su intervención directa en el proceso productivo. En principio, esa intervención se justificó como una serie de acciones excepcionales y/o pasajeras. Creció después la convicción dominante que habría de regir las relaciones con el sector privado por varias décadas: el Estado debía dedicarse a crear y mantener la infraestructura de la economía, intervenir lo menos posible en las áreas de producción directa para el mercado y abordar sólo aquéllas donde la empresa privada se mostrara desinteresada y temerosa o fuera incapaz de mantener una presencia adecuada. Poco a poco, pese a las protestas empresariales, la práctica estatal y las deficiencias empresariales privadas cuajaron lo que se dio en llamar un sistema de "economía mixta", en persistente estado de conflicto y negociación del Estado-empresario con la burguesía nacional, cada vez más consolidada. Las proporciones efectivas de este acuerdo indican que a partir de 1940, la inversión pública ha sido en promedio sólo una tercera parte de la total y las dos restantes del sector privado.

Económicamente, el pacto funcionó al extremo de que observadores y analistas hablaron durante un tiempo, sin rubor, del "milagro mexicano". Entre 1940 y 1960, la producción nacional aumentó en 3.2 veces y entre 1960 y 1978, 2.7 veces; registraron esos años un crecimiento anual promedio de 6%, lo que quiere decir sencillamente que el valor real de lo producido por la economía mexicana en 1978 era 8.7 veces superior a lo producido en 1940, en tanto que la población había aumentado sólo 3.4 veces.

La economía no sólo creció sino que se modificó estructuralmente. En 1940, la agricultura representaba alrededor del 10 por ciento de la producción nacional, en 1977 sólo el 5 por ciento. Las manufacturas en cambio pasaron de poco menos del 19 por ciento a más del 23 por ciento. Otros cambios decisivos aunque no estrictamente económicos, fueron los demográficos. La población pasó de 19.6 millones de habitantes en 1940 a 67 millones en 1977 y más de 70 en 1980. En 1940, sólo el 20 por ciento de esta población vivía en centros urbanos, en 1977, casi el 50 por ciento; en cuarenta años, junto al proceso de industrialización, el país experimentó un cambio espectacular en sus niveles de urbanización y crecimiento demográfico.

La zona inmóvil

Contrasta con estos cambios enormes en el rostro económico y demográfico de México, la relativa permanencia de los rasgos originales del sistema político heredado del cardenismo. Las estructuras políticas que la revolución creó y perfeccionó desde Carranza hasta Cárdenas, siguieron vigentes, con cambios que fueron pocos y secundarios.

La Presidencia quedó afianzada definitivamente como la pieza central de ese sistema. Ni el congreso ni el poder judicial recuperaron el terreno perdido hasta 1940, y la autonomía de los estados siguió tan precaria como antes. Ningún presidente promovió tantas desapariciones de poderes estatales como Cárdenas, pero todos sus sucesores echaron mano de este expediente para acabar con gobiernos locales caídos de la gracia del centro. Adicionalmente, con el desarrollo económico empezaron a ser tan amplios los recursos federales que todo proyecto importante, estatal o regional, dependió para su realización de las decisiones tomadas en la ciudad de México.

El partido oficial corporativo, ratificó también y extendió su dominio monolítico, sin adversarios que pudieran hacerle sombra. Todas las gubernaturas y los puestos del Senado siguieron en sus manos, y la oposición sólo fue admitida en la Cámara de Diputados, en rentable calidad de minoría que legitimaba las formas democráticas sin capacidad de influir realmente en el comportamiento del cuerpo legislativo.

En diciembre de 1940, apenas iniciado el periodo gubernamental del general Avila Camacho, el sector militar del PRM desapareció definitivamente. Fue una prueba simbólica de la profesionalización alcanzada por el ejército revolucionario y de su subordinación institucional al jefe del poder ejecutivo, una tendencia que habría de volverse realidad política permanente a partir de 1946, con la elección del primer presidente civil de la era posrevolucionaria, Miguel Alemán (1946-1952), que inició la larga lista, ininterrumpida desde entonces, de mandatarios no militares del México posrevolucionario.

El PRM como tal dejó de existir en 1946, pero su transformación, como la anterior, fue ordenada e indolora; abandonó el nombre y los programas que lo ligaban con la época cardenista para transformarse en el actual Partido Revolucionario Institucional (PRI), con cambios interesantes en sus estatutos y programas, pero muy pocos en sus estructuras reales.

El crecimiento económico capitalista montado en la virtual inmovilidad de un sistema político con fuertes rasgos autoritarios, dio como resultado una estructura social muy distante de la esperada en un régimen revolucionario comprometido con la justicia social. México se unió a las potencias aliadas en la segunda Guerra Mundial y su notable crecimiento económico reprodujo una estructura distributiva en la que el salario fue perdiendo terreno frente al capital. El porcentaje del ingreso disponible para la mitad de las familias más pobres de la pirámide social fue en 1950 del 19 por ciento, en 1957 del 16 por ciento, en 1963 del 15 por ciento y en 1975 de sólo el 13 por ciento. Por contraste, el 20 por ciento de las familias con mayores recursos recibieron en 1950 el 60 por ciento del ingreso disponible, en 1958 el 61 por ciento, en 1963 el 59 por ciento y en 1975 poco más del 62 por ciento: una concentración del ingreso muy alta incluso si se la compara con la de otros países latinoamericanos, que no se distinguen por su equidad pero tampoco hicieron una revolución.

La política económica poscardenista encontró un discutible sustento en la idea, de linaje obregonista, de que era necesario primero crear la riqueza para después repartirla. En la realidad, como muestran las cifras, se apoyó denodadamente la primera fase sin hacer gran cosa por la segunda, que sin embargo se mantuvo teóricamente como verdadera y legítima meta de los "gobiernos de la revolución".

El callejón de la posguerra

Desde 1910 hasta 1940, la característica de México en el mundo fue chocar continua y profundamente con las grandes potencias industriales, en particular Estados Unidos y Gran Bretaña. Fue una lucha desigual cuyo resultado pareció ser la conquista de una mayor independencia a través de la Constitución de 1917 y la destrucción de la economía de enclave mediante la expropiación petrolera de 1938.

Pero cuando México entró a la segunda Guerra Mundial, su situación internacional dio un vuelco. De pronto, el país se encontró como aliado del país que hasta hace poco parecía la principal amenaza a su soberanía e incluso a su existencia. La guerra creó una atmósfera de excepción que propició soluciones rápidas y definitivas a muchos de los problemas existentes entre México y Estados Unidos, entre ellos la forma de pago de las reclamaciones y la deuda petrolera. El gobierno de Washington facilitó a México la obtención de los primeros préstamos internacionales desde la caída de Victoriano Huerta, para inducir la producción de materias primas requeridas por la economía bélica estadunidense. En reciprocidad, el gobierno mexicano firmó con su vecino del norte tratados de comercio, braceros y cooperación militar, aunque su colaboración en el esfuerzo contra los países del Eje fue básicamente económica. Las materias primas se vendieron a Estados Unidos a precios fijos por debajo de los que hubiera pagado el mercado libre, a cambio de lo cual México acumuló considerables reservas en dólares que de momento no pudo usar ampliamente porque sus importaciones de Estados Unidos estuvieron racionadas. Miles de braceros mexicanos trabajaron en los campos agrícolas norteamericanos, 15 mil sirvieron en su ejército y 1,492 perdieron la vida en los frentes del Pacífico, Europa y Africa del Norte.

Así, al terminar la guerra, México se descubrió integrado a la zona de influencia norteamericana. Había desaparecido la posibilidad de que los países europeos sirvieran de contrapeso a esa influencia. Su posición en México había sido socavada por las políticas nacionalistas de la revolución, y su fuerza internacional se había visto debilitada por la guerra. Adicionalmente, el mismo proyecto de industrialización arraigado en el país durante la guerra, volcaba todavía más al comercio mexicano sobre Estados Unidos; se dirigía hacia allá el grueso de las materias primas exportadas y provenía de allá la mayor parte de los bienes de capital requeridos para la sustitución industrial de importaciones. Desde entonces, entre el 60 por ciento y el 70 por ciento de las transacciones internacionales de México han tenido como origen o destino a los Estados Unidos.

Para cerrar el ciclo de esa decisiva transformación de la posguerra, buena parte del capital y la tecnología de la industrialización mexicana vinieron también del norte. En 1940, la inversión extranjera directa apenas llegaba a los 450 millones de dólares, para 1960 superaba los mil millones, para la segunda mitad de los años setenta llegó a los 4 mil 500 y en los ochenta superó los 10 mil millones. El apaciguamiento institucional de la Revolución incluyó, las facilidades a esta penetración de la influencia norteamericana, no sólo en el ámbito económico, sino también en el orden político y el horizonte cultural.

No obstante la gran dependencia respecto de los Estados Unidos a partir de la segunda Guerra Mundial, la acción exterior de México conservó ciertos rasgos de independencia, que se acentuaron en el campo de la política hemisférica. México no mostró entusiasmo por el derrocamiento de Jacobo Arbenz en Guatemala, en 1954, ni respaldó las agresiones norteamericanas a Cuba a partir de 1960 o su intervención en la República Dominicana en 1965. En estas y otras ocasiones, defendió el principio de no intervención, rechazó la alianza militar permanente con Estados Unidos y siguió un camino diferente al de la mayoría de los países latinoamericanos, aunque sin llegar nunca al choque directo característico de los años revolucionarios.

Del entusiasmo a la represión

La difícil combinación de crecimiento económico con estabilidad política del país, alcanzada por México a partir de 1940 indujo a muchos observadores, en la década de los sesenta, a presentar al modelo mexicano como un ejemplo a seguir por otros países en desarrollo. El entusiasmo se vio disminuido por la crisis política de 1968, en que vastos contingentes estudiantiles desafiaron la legitimidad del sistema y probaron, por la represión sangrienta, su núcleo autoritario. Paralelamente, desde principios de la década de los sesenta había empezado a haber indicios preocupantes del modelo de industrialización con base en la sustitución de importaciones. Hubo que admitir con inquietud en esos años que la planta industrial creada con tanto esfuerzo era incapaz de sobrevivir sin una fuerte protección arancelaria, carecía de competitividad en el extranjero, y no podía crecer al ritmo que exigían el déficit de la balanza de pagos y el rápido crecimiento de la población. La agricultura también dio síntomas de agotamiento, bajó su ritmo, dejó de satisfacer la demanda de alimentos interna y de ser un factor dinámico en el comercio exterior; las antiguas exportaciones agrícolas se volvieron importaciones y los excedentes, déficit. Una prolongada crisis de la economía internacional a principios de los años setenta, coronó la situación del ya difícil panorama mexicano e hizo más claro aún que las condiciones favorables del hasta entonces llamado "desarrollo estabilizador", se habían erosionado y hacía falta otra propuesta.

Durante el gobierno del presidente Luis Echeverría (1970-1976), las más altas autoridades expresaron públicamente sus dudas sobre la viabilidad del modelo de desarrollo mexicano tal y como había venido funcionando hasta ese momento. Se exigieron cambios y una vía alternativa de "desarrollo compartido", que habría de propiciar una sociedad más justa y un sistema económico más eficiente. El presidente Echeverría y su equipo entregaron el poder sin haber dado forma ni implantado esa alternativa, en medio de un clima de desconfianza económica y política. Se había puesto en entredicho mucho del pasado inmediato, pero no estaba claramente trazado el nuevo camino. No obstante, el aumento en los precios internacionales del petróleo y los importantes descubrimientos de ese combustible en el sureste de México en la segunda mitad de los setenta, impidieron que la crisis político-económica de 1976 se propagara y permitieron abrir un compás de espera en busca de nuevas estrategias.

El sexenio de José López Portillo (1976-1982) habría de probar que ni las más favorables condiciones del mercado petrolero podrían resolver el problema estructural de la planta productiva desintegrada y poco moderna del país. Luego de cuatro años de auge sin precedentes fincados en el ingreso petrolero, el país recayó en una profunda crisis de financiamiento y producción a partir de 1981, provocada por la caída de los precios internacionales del petróleo y por las profundos desequilibrios fiscales, productivos, de comercio y deuda externa.

Un adiós sin regreso

Pocos observadores previeron el enorme impacto que habría de tener la segunda Guerra Mundial sobre la economía mexicana. El cardenismo trazó sus grandes planes dominado todavía por la imagen agraria que por siglos fue la entraña histórica del país. Estudiosos extranjeros que habían seguido de cerca la evolución de México desde la Revolución, como Frank Tannenbaum, pensaban simplemente que no había en México los elementos necesarios para un salto hacia la industrialización. Luego de la euforia de los años cuarenta, según Tannenbaum, México regresaría a su esencia social radicada en el campo y las actividades primarias y no en una industria con bases falsas. Pero México no regresó a su esencia y el cambio de sus patrones productivos en los cuarenta fue perdurable.

El arrollador proyecto industrializador coincidió con la segunda Guerra Mundial, pero en buena medida las inversiones que le sirvieron de base estaban hechas desde antes. A partir de 1942 las exportaciones de materias primas crecieron notablemente y el país contó con las divisas necesarias para importar el equipo que empezaban a necesitar sus fábricas. Desafortunadamente, las fuentes abastecedoras de esta maquinaria —Estados Unidos y Europa— estaban absorbidas por el esfuerzo bélico y no pudieron surtir todos los bienes que México deseaba y podía adquirir en ese momento. El impulso industrializador tuvo rienda suelta sólo después de la guerra, bajo la presidencia de Miguel Alemán (1946-1952). En 1939 las manufacturas representaban el 16.9 por ciento de la producción total del país. En 1945, el porcentaje había subido al 19.4 por ciento y para 1950 implicaba ya el 20.5 por ciento. Para entonces, la meta de los esfuerzos económicos tanto del sector oficial como de la gran empresa privada, era construir la sociedad industrial prometida por la posguerra como el único medio para salir del subdesarrollo y ampliar las posibilidades de la acción independiente del país.

Para el cardenismo la preocupación dominante había sido sentar las bases de una sociedad más justa y congruente con la Revolución. Para el joven grupo de civiles llegados al poder en 1946 con el presidente Alemán, la obsesión fue primero crear la riqueza mediante la sustitución industrial de importaciones tradicionales y repartirla luego de acuerdo con las demandas de la justicia social. Nadie puso fecha a la segunda fase y los dirigentes oficiales y privados del país no parecieron interesarse realmente sino en la primera parte de la ecuación: acumular capital. Las cifras traducen su singular entusiasmo.

Entre 1940 y 1945, el sector manufacturero creció a un promedio anual del 10.2 por ciento. Terminada la guerra, el ritmo disminuyó al 5.9 por ciento anual en el siguiente lustro, pero superada la etapa de reajustes el ritmo volvió a acelerarse y el promedio de la década de los años cincuenta fue de 7.3 por ciento. Durante la guerra, aprovechando el vacío dejado por las grandes potencias, la industria mexicana empezó a exportar textiles, productos químicos, alimentos, etc. Con el retorno de la normalidad internacional muchos de estos mercados externos se perdieron por falta de competitividad y las nuevas manufacturas mexicanas se destinaron sobre todo a satisfacer el mercado interno, en donde las barreras arancelarias limitaron la competencia externa. La decisión proteccionista permitió que las nacientes industrias se consolidaran y expandieran, pero sin exigirles la obligación de ser eficientes. A la larga, esa falta de exigencia haría de la mexicana una economía volcada sobre sí misma e impediría a los productores nacionales ampliar sus mercados más allá de las fronteras, condición que frenaría el surgimiento de una verdadera industrialización moderna e independiente.

La nueva planta industrial mexicana, surgida al margen de cualquier intento de planificación, requería importaciones sustanciales de bienes de capital, pero como no exportaba en igual proporción, las divisas para financiarlas se obtuvieron de las exportaciones agrícolas y mineras tradicionales, de los envíos de braceros, del aumento del turismo y del ingreso de capital extranjero que venía a participar del auge. Muchas de las firmas extranjeras que antes enviaban sus productos a México, encontraron conveniente aceptar la política gubernamental y establecer plantas de ensamble o de fabricación en el país para evitar el pago de los aranceles proteccionistas y no perder el mercado, pero casi nunca para exportar. Así, la inversión externa directa pasó de 450 millones de dólares en 1940 a 729 millones al finalizar el gobierno de Alemán.

El énfasis industrializador trajo nuevas y necesarias inversiones en infraestructura —comunicaciones y energía— y en la agricultura, la fuente de exportaciones básica para financiar la estrategia económica. Del periodo alemanista datan las nuevas grandes inversiones en obras de irrigación y carreteras, que absorbieron en esos años alrededor del 22 por ciento del presupuesto federal. Pero esta vez las tierras beneficiadas no fueron preponderantemente ejidales, sino propiedad privada, lo que se justificó en nombre de la eficiencia.

El desarrollo estabilizador

Desde finales del cardenismo la inflación hacía estragos en la economía mexicana, ahondando la desigual distribución del ingreso e impidiendo la indispensable expansión de las exportaciones. Una consecuencia de ese proceso fue la devaluación de 1948 en que la paridad del peso respecto al dólar se dejó flotar y pasó de 5.85 por uno a 6.80 y a 8.64 por uno al año siguiente. Tras un corto auge de las exportaciones provocado por esta devaluación y por la guerra de Corea, se volvió a presentar el problema del déficit en el intercambio comercial de México con el exterior, y en 1954 fue necesaria una nueva devaluación que puso la paridad respecto del dólar en 12.50 pesos. Fue entonces cuando, como reacción, empezó a gestarse la estrategia del llamado "desarrollo estabilizador", cuyo objetivo central era evitar nuevas devaluaciones deteniendo el alza acelerada de salarios y precios. Durante el gobierno de Ruiz Cortines esa estrategia detuvo la espiral inflacionaria que distorsionaba la estructura de las exportaciones y producía malestar entre los asalariados provocando huelgas, choques más o menos violentos con el gobierno y debilitamiento del control del sindicalismo oficial, sin el cual el tipo de industrialización inducido por el Estado habría sido políticamente inmanejable.

El efecto inmediato de la devaluación de abril de 1954 fue acelerar aún más la espiral inflacionaria, pero gracias a la disciplina política impuesta por sus líderes y el gobierno al movimiento obrero y a la mejora en la balanza de pagos, empezó a tomar forma la tan buscada estabilidad cambiaria, salarial y finalmente de precios. En los diez años siguientes el índice de precios al mayoreo apenas aumentó en un 50 por ciento. El esquema del desarrollo estabilizador mantuvo su eficiencia hasta el año de 1973, en que la convergencia de una crisis económica nacional con una internacional, le puso final. La economía mexicana volvió entonces a sentir los desagradables efectos de la inflación y de un déficit creciente en su balanza comercial. La época de las devaluaciones regresó en 1976. Empezó la afanosa búsqueda de una alternativa. El hallazgo de vastos yacimientos petroleros en el sureste mexicano a mediados de los setenta definió una salida momentánea para el país: volver a ser un exportador sustancial de hidrocarburos.

Pese a las diferencias de forma entre el desarrollo estabilizador y la etapa que se inició en 1973, se mantuvieron vigentes las pautas básicas de la economía alemanista: seguir adelante con sustitución de importaciones, mantener las barreras proteccionistas y revitalizar las inversiones en irrigación, ferrocarriles y energía. Pero esos instrumentos en efecto habían perdido eficacia. Ya desde los años sesenta, el gobierno debió revisar su política salarial y admitir la necesidad de fortalecer el poder de compra de los grupos mayoritarios. Se dejaron oír entonces las primeras voces de alarma sobre la necesidad de redefinir a fondo la estrategia industrial, pues todo indicaba que la etapa relativamente fácil de sustitución de importaciones estaba llegando a su fin. Era necesario, decían quienes veían nubes en el horizonte, promover la sustitución de importaciones de bienes de capital, lo que requería tanto de inversiones sustanciales como de mercados mayores. La solución era aumentar por igual el mercado interno y las exportaciones de manufacturas, es decir, empezar a competir con los grandes países industriales en su propio terreno con producción que hiciera uso del más abundante recurso mexicano: mano de obra. México decidió asociarse entonces con el resto de los países de América Latina para crear un gran mercado regional que mantuviera una protección frente al resto del mundo pero la disminuyera en el interior de América Latina para propiciar las economías de escala.

Surgió así la Asociación Latinoamericana de Libre Comercio (ALALC). Pero desde un principio el proyecto se vio frenado por los temores de una hegemonía de Brasil, Argentina y México sobre el resto de los países de la región. Los sectores pioneros del desarrollo industrial en cada país miembro no aceptaron de buena gana que sus insumos importados fueran sustituidos por producción regional, pues dudaban de su calidad y precio. Al final de cuentas, la opción latinoamericana quedó cancelada para México, al menos por el momento.

Ante el fracaso relativo de la ALALC, el gobierno mexicano buscó mercados extracontinentales en Europa, Asia y Africa, pero sin mucho éxito. Sin realmente proponérselo, la única salida pareció ser el aumento de la participación del Estado en el proceso de la producción. El sector paraestatal no sólo siguió ensanchando su campo de actividades básicas y subsidiando a los productores privados, sino que acentuó la práctica de asumir el control de empresas fracasadas y de crear otras en áreas donde el capital privado se había mostrado negligente. Por ello al iniciarse la década de los setenta, el sector paraestatal contaba con alrededor de 800 empresas de lo más disímbolas, que incluían lo mismo a Petróleos Mexicanos (PEMEX), la Comisión Federal de Electricidad (CFE) y otras que producían bicicletas. Para 1970, el 35 por ciento de la inversión fija bruta correspondía al sector público, y en 1976 —año en que el sector privado frenó notablemente sus inversiones—, llegó a representar más del 40 por ciento. Cada vez más, el ritmo de crecimiento de la economía dependió de las acciones y decisiones del sector público.

Durante los setenta, la contribución de la industria manufacturera a la riqueza producida en el país fue de alrededor del 23 por ciento. La actividad comercial tuvo una importancia mayor. Sólo si se añaden a la industria otras actividades afines, como la petrolera, la generación de energía eléctrica, se logra que el porcentaje industrial sea ligeramente superior al de la actividad comercial y casi tres veces el de las actividades tradicionales: la agricultura, la ganadería, la silvicultura y la minería. Sea como fuere, entre 1940 y 1977, la industria manufacturera en sentido estricto creció al 7.4 por ciento anual promedio, un ritmo superior al de la producción nacional, que fue del 5.9 por ciento.

Fisuras y precipicios

Aunque las cifras globales de crecimiento llevan a concluir que la estrategia económica del poscardenismo pareció tener éxito, otros elementos pueden modificar ese juicio. Una buena parte de la inversión en el sector

Cuadro 4

MILLONES DE PESOS A PRECIOS DE 1960

Periodo	Producto Interno Bruto	Agricultura	Ganadería	Silvicultura	Pesca	Minería	Petróleo	Petroquímica	Manufacturas	Construcción	Electricidad	Comercio	Comunicaciones y Transporte	Gobierno	Otros servicios	Vencer Ajuste por Servicios Bancarios
1939	46 058	5 223	3 641	609	49	1 767	1 317	n.d.	6 752	963	345	14 281	1 135	3 280	6 696	n.d.
1940	46 693	4 672	3 703	626	56	1 736	1 253	n.d.	7 193	1 169	354	14 439	1 187	3 348	6 957	n.d.
1941	51 241	5 707	3 942	644	46	1 694	1 283	n.d.	7 848	1 208	353	16 490	1 277	3 382	7 367	n.d.
1942	54 116	6 433	3 968	828	62	1 939	1 189	n.d.	8 461	1 287	367	17 121	1 405	3 370	7 686	n.d.
1943	56 120	5 852	4 036	848	79	1 982	1 234	n.d.	8 945	1 369	383	17 937	1 601	3 724	8 130	n.d.
1944	60 701	6 423	4 051	836	87	1 722	1 246	n.d.	9 643	1 656	385	19 988	1 713	4 399	8 552	n.d.
1945	62 608	6 152	4 254	702	103	1 767	1 411	n.d.	9 985	2 153	430	20 383	1 822	4 530	8 916	n.d.
1946	66 722	6 220	4 566	803	110	1 363	1 581	n.d.	10 925	2 571	464	22 881	2 030	3 734	9 474	n.d.
1947	69 020	6 848	4 519	574	120	1 782	1 801	n.d.	11 096	2 622	503	22 855	2 199	4 274	9 827	n.d.
1948	71 864	7 393	4 934	579	151	1 645	1 966	n.d.	11 794	2 540	555	22 986	2 371	4 559	10 191	n.d.
1949	75 803	8 715	5 080	560	196	1 656	2 057	n.d.	12 649	2 571	606	23 880	2 570	4 491	10 772	n.d.
1950	83 304	9 673	5 194	913	188	1 739	2 467	n.d.	14 244	3 028	619	26 300	2 728	4 824	11 387	n.d.
1951	89 746	10 146	5 568	927	178	1 676	2 713	n.d.	15 746	3 315	688	28 831	2 993	5 135	11 830	n.d.
1952	93 315	9 702	5 767	726	149	1 861	2 861	n.d.	16 440	3 736	748	29 722	3 302	5 468	12 833	n.d.
1953	93 591	9 761	5 664	722	171	1 842	2 908	n.d.	16 266	3 449	798	30 378	3 402	5 564	12 646	n.d.
1954	102 924	12 202	5 935	785	191	1 734	3 128	n.d.	17 855	3 712	880	32 207	3 652	5 823	14 840	n.d.
1955	111 671	13 562	6 180	889	210	2 011	3 379	n.d.	19 589	4 133	981	34 832	3 917	5 964	16 024	n.d.

1956	119 306	12 779	6 452	886	249	2 032	3 600	n.d.	21 813	4 774	1 095	37 082	4 337	6 311	17 896	n.d.
1957	128 343	13 977	6 970	844	229	2 165	3 841	n.d.	23 229	5 397	1 182	39 895	4 531	6 763	19 320	n.d.
1958	135 169	15 189	7 297	781	264	2 154	4 287	n.d.	24 472	5 214	1 272	41 958	4 671	6 844	20 766	n.d.
1959	139 212	14 036	7 576	882	298	2 221	4 861	n.d.	26 667	5 330	1 368	43 083	4 816	7 051	21 023	n.d.
1960	150 511	14 790	7 966	882	332	2 306	5 089	39	28 892	6 105	1 502	46 880	4 996	7 399	24 852	1 519
1961	157 931	15 156	8 032	849	379	2 230	5 772	76	30 483	6 074	1 609	49 638	5 154	7 942	26 122	1 585
1962	165 310	16 187	7 913	871	368	2 429	6 080	160	31 890	6 471	1 753	51 344	5 393	8 956	27 154	1 659
1963	178 516	16 981	8 385	921	376	2 428	6 575	177	34 826	7 411	2 170	55 769	5 844	10 053	28 449	1 849
1964	199 390	18 738	8 643	921	367	2 482	7 168	251	40 887	8 663	2 529	63 254	6 257	11 102	30 336	2 208
1965	212 320	19 921	9 008	955	338	2 429	7 525	490	44 761	8 534	2 769	67 368	6 443	11 834	32 229	2 284
1966	227 037	20 214	9 202	948	376	2 498	7 898	604	48 990	9 762	3 157	72 385	6 920	12 749	33 976	2 702
1967	241 272	20 165	9 997	1 001	420	2 593	9 023	752	52 341	11 032	3 533	76 397	7 321	13 768	35 871	2 942
1968	260 901	20 489	10 671	1 024	374	2 651	9 798	1 005	57 641	11 844	4 228	82 920	8 113	15 087	38 063	3 009
1969	277 400	20 145	11 296	1 117	354	2 777	10 256	1 269	62 287	12 961	4 812	88 724	8 714	15 585	40 446	3 343
1970	296 600	21 140	11 848	1 149	398	2 859	11 295	1 380	67 680	13 583	5 357	94 491	9 395	17 097	42 495	3 567
1971	306 800	21 517	12 204	1 085	430	2 871	11 615	1 496	69 745	13 230	5 784	97 326	10 098	18 616	44 575	3 812
1972	329 100	20 955	12 832	1 173	445	2 865	12 532	1 750	75 524	15 558	6 297	104 041	11 102	21 134	47 049	4 157
1973	354 100	21 389	13 076	1 252	462	3 166	12 713	1 959	82 255	18 016	6 987	111 968	12 385	23 492	49 385	4 405
1974	375 000	22 019	13 297	1 332	467	3 626	14 524	2 319	86 941	19 079	7 645	117 773	13 854	25 416	51 075	4 427
1975	390 300	21 931	13 762	1 337	481	3 406	15 749	2 427	90 606	20 205	8 086	121 777	15 099	28 183	52 488	4 684
1976	396 800	20 352	14 202	1 395	510	3 474	17 462	2 642	92 492	19 822	8 687	120 559	15 848	30 494	53 742	4 881
1977	409 500	20 840	14 642	1 439	527	3 504	20 740	2 558	95 785	19 426	9 356	122 971	16 672	31 043	54 331	4 534

n.d. No disponible

Fuente: Banco de México, S.A., *Información económica. Producto Interno Bruto y gasto,Cuaderno 1960-1977* (México: Banco de México, S.A., 1978) p. 28

más moderno de las manufacturas fue extranjera. De las 101 empresas industriales más importantes de México en 1972, 57 tenían participación de capital extranjero. De los 2,822 millones de dólares a que ascendía entonces la inversión externa directa, 2,083 estaban en la industria manufacturera. A partir de 1973, cuando la economía mexicana entró en crisis, se trató de suplir con gasto público la baja en el ritmo de la inversión privada nacional y extranjera pero la mayor tajada de esos recursos oficiales eran préstamos externos, de modo que si la inversión extranjera directa sólo perdió importancia relativa, lo hizo frente a la inversión extranjera indirecta, es decir, ante el aumento de la deuda externa. En 1971 esta deuda externa del sector público alcanzaba ya una magnitud considerable: 4,543.8 millones de dólares y cinco años más tarde se había casi cuadruplicado, con 19,600.2 millones de dólares. A través de préstamos obtenidos en instituciones internacionales y bancos privados extranjeros, el gobierno pudo hacer frente al déficit comercial en aumento, así como a las necesidades de inversión para mantener el ritmo de crecimiento de la economía. Esta estrategia no podía mantenerse indefinidamente, sobre todo si se tiene en cuenta que el déficit en cuenta corriente de 1971, 726.4 millones de dólares, se había vuelto de 3,044.3 millones cinco años más tarde, en 1976, año que culminó con una devaluación estrepitosa —el peso de devaluó 50 por ciento respecto del dólar— y el establecimiento de una paridad flotante del peso.

Para cuando el presidente Echeverría dejó el poder, el desarrollo estabilizador era historia, el crecimiento económico se detuvo y la opinión nacional e internacional empezó a poner en duda la salud y viabilidad de la economía mexicana. Se dejó de hablar de "milagro económico". Las agencias financieras internacionales actuaron en consecuencia. El Fondo Monetario Internacional (FMI) impuso condiciones al manejo de la economía mexicana (entre otras un freno al déficit presupuestal y al endeudamiento externo) para poder dar su aval a los mercados de crédito internacionales.

El endeudamiento de los años setenta no sólo se explica por la falta de dinamismo del sector privado y el creciente papel de motor de la economía del sector público. El gobierno no pudo o no quiso llevar a cabo una reforma fiscal a fondo, y le resultó más cómodo encarar sus responsabilidades pidiendo prestado en el exterior para seguir administrando y promoviendo el crecimiento económico basado en una industria poco competitiva, exigente de insumos importados pero incapaz de generar las divisas necesarias para conseguirlos. Paralelamente, la baja sistemática en el crecimiento de la agricultura desde mediados de los sesenta, no sólo impidió aumentar las exportaciones tradicionales sino que obligó a usar cada vez más dólares en importar granos y otros alimentos básicos para cubrir la demanda nacional. México empezó a perder la autosuficiencia relativa que había logrado en la época del "milagro económico".

La buena nueva petrolera —la confirmación de la existencia de amplias reservas— empezó a despejar el panorama económico a partir de 1977. Con el cambio de gobierno y con la posibilidad de una enorme riqueza de hidrocarburo en el subsuelo mexicano, se restableció un tanto la resquebrajada confianza de los inversionistas nacionales y extranjeros y del público en general. El petróleo se convirtió en un abrir y cerrar de ojos en el eje de los nuevos y más ambiciosos planes de desarrollo industrial y agrícola, que contemplaban un ritmo de crecimiento de la economía en su conjunto del 8 por ciento anual en promedio. El aumento en las reservas petroleras probadas fue notable: de 3,600 millones de barriles en 1973 saltó a 16,000 millones en 1977, a más de 40,000 millones al principiar 1979, y a 72,000 millones en 1981, lo que colocó a México en el sexto lugar como país con potencial petrolero. La confluencia afortunada de un aumento sin precedente en los precios mundiales del petróleo, precisamente en esos años, llevó al gobierno de José López Portillo (1976-1982) a aumentar rápidamente la capacidad productora de PEMEX de modo que pudiera exportar alrededor de un millón y cuarto de barriles diarios de crudo en 1982 y dedicar otro tanto al consumo interno con precios por debajo de los prevalecientes en el mercado mundial.

Fue así como se salvó la coyuntura económica de 1976, pero quedó pendiente de resolver el problema de fondo más difícil: pese a su relativa industrialización, México seguía siendo básicamente un país exportador de productos primarios, vulnerable a las fuerzas externas e incapaz de competir en los mercados internacionales de manufacturas. Se pensó que con el petróleo y el tiempo, este mal básico se podría curar de manera adecuada e indolora, en lo que sería una especie de segundo "milagro económico". Este problema se magnificó porque las barreras proteccionistas de los países industrializados lejos de abatirse mostraron una tendencia a reforzarse.

Para fines de los setenta, no había duda de que el mexicano promedio disfrutaba de un nivel de bienestar superior al que tenía cuatro decenios atrás, pero tampoco se podía ocultar la precariedad de los fundamentos mismos del sistema económico en que se fincaba esta nueva forma de vida: todo dependía de que el petróleo siguiera siendo un bien caro y con amplio mercado externo. Desafortunadamente, hasta ese momento ninguno de los países petroleros del llamado mundo subdesarrollado había logrado transformar sus exportaciones de ese energético en riqueza permanente. En principio, la política oficial aceptaba que la nueva exportación de petróleo y gas debía ser moderada y nunca un sustituto a las necesarias reformas de la economía industrial, agrícola y comercial. Entre el dicho y el hecho, hubo un buen trecho. Las reformas de fondo no llegaron —faltó el tiempo y falló la voluntad— y México vivió el ciclo de desequilibrio, endeudamiento, inflación, corrupción y fuga de recursos que había caracterizado hasta entonces la petrolización de otros tantos países productores.

La estructura social: todo cambia pero todo sigue igual

Los cambios de la estructura social de México en los cuatro decenios que siguieron al fin del cardenismo no tienen precedentes en la historia del país. En 1940 México era un país relativamente poco poblado, con 19.6 millones de habitantes. Desde la Independencia en la segunda década del siglo XIX, su población había aumentado sólo tres veces, pero a partir de entonces el ritmo se aceleró vertiginosamente. La primera triplicación entre 1820 y 1940 tardó 120 años, la segunda sólo 35, porque en 1975 México tenía ya más de 60 millones de habitantes y al iniciarse el decenio de los ochenta había más de 70 millones de mexicanos.

Como en el pasado, no era una población de distribución equilibrada, sino todo lo contrario. Los vastos espacios del norte siguieron tan vacíos como antes, al igual que buena parte de la tierra caliente del Pacífico y el Sureste. En cambio, los centros urbanos crecieron de manera sorprendente. En 1940 apenas el 7.9 por ciento de los mexicanos vivía en ciudades de más de medio millón de habitantes; veinte años después el porcentaje había subido a 18.4, en 1970 a 23 por ciento y la tendencia se mantenía. En 1940 sólo el 20 por ciento de la población vivía en comunidades con población superior a los 15 mil habitantes. Para 1970 la proporción era de casi el 45 por ciento y para 1978, el 65 por ciento. En 1984, la zona metropolitana de la ciudad de México, se convirtió en la urbe más poblada del planeta. Así pues, a partir de 1940 México no sólo se pobló aceleradamente —una tasa de crecimiento demográfico superior al 3 por ciento anual, entre las más altas del mundo— sino que empezó a perder a paso rápido uno de sus rasgos tradicionales: su naturaleza campesina.

El notable crecimiento poblacional de las últimas décadas se debió en gran parte a la mejora en los niveles de salud, que abatió la mortalidad infantil y aumentó las expectativas generales de vida, que en 1940 eran de 41.5 años en promedio, de alrededor de 61 años en 1970 y de 66 años para 1980.

La pirámide de edades se invirtió. El México contemporáneo —en contraste con las sociedades altamente industrializadas— es más que nunca un país de jóvenes. En 1940 el 41.2 por ciento de la población era menor de 15 años: treinta años más tarde el porcentaje era del 46.2 por ciento, para los años ochenta, la población empezó a descender pero muy ligeramente: 42.4 en 1983. La población económicamente activa debió sostener a un número cada vez mayor de dependientes: en 1940 el 32.4 por ciento; de la población mexicana desempeñaba algún tipo de trabajo remunerado, para 1970 el porcentaje había disminuido a 26.9 por ciento. La necesidad de crear empleos para la ola de jóvenes que cada año ingresaban al mercado de trabajo —entre 700 y 800 mil al iniciarse los años ochenta— se volvió una inaplazable urgencia nacional.

Vista más de cerca la composición de esta fuerza de trabajo, resulta que, en 1940 eran seis millones los mexicanos que desempeñaban una actividad remunerada y trece millones para 1970. El 58.2 por ciento de la gente trabajaba en 1940 en actividades agropecuarias, 41 por ciento en 1970. En 1980, el 18 por ciento de la población económicamente activa trabajaba en empresas manufactureras. El comercio, las finanzas, la construcción, la minería y los servicios, absorbieron el 41 por ciento restante, pero una buena parte de estas actividades tenían una productividad muy baja. En realidad, uno de los temas preocupantes fue precisamente el de la imposibilidad creciente de la economía para ofrecer trabajo adecuado, no redundante a toda una mano de obra en aumento y evolución.

De acuerdo con ciertos cálculos, en 1970 había alrededor de 5.8 millones de subempleados, que se consideraron equivalentes a 3 millones de desocupados totales, o sea, el 23 por ciento de la población económicamente activa en ese momento. Era una tasa de desocupación tres o cuatro veces mayor que la prevaleciente en los países industriales. La situación tendió a agravarse conforme el ritmo de la economía disminuyó hasta llegar a la crisis de 1976 y entonces con el auge petrolero empezó a mejorar, incluso de manera notable, para recaer nuevamente en forma dramática a partir de la crisis de 1982, mucho más grave de fondo que la anterior. En el empleo se dio una de las manifestaciones más graves de los problemas creados por el modelo de desarrollo económico impulsado y sostenido a partir de la segunda Guerra Mundial. Desempleo y subempleo resultaron ser realidades estructurales, inherentes al modelo elegido y no un fenómeno pasajero, como se pretendió en los años del optimismo desarrollista. ¿Qué hacer?

Para algunos, la solución era inducir una industrialización de patrones diferentes a los de países de alto desarrollo industrial; una combinación de factores productivos donde la mano de obra tuviera mayor importancia que el capital y usar así, de manera intensa el recurso que abundaba en México, el trabajo. Pero las posibilidades técnicas de combinar esos elementos no resultaron tan fáciles en la práctica como en la teoría. El capital puede ser sustituido por la mano de obra sólo hasta un cierto punto, nunca a voluntad. La visión alternativa empezó a ganar adeptos al final de los años setenta: no era realista empeñarse en buscar siempre técnicas intensivas de mano de obra como bien lo mostraban experiencias como las de India o China, sino entrar de lleno a la etapa de producción de bienes de capital; para eso podrían emplearse buena parte de los recursos que se suponía iba a dar el petróleo. La creación de fuentes de trabajo, una meta que, junto con el aumento de la producción de alimentos, encabezó la lista de prioridades del gobierno federal a partir de 1980 en vísperas de la crisis de 1982, pues la generación de empleos productivos se presentó como había llegado a convertirse: en uno de los grandes retos económicos y políticos para quienes decidían sobre los destinos de México.

El colchón de enmedio

En vísperas de la Revolución de 1910 Andrés Molina Enríquez señaló como uno de los grandes problemas nacionales, la extraordinaria concentración de la riqueza —sobre todo la originada en la tierra— en unas pocas manos. México era, en palabras de Molina Enríquez, una sociedad deforme: "nuestro cuerpo social es un cuerpo desproporcionado y contrahecho; del tórax hacia arriba es un gigante, del tórax hacia abajo es un niño". Hacía falta una clase media, dijo, que sirviera de puente entre los extremos. De acuerdo con los cálculos hechos en 1951 por José Iturriaga, en ese México del Porfiriato los estratos bajos comprendían al 90.5 por ciento de la población y la clase media apenas si llegaba a ser el 8 por ciento del total.

Todo indica que la Revolución efectivamente favoreció el crecimiento de la clase media y que fue ése, justamente, uno de sus grandes logros. Para 1960, y como quiera que se defina, la clase media prácticamente se había duplicado en relación a 1910. De acuerdo con los cálculos de Arturo González Cosío, en ese año de 1960 el 17 por ciento de los mexicanos podía clasificarse como clase media. No faltó quien viera en este hecho la prueba irrefutable de que México se convertía poco a poco en una sociedad un poco más justa.

Los datos disponibles sobre el ingreso medio mensual familiar, revelan que, en términos absolutos, los recursos familiares del México posrevolucionario aumentaron en todos los grupos sociales. También muestran que la clase media ganó posiciones, pero de ellas también se desprende que el aumento no fue en la misma proporción para todos los sectores y que México no iba por el camino de una mayor justicia social si por ello entendemos equilibrio y equidad en el reparto de la riqueza nacional. Las estadísticas de la distribución del ingreso no dejaron de inquietar a algunos pues la búsqueda de equidad era justamente una de las grandes banderas legitimadoras del sistema político.

Según la filosofía social que sustentaba el proyecto nacional de los responsables políticos a partir del gobierno de Miguel Alemán (1946-1952), en México dar prioridad a la creación de la riqueza significaba forzosamente su concentración inicial como forma de capitalización y como paso previo e ineludible a su posterior dispersión. El siguiente cuadro, nos muestra que el proceso de concentración seguía en plena marcha a fines de los años sesenta y que las fuerzas de la redistribución no se vislumbraban por ninguna parte. En 1975, el 5 por ciento de las familias con los ingresos más altos mantenía la misma proporción del ingreso que en 1950.

Cuadro 5

Ingreso medio mensual familiar por deciles y tasa media
de crecimiento anual, 1950, 1958, 1963 y 1969
(a precios de 1958)

	Ingreso medio familiar				*Incremento anual*			
Deciles	1950	1958	1963	1969	1950-58	1958-63	1963-69	1950-69
I	258	297	315	367	1.8	1.2	2.6	1.9
II	325	375	356	367	1.8	-1.0	0.4	0.5
III	363	441	518	550	2.4	3.2	1.0	2.1
IV	421	516	598	641	2.5	3.0	1.2	2.2
V	460	608	738	825	3.6	3.9	2.6	3.1
VI	526	789	834	917	5.2	1.1	1.6	3.0
VII	669	842	1.056	1.283	2.9	4.6	3.3	3.5
VIII	823	1.147	1.592	1.650	4.2	6.7	0.6	3.7
IX	1.033	1.820	2.049	2.384	7.3	2.4	2.6	4.5
X	4.687	6.605	8.025	9.352	4.3	3.9	2.6	3.7
5%	1.693	2.866	3.724	5.501	6.8	5.4	6.7	6.4
5%	7.679	10.339	12.324	13.203	3.8	3.6	1.0	2.9
Total	975	1.339	1.608	1.834	4.2	3.8	2.2	3.5
GDP					6.3	5.1	7.6	6.3

Fuente: Wouter van Ginnekin citado por: Hewitt de Alcántara, Cynthia, "Ensayo sobre la satisfacción de necesidades básicas del pueblo mexicano entre 1940 y 1970", en *Cuadernos del CES*, No. 21, 1977, p. 30.

Por otra parte, los cambios registrados en favor de los estratos medios tuvieron como contrapartida una pérdida relativa de los sectores populares. Al entrar a la década de los ochenta, la deformidad social a la que aludió Molina Enríquez no se había eliminado, simplemente se había transformado, pese a que el discurso oficial insistía en la necesidad de disminuir la distancia entre los extremos sociales.

La mala distribución del ingreso fue, en parte, el reflejo de otro fenómeno: el de la concentración industrial, agrícola, comercial y financiera. Según los datos del censo industrial de 1965, el 1.5 por ciento de los 136,066 establecimientos registrados, controlaba el 77.2 por ciento de todo el capital invertido en esa actividad y aportaba el 75.2 por ciento del valor de la producción. De acuerdo con el censo agrícola de 1960, el 1 por ciento de los predios no ejidales controlaba el 74.3 por ciento de toda la superficie agrícola en manos de propietarios privados. En el campo comercial, y en ese mismo año, el 0.6 por ciento de los establecimientos controlaba el 47 por ciento del capital invertido y captaba el 50% de los ingresos que ese sector recibía por ventas.

Pasada la euforia del alemanismo, diversos analistas del panorama mexicano propusieron que el Estado aumentara su influencia en la distribución del producto interno bruto entre las clases mediante el sistema impositivo. En realidad, las reformas del sistema impositivo guiadas por esa convicción resultaron insuficientes. Es verdad que el gasto consolidado del gobierno federal y las empresas paraestatales pasara del 23 por ciento del gasto total en 1971 al 42 por ciento en 1976, pero las fuentes que financiaron tan espectacular salto, sin embargo, fueron en primer lugar la deuda externa, y en segundo mayores gravámenes de carácter general o al ingreso de los sectores medios, pero que afectaron muy poco a los grupos altos. La oposición cerrada de los círculos empresariales y de los sectores más conservadores dentro de las burocracias oficiales, frustró el intento de gravar de manera progresiva las ganancias de capital. Sin embargo, el camino para aminorar la desigualdad social en México parece que debe conducir antes a un cambio en las reglas que rigen el impuesto a las ganancias del capital.

Las permanencias

Frente a los grandes cambios experimentados por México desde 1940 en el campo de la economía y la estructura de clases, la nota característica de la arena política fue la permanencia, aunque no la inmovilidad. Las estructuras en las que se montó el ejercicio del poder siguieron siendo básicamente las mismas que el cardenismo dejó como herencia, aunque su penetración en la sociedad ha aumentado. Pocos, muy pocos, son ahora los mexicanos que están al margen de la acción del Estado. Como sujetos activos o pasivos, la gran mayoría de los mexicanos está tocada directamente por la acción gubernamental, en una tendencia que se acentúa.

A partir de 1940, los elementos centrales del sistema político se definieron con mayor nitidez y en muchos casos se ampliaron pero muy pocos cambiaron. El centro aglutinador siguió siendo la Presidencia de la

República, cuyas facultades constitucionales y metaconstitucionales no se vieron obstaculizadas ni limitadas por los otros poderes federales con las que se supone comparte el poder, ni tampoco por el surgimiento de centros informales de poder. El Congreso, el poder judicial, el gabinete, los gobernadores de los estados, el ejército, el partido oficial, las principales organizaciones de masas, el sector paraestatal e incluso las organizaciones y los grupos económicos privados, reconocieron y hasta apoyaron el papel de la Presidencia y el presidente como instancia última e inapelable en la formulación de iniciativas políticas y resolución de los conflictos de intereses en la cada vez más compleja sociedad mexicana.

Es verdad que los cambios en la trama social y económica posteriores a 1940 favorecieron sobre todo la acumulación acelerada de capital y por tanto la concentración de recursos materiales en unos cuantos y poderosos grupos de empresarios privados. Sin embargo, el poder económico no se tradujo necesariamente en un aumento del político relativo del gran capital, aunque ésa pareció ser la tendencia. Entre 1940 y 1980 los grupos empresariales aumentaron su poder en una proporción mayor que el resto de los actores políticos. Sin un control directo todavía de la cosa pública, han alcanzado un gran poder de veto sobre las iniciativas de la llamada "clase política", encabezada por el presidente. Ahora bien, la sorpresiva nacionalización de la banca privada —el corazón de la burguesía financiera— en 1982, mostró que frente al poder concentrado del Estado, el veto de la élite empresarial no funciona. Sin embargo, en situaciones normales, no es extraño que ciertas iniciativas económicas del gobierno sean modificadas por la presión concentrada de los más altos representantes del sector privado. Algunos observadores han sostenido que al final de la década de los setenta, el Estado parecía haber perdido terreno en términos relativos frente a las principales fuerzas de la sociedad civil, particularmente el gran capital. Según este punto de vista los grupos de interés del sector empresarial —como el llamado "grupo Monterrey" o "grupo Televisa"— emergían como actores políticos cada vez más decisivos. De hecho, una de las principales preocupaciones del gobierno federal en la segunda mitad de los setenta fue la de usar los recursos petroleros para fortalecer al Estado y evitar que perdiera su carácter de rector del desarrollo mexicano. La crisis de 1982 y sus secuelas debilitaron enormemente a ciertos sectores empresariales, que debieron acudir a la protección del Estado para hacer frente a asuntos tan vitales como necesidades de crédito y respaldo para renegociar su deuda externa.

Por lo que hace a las estructuras políticas formales, el partido oficial cambió de nombre en enero de 1946, dejó de ser Partido de la Revolución Mexicana para volverse la inescapable contradicción de conceptos que lo distingue desde entonces: el Partido Revolucionario Institucional (PRI). La modificación de siglas no implicó la de su naturaleza íntima, ni la de su amplio dominio sobre la vida política del país. El PRI como antes el PNR y PRM, no perdió en las urnas la Presidencia de la República, una sola de las gubernaturas ni un escaño en el Senado. Los miembros de la oposición que llegaron al Congreso federal fueron pocos, se concentraron en la Cámara de Diputados y nunca estuvieron en capacidad de poner en entredicho el dominio del partido oficial sobre el poder legislativo. Los escasos municipios que por algún tiempo han quedado en manos de la oposición, invariablemente terminaron por volver al control priísta. En realidad, la oposición partidaria sólo tuvo posibilidades de acción en la medida en que el grupo en el poder lo permitió, lo cual no significa que esta oposición no haya tenido vida y fuerza propias. Sin embargo, le hubiera sido difícil hacerse del modesto sitio que logró en el panorama electoral si se hubiera topado con el rechazo abierto de quienes han ejercido el poder en el México contemporáneo. Una forma tradicional en el sistema político mexicano de aminorar las tensiones ha sido, justamente, el no cerrar todas las puertas a las expresiones de la disidencia, particularmente a partir de los años sesenta en que la explosividad de la oposición, casi sin cauces de expresión institucionales, sacudió al sistema con las huelgas ferrocarrileras de 1958, el movimiento estudiantil de 1968 y los movimientos armados de guerrillas urbanas y rurales de los años setenta.

La máquina de los silencios

El examen de las campañas para la elección del presidente y de sus resultados pueden ser un buen indicador tanto de la naturaleza de la oposición en el sistema político mexicano como de la reacción del gobierno. En 1946, al concluir el periodo de Avila Camacho, tres líderes de la oposición se enfrentaron a Miguel Alemán, el candidato oficial. De ellos, sólo uno —Ezequiel Padilla—, tuvo alguna importancia por haber sido hasta casi el último momento un miembro prominente de la élite política. Por su desempeño como secretario de Relaciones Exteriores durante la guerra mundial, Padilla consideró que tenía la fuerza suficiente para impugnar la decisión del partido en el poder —valga decir: la decisión del presidente Avila Camacho— sobre quién ocuparía la silla presidencial entre 1946 y 1952.

El Partido Demócrata Mexicano (PDM) que apoyó a Padilla, en 1946, no presentó nunca un verdadero programa alternativo al del PRM e insistió sólo en que Padillla era el hombre que había forjado la exitosa alianza con los Estados Unidos durante la guerra y el que se proponía —su único rasgo distintivo— fortalecer el nuevo internacionalismo prooccidental de la política exterior mexicana. Desafortunadamente para Padilla, su proyecto no despertó gran entusiasmo en México ni los norteamericanos encontraron algo fundamentalmente negativo en la candidatura de Alemán. El cómputo oficial de la elección, dio el 77.9 por ciento de los votos a Miguel Alemán y sólo el 19.33 por ciento a Padilla. El PDM impugnó de inmediato la victoria oficial como un claro producto del fraude, pero ninguna fuerza política importante y decisiva lo apoyó. En poco tiempo el PDM y su candidato se esfumaron sin que quedara tras ellos ninguna huella perdurable.

En 1952 se repitió el fenómeno de la "oposición desde dentro", pero esta vez con mayor intensidad. El PRI postuló como candidato al secretario de Gobernación, Adolfo Ruiz Cortines, pero esta decisión del presidente Alemán contrarió las expectativas del general Miguel Henríquez Guzmán, miembro prominente del grupo gobernante, que creía tener derecho a la Presidencia en virtud de una brillante hoja de servicios militares y políticos. La reacción del general a la decisión presidencial en su contra fue crear un partido propio, la Federación de Partidos del Pueblo (FPP) y enfrentarse al monopolio priísta.

La experiencia de Padilla no pesó en el ánimo de los henriquistas, quizá porque creyó que una buen aparte del ejército simpatizaba con Henríquez, lo mismo que el núcleo cardenista. La Unión de Federaciones Campesinas, cuya bandera, fue: *Inviolabilidad del ejido y respeto a la pequeña propiedad*, respaldo al general Henríquez Guzmán, pero ninguna organización obrera se fue tras la causa henriquista aunque sus partidarios sí llevaron a cabo una campaña de propaganda para atraer la atención y el voto de los asalariados urbanos. Finalmente, la oposición henriquista confió en la siempre latente inconformidad de la clase media y del mundo universitario frente al autoritarismo del partido en el poder. Henríquez, como antes Padilla o Almazán, tampoco presentó una plataforma electoral de alternativa a la del partido oficial. Por el contrario, el general insistió en el cumplimiento cabal de las banderas políticas y sociales de la Revolución, lo cual era imposible lograr, aseguraban, mientras el PRI siguiera en el poder.

Los cómputos oficiales de las elecciones de 1952 otorgaron a Adolfo Ruiz Cortines 2.7 millones de votos (el 74.3 por ciento del total) y al general Henríquez apenas algo más del medio millón; el candidato del PAN obtuvo 285 mil y Lombardo Toledano, candidato del Partido Popular, únicamente 72 mil. Como sus predecesores, los henriquistas sostuvieron que las verdaderas cifras de la votación habían sido alteradas, pero sus alegatos tampoco cambiaron la decisión oficial ni la realidad política. El ejército se mantuvo leal al gobierno y la tranquilidad institucional sólo fue turbada por manifestaciones relativamente violentas en ciudades del interior y una masacre legendaria, y olvidada por muchos años en la Alameda de la ciudad de México.

Por año y medio después de las elecciones, el henriquismo continuó como una fuerza política independiente de cierta importancia, aunque muchos de sus miembros decidieron desde el principio olvidar su rebeldía y reincorporarse al partido oficial. A principios de 1954, sin embargo, el gobierno decidió acabar con los recalcitrantes disolviendo por la fuerza la FPP. Puesto entre la espada y la pared, el henriquismo desapareció. De esta manera característicamente autoritaria terminó el último conato serio de disidencia dentro de la "familia revolucionaria". A partir de entonces la disciplina interna del grupo en el poder aumentó, pues para todos resultó ya evidente que no había alternativa a la voluntad presidencial.

En las elecciones presidenciales de 1958, la candidatura fue a parar en manos del secretario del Trabajo, Adolfo López Mateos, rompiendo de manera muy conveniente para el presidente la incipiente tradición que hacía del secretario de Gobernación el heredero del poder. No hubo ya fisuras internas en 1958 y la única oposición significativa provino de fuera, del Partido Acción Nacional (PAN), que luego de una consulta electoral ordenada, apenas logró la mayor parte del 10 por ciento de votos concedidos a toda la oposición. Las elecciones presidenciales de 1964 tuvieron un carácter similar. El candidato oficial, Gustavo Díaz Ordaz, secretario de Gobernación del gabinete saliente, recibió el 89 por ciento de los votos y sólo 11 por ciento el candidato del PAN. La oposición de izquierda independiente no tuvo registro (esta vez el Partido Popular Socialista decidió apoyar al candidato oficial) y su presencia electoral fue prácticamente nula.

La oposición reformada

La crisis política de 1968 no pareció tener ningún reflejo en las cifras electorales oficiales de 1970. El candidato del PRI, Luis Echeverría, también secretario de Gobernación del gobierno saliente, obtuvo el 84 por ciento de la votación en tanto que Efraín González Morfín, abanderado del PAN, recibió el 14 por ciento. Otra vez, el proceso electoral de 1976 no ofreció sorpresa alguna aunque sí algunas variantes porque la oposición partidista de centro derecha, el PAN, sufrió una grave crisis interna: un grupo mayoritario de sus militantes no deseaba continuar jugando su papel de minoría permanente que a fin de cuentas sólo servía para avalar la pretendida naturaleza democrática del partido en el poder, y el PAN no presentó candidato. Los otros dos partidos registrados, PPS y PARM, volvieron a sumarse a la selección hecha por el PRI. José López Portillo, el candidato del PRI, no salió de la Secretaría de Gobernación sino de la de Hacienda, con lo cual se volvió a romper un patrón que se creía reestablecido.

La única oposición electoral en 1976 provino entonces de Valentín Campa, candidato del Partido Comunista Mexicano, un partido sin registro oficial, por lo que los votos en su favor simplemente no fueron computados como tales. Desde un punto de vista formal, el candidato oficial no tuvo contrincante alguno y López Portillo recibió el 94 por ciento de los votos emitidos, cifra embarazosamente alta, que restó aún más significación y credibilidad al proceso electoral, pues situación semejante no se había visto en México desde la elección de Obregón. Para 1976 la naturaleza supuestamente pluralista y democrática del sistema mexicano estaba en entredicho, incluso en sus aspectos formales. Por todas partes afloraba su carácter autoritario, y desmovilizador de la participación ciudadana. Las elecciones nunca habían sido en México el instrumento real de selección de los gobernantes, sino más bien un ritual para legitimar a candidatos designados de antemano, pero el ritual necesitaba de la competencia, de la alternativa partidista, aunque fuera simbólica. De ahí, las reformas que se hicieron a la ley electoral en diciembre de 1977 para dar mayor visibilidad a la oposición, aunque sin llegar a compartir con ella el poder.

Dentro del propio gobierno hubo quien consideró que las presiones de quienes buscaban canales de expresión desde la oposición habían llegado a un punto crítico y era necesario dar una respuesta pronta y efectiva. La respuesta consistió en alentar una mayor pluralidad de corrientes opositoras minoritarias a la izquierda y a la derecha del partido oficial, reconociéndolas formalmente y dándoles la oportunidad de tener alguna representación en el Congreso —que en sí mismo no tenía capacidad de acción sustantiva— para revitalizar así la atmósfera política. Se dio entonces el reconocimiento condicionado —el definitivo se otorgó después de las elecciones legislativas de 1979— al Partido Comunista Mexicano, al Partido Socialista de los Trabajadores y al Partido Demócrata Mexicano, los dos primeros de izquierda y el segundo de derecha. Igualmente se crearon 100 curules en la Cámara de Diputados para los partidos de oposición registrados; se suponía que el PRI seguiría conservando la gran mayoría de las 300 curules restantes.

La naturaleza de la flamante Ley de Organizaciones Políticas y

Procesos Electorales (LOPPE) que creó los distritos electorales uninominales (300) y plurinominales (100), permitió suponer desde un principio que la supremacía del PRI no sería puesta en entredicho por los nuevos contrincantes porque, entre otras cosas, las ventajas de la minoría se empezarían a desvanecer en la medida en que aumentara su fuerza electoral. De esta manera, se creyó que el sistema político no sufriría transformaciones sustanciales y en cambio quedaría más seguro y legitimado por la presencia de una oposición minoritaria y fragmentada entre los diputados.

Disonancias

Desde 1929, y particularmente a partir de 1941, la estabilidad del sistema político mexicano ha sido notable. La naturaleza autoritaria pero flexible del control del PRM-PRI sobre la vida política del país, contrasta enormemente con casi todo el resto de América Latina. A diferencia de otros sistemas también autoritarios, al mexicano no le interesa excluir a quienes quieren y pueden tener fuerza política, sino atraerlos y encuadrarlos dentro de sus filas. Sin embargo, las diferencias de intereses tan heterogéneas y los conflictos potenciales no se resolvieron siempre dentro de los canales burocráticos establecidos. De tarde en tarde la rutina y la disciplina se rompieron. Los elementos centrales del sistema, sus mecanismos, así como las fuerzas y las tendencias que representaba y defendía, se dejaron ver entonces con mayor claridad, verdaderas radiografías de la naturaleza de la vida política mexicana contemporánea.

La lava de Nava. San Luis Potosí, 1959

A partir de 1952-1954 las elecciones presidenciales no volvieron a dar lugar a oposiciones importantes y violentas, pero no fue siempre así en las elecciones estatales y municipales. San Luis Potosí es un buen ejemplo disonante. Con la caída en 1938 del general Saturnino Cedillo, el "hombre fuerte" del Estado, cuyo cacicazgo encontraba raíces en la Revolución de 1910, se abrió un compás de espera que no tardó en cerrarse con la constitución de otro cacicazgo de cuño distinto, el de Gonzalo N. Santos, descendiente de una estirpe de políticos de la Huasteca potosina que se remonta al siglo XIX. Santos dejó la gubernatura del estado en 1949 pero impuso a sus sucesores y de hecho siguió gobernando desde algunos de sus famosos ranchos en la Huasteca. Ni la astucia ni la violencia de Santos lograron, no obstante, evitar la paulatina gestación, durante los años cincuenta, de un movimiento opositor ubano que terminaría por aglutinar tanto a elementos de derecha como de izquierda, hasta cristalizar en la formación de la Unión Cívica Potosina y en la campaña política del doctor Salvador Nava —rector de la universidad— como candidato opositor para el gobierno de la ciudad en 1959. Fue un típico movimiento democratizador de clase media urbana, que con el paso del tiempo atrajo la simpatía y el apoyo de ciertos elementos populares. La magnitud de la protesta y las posibilidades de violencia fueron tales que las autoridades centrales juzgaron prudente aceptar la derrota del PRI en el municipio. La derrota del partido oficial exigía una reorganización del grupo político local y las cabezas empezaron a caer. Una de ellas fue, naturalmente, la del gobernador Manuel Alvarez, impuesto por Santos. A partir de este momento el cacicazgo santista dejó de ser útil al gobierno central y, el brutal y pintoresco político potosino perdió su lugar como centro de la política local.

En ese año de 1959 y en San Luis Potosí, el sistema se mostró suficientemente flexible y prudente como para aceptar una derrota municipal e impedir así que se inflamara aún más una situación explosiva de por sí delicada. Cediendo lo cedido, había llegado sin embargo a su límite de tolerancia, y cuando en 1961 el doctor Nava trató de llevar su movimiento —una audacia más allá— en busca de la gubernatura del estado, la reacción del gobierno central fue negativa. Sin reparar en costos políticos decidió enfrentar a la oposición de manera abierta y definitiva, para no perder el monopolio sobre las gubernaturas estatales, piezas no negociables en el sistema de dominación. Como otros antes que él, además de acusar al PRI de fraude, Nava y su movimiento nada pudieron hacer cuando la fuerza federal sostuvo el triunfo del candidato priísta. Pasada la catarsis, la oposición navista perdió vigor y por un largo tiempo dejó de ser una fuerza política efectiva. La erupción cívica del navismo había herido de muerte al cacicazgo de Santos, pero no había podido reemplazarlo por un gobierno estatal independiente de la voluntad de la federación.

En el subsuelo campesino

Más delicado para el poder presidencial que el movimiento anticaciquil potosino, lo fue sin duda el movimiento de rebeldía que recorrió los sectores sociales claves del régimen posrevolucionario, a fines de la década de los cincuenta.

Al término del gobierno de Ruiz Cortines, en 1958, el norte del país fue testigo de una vigorosa movilización de grupos campesinos con invasiones de tierras dirigidas por organizaciones de ideologías relativamente radicales, al margen de las estructuras oficiales. Desde luego que no era la primera vez que ocurría. Cárdenas había expropiado las grandes propiedades de la región lagunera a raíz de la efervescencia creada por organizaciones campesinas que no necesariamente respondían a las directivas presidenciales.

A fines de los cincuenta dirigía la acción de campesinos y jornaleros, una organización de izquierda independiente, la Unión General de Obreros y Campesinos de México (UGOCM) a cuyo frente estaban Jacinto López y Félix Rubio. Los brotes de descontento culminaron con invasiones en Sonora, Sinaloa, La Laguna, Nayarit, Colima y Baja California, y enfrentaron a continuación la reacción múltiple de las autoridades locales y federales. Por un lado la fuerza pública atajó con violencia la ola de invasiones, llevó a cabo desalojos y detuvo a algunos de los líderes. Por otro lado, el presidente apresuró un tanto el paso en el proceso de distribución de tierras, cuyo clímax simbólico fue la expropiación del tristemente célebre latifundio de Cananea, de propiedad extranjera desde antes de la Revolución.

Al asumir el poder en 1958, el presidente Adolfo López Mateos (1958-1964) consideró que la paz social en el campo pedía a gritos una reactivación aún mayor de la reforma agraria; en los dos primeros años de su gobierno se repartieron 3.2 millones de hectáreas, y un gran total de 16 millones en el curso de su sexenio, camino en que abundaría su sucesor, Gustavo Díaz Ordaz (1964-1970). Como se puede ver, la estabilidad del sistema político no se basó sólo ni principalmente en el uso de la fuerza, sino fundamentalmente en la capacidad de sus dirigentes para evitar la movilización de fuerzas sociales con liderato independiente; para ello negoció, incorporó y dio satisfacción parcial a demandas presentadas e incluso se adelantó en la solución de problemas que eran crisis en potencia.

Los hijos del riel

El control del movimiento obrero por las centrales y los sindicatos nacionales de industria, ha sido uno de los cimientos históricos de la estabilidad política de México a partir de la Revolución. Pero no ha sido un control fácil ni garantizado de antemano, como bien lo demostró la disonancia obrera de 1958-1959, particularmente en los ferrocarriles.

Desde 1934-1937 no se había vivido en México una agitación obrera como la de fines del gobierno de Ruiz Cortines y principios del de López Mateos. Con los ferrocarrileros se movilizaron también petroleros, maestros, telefonistas, telegrafistas y electricistas: el núcleo de trabajadores y empleados gubernamentales que ocupaban el centro estratégico del movimiento sindical. La militancia magisterial y obrera —muy particularmente la ferrocarrilera— se debió en buena medida al rezago de los salarios en el proceso inflacionario previo al "desarrollo estabilizador". El cambio sexenal de 1958 apareció a los ojos de un liderato obrero insurgente surgido a la sombra de la incapacidad de los líderes oficiales, como el del sindicalismo, exigiendo mayores salarios pero también mayor autonomía. El movimiento se venía gestando desde 1954, en que varias secciones del Sindicato Nacional de Trabajadores Ferrocarrileros acudieron a la acción directa por un mejoramiento de las condiciones de trabajo y contra las directivas de sus líderes nacionales (los salarios en esta rama eran notoriamente más bajos que en las otras áreas estratégicas de la economía). Acusados de "tortuguismo", los disidentes fueron reprimidos en 1955, pero el malestar no desapareció, sino que creció subterráneamente hasta que en 1958 se había traducido en el surgimiento de un liderato independiente y militante encabezado por Demetrio Vallejo, representante de la sección 13 del sindicato, y por Valentín Campa, veterano militante del Partido Comunista. En junio, diversos incidentes violentos intersindicales y varios paros afectaron a todo el sistema y sacudieron la osamenta sindical al grado de provocar la caída del desprestigiado comité ejecutivo encabezado por Samuel Ortega.

En agosto de 1958, y para no echar gasolina al fuego en el momento del cambio sexenal, el gobierno se resignó a la idea de reconocer el triunfo de Vallejo en las elecciones sindicales como un mal menor. La presencia de un liderato independiente en un sindicato estratégico fue visto por muchos como la convocatoria pública a una nueva etapa en el movimiento obrero. En ciertos círculos gubernamentales se confiaba en la eventual incorporación de los insurgentes, pero de momento y para no ser rebasados la CTM y el sindicalismo oficial en su conjunto parecieron adoptar una actitud más militante en defensa de los intereses de sus agremiados frente al capital. A la vez, la CTM no cesó de atacar a la directiva ferrocarrilera y en general a todo el movimiento disidente.

La nueva directiva sindical ferrocarrilera empezó a negociar el contrato colectivo con nuevas autoridades, pues López Mateos había ya asumido el poder, pero tras largas y acaloradas pláticas, no fue posible llegar a un acuerdo. El sindicato decidió llamar a la huelga en febrero de 1959. El conflicto se había convertido para entonces en un verdadero problema nacional. Los ferrocarrileros, seguidos por maestros y petroleros, eran la cresta de la ola, y ponían en aprietos la marcha normal de la economía pero sobre todo de la política. Todo parecía indicar que el control del movimiento obrero empezaba a escaparse de las manos de las autoridades. La situación parecía llevar a un cambio fundamental en la naturaleza del sistema político, pues rebasaba los límites tradicionales del pluralismo restringido —partidario o sindical— que era la base del control piramidado sobre los actores políticos estratégicos.

La huelga estalló el 25 de febrero. Empresa y autoridades la declararon ilegal, pero aceptaron dar un aumento del 16.6 por ciento. El servicio se restableció pero no la calma. En marzo, el sindicato volvió a emplazar a huelga, esta vez para negociar los contratos en los sistemas del Ferrocarril Mexicano y del Pacífico. De nuevo las autoridades declararon inexistente el movimiento y entonces vino la sorpresa. Por solidaridad con las secciones emplazantes, todo el sistema ferrocarrilero se sumó al paro, y colmó con ello los límites de la tolerancia presidencial. De inmediato policía y ejército entraron en acción, miles de trabajadores ferrocarrileros fueron arrestados y su huelga rota con lujo de violencia. Una vez que los principales líderes se encontraron en prisión, se procedió a enjuiciarlos y a designar una nueva directiva. Así, de golpe, se restableció el control oficial sobre el gremio ferrocarrilero y sobre los impulsos levantiscos de todo el movimiento obrero en general; Vallejo y Campa pasarían largos años en la cárcel antes de poder volver a la vida sindical activa, y para entonces sus posibilidades de acción se encontraron muy limitadas.

La noche de Tlatelolco

Durante los siguientes diez años la vida política mexicana se desarrolló sin que ninguno de sus conflictos políticos pareciera un reto serio para los dirigentes del país. Pero en 1968 volvieron a crujir las amarras. Los contestatarios no procedían esta vez de los cimientos del sistema, los sectores obrero o campesino, sino de los grupos medios urbanos y sus estratos más ilustrados y menos controlables: los estudiantes y profesores universitarios. El escenario no fue un estado, como en el caso de San Luis Potosí, ni las redes de un sindicato, como en el caso ferrocarrilero, sino las calles y las plazas del centro neurálgico del poder: la ciudad de México.

Desde los principios del régimen posrevolucionario, algunos sectores politizados de la clase media se habían manifestado contra la falta de democracia, como fue el caso del movimiento vasconcelista en 1929. 1968 fue un capítulo más de esa larga historia. En julio de ese año, una torpe escalada represiva contra manifestaciones estudiantiles con nulo o escaso contenido político, hizo aflorar inconteniblemente el profundo malestar político tradicional de esos sectores encarnados ahora en los jóvenes universitarios que eran a su vez la expresión del cambio demográfico de la sociedad mexicana. Para septiembre, el litigio había desembocado en la agitación más abierta, constante y multitudinaria de la historia contemporánea de México. Los amplios contingentes desfilaban en protesta por las calles, atacaban de frente al presidente y a funcionarios menores aunque cercanos, y al sistema mismo, por antidemocrático. Las organizaciones estudiantiles tradicionales, muy ligadas al PRI y al gobierno en general, habían perdido todo control y habían sido sustituidas por nuevos lideratos representativos brotados al calor de los acontecimientos. Sucedían las cosas, además, justamente en los meses previos a la Olimpiada de ese año en una ciudad ocupada por corresponsales de todo el mundo ante los cuales el gobierno quería ostentar los fastos de la paz y el progreso mexicanos.

Tras series sucesivas de manifestaciones, represiones e intentos de negociación, en vísperas de la apertura de los juegos, el presidente y sus responsables políticos consideraron intolerable el desafío al principio de autoridad y el 2 de octubre de 1968 el ejército y la policía acabaron de raíz con la protesta mediante una matanza indiscriminada de manifestantes en la Plaza de las Tres Culturas en Tlatelolco. Los líderes del movimiento fueron arrestados y el terror suprimió la movilización. Pero las bases de la legitimidad del régimen frente a un amplio sector de la clase media, beneficiaria del sistema y fuente de reclutamiento de los cuadros de la administración, quedaron indeleblemente erosionadas.

El gobierno de Luis Echeverría, que asumió el poder a fines de 1970, fue especialmente deferente con el mundo universitario y siguió una política de "apertura democrática" para volver a integrar, así fuera parcialmente, a los grupos enajenados por la matanza de Tlatelolco. La guerrilla urbana y otros movimientos contestatarios similares, secuelas directas e indirectas de la represión del 68, fueron combatidos frontalmente, al tiempo que menudeaban subsidios y gestos de buena voluntad hacia las universidades. La reforma política de 1977 puede verse como la culminación de este largo proceso de "vuelta a la normalidad", un proceso largo, costoso y elaborado de reconciliación y cooptación, explicable sólo por la magnitud del agravio original.

Política y bombín. Los empresarios frente al Estado

El tipo de desarrollo favorecido por los gobiernos posrevolucionarios benefició notablemente la acumulación acelerada del capital, pero no expulsó plenamente el conflicto de la relación privilegiada entre la gran burguesía nacional y extranjera y la élite política. Está en la naturaleza misma del sistema político mexicano que el Estado intente mantener su predominio por sobre todos y cada uno de los actores políticos, incluyendo al poderoso sector privado de la economía. La mecánica de la acumulación del capital requiere, no obstante, que con el paso del tiempo la debilidad relativa de esos grupos empresariales frente al Estado sea cada vez menor y en momentos críticos puedan movilizar recursos suficientes para obligar al Estado a rectificar sus decisiones. Uno de los ejemplos más dramáticos en ese sentido es el de la reforma fiscal intentada durante el sexenio del presidente Echeverría (1970-1976).

Como se ha dicho antes, desde principios de los años sesenta, estudiosos nacionales y extranjeros de la realidad mexicana, insistieron en que la estabilidad social y la salud misma de la economía mexicana requería de una cierta redistribución del ingreso, mediante una reforma fiscal que diera al Estado una parte más sustantiva del producto nacional y evitara una concentración y un endeudamiento externo excesivo. Entre 1965 y 1970 el déficit del gobierno federal fue de 20 por ciento; en 1966, por ejemplo, el 32 por ciento de la inversión pública debió financiarse con recursos externos ante la insuficiencia de la recaudación fiscal. El Estado Mexicano no captaba entonces recursos internos por más del 10 por ciento del producto nacional bruto, proporción notablemente baja aún para los niveles latinoamericanos de baja tributación. De 72 países estudiados por el Fondo Monetario Internacional en 1968, sólo cinco tenían cargas fiscales menores que México. En la exposición de motivos de la Iniciativa de Ley de Ingresos de la Federación para 1971, se decía explícitamente que había llegado el momento de "financiar preponderantemente el gasto público a través del sistema tributario, poniendo especial énfasis en la modernización de su manejo". Se preparaba así el terreno para una reforma fiscal de fondo. La parte sustantiva de esta reforma, según sus formuladores, debería poner fin al anonimato de los tenedores de acciones para poder calcular el ingreso real por las personas físicas, globalizar sus ingresos y determinar sobre esa base el monto del impuesto sobre la renta. Nunca, en la historia mexicana, se había propuesto el Estado extraer de las capas altas una contribución tan alta y de manera permanente.

El sector empresarial reaccionó contra la medida con más vigor del esperado. En enero de 1971 la Confederación Patronal de la República

Mexicana (COPARMEX) entregó al presidente una nota quejándose de no haber sido previamente consultada y describiendo las proyectadas reformas como incongruentes y excesivas. A partir de ese momento, las relaciones entre el gobierno de Echeverría y la gran empresa privada se volvieron tensas y habrían de terminar, como se verá adelante, en un enfrentamiento abierto. Pero el Estado no cejó en sus propósitos. En 1973 se llevaron a cabo diversas negociaciones burocráticas de los responsables de la política económica oficial con los representantes del sector empresarial. Sin asumir una posición monolítica, la mayoría empresarial se manifestó contra el proyecto elaborado por los técnicos del gobierno y señaló que si su posición no era escuchada, la inversión privada se retraería aún más, habría fugas masivas de capital y sería inevitable una devaluación que daría al traste con el "desarrollo estabilizador" y con el crecimiento económico. Cuando el presidente se reunió con sus consejeros, las opiniones se dividieron; quienes aconsejaron prudencia y dejar de lado el proyecto, prevalecieron sobre los decididos a pagar el costo económico y político de una reforma fiscal a fondo, a cambio de modernizar y sanear en el mediano y largo plazo las finanzas públicas.

La decisión produjo la renuncia del secretario de Hacienda. A fin de cuentas los cambios fiscales que siguieron fueron relativamente menores y afectaron a la clase media con ingresos fijos y muy poco a los grandes inversionistas. La modernización fiscal se quedó a la mitad del camino. Las utilidades de las empresas de ese año de 1973 fueron las mayores de los quince años anteriores. Y aunque el porcentaje del producto interno bruto captado por el Estado aumentó (fue del 14 por ciento) también lo hizo el déficit fiscal del gobierno federal, y el Estado debió de recurrir a un aumento del 29.6 por ciento en su deuda externa.

Posponer la reforma fiscal resultó una decisión crucial del gobierno de Luis Echeverría. En cierta medida ese proyecto de reforma era la piedra de toque de todo su programa y al abandonarlo el conjunto de su acción pública perdió el impulso vital. La posición del Estado frente a la iniciativa privada se debilitó, sin que eso produjera al menos un mejoramiento en las relaciones con los grandes grupos empresariales, porque la retórica populista del gobierno aumentó en razón inversa a su retirada de una reforma fiscal sustantiva. A la larga, el gobierno pagó el precio de un choque con el sector privado sin haber logrado la reforma estructural que originalmente pretendió. La inversión pública tuvo que seguir aumentando para compensar la poca inversión privada. Tres años más tarde, la situación era imposible. Con un déficit comercial de 1,749 millones de dólares en 1976, con una deuda externa acumulada superior a los 20 mil millones de dólares y una fuga masiva de capitales, el gobierno se topó de pronto con la necesidad económica y el shock político de una devaluación del 100 por ciento frente al dólar: la primera devaluación en 22 años. La economía se estancó y la falta de confianza se generalizó. Corrieron los rumores más descabellados sobre una catástrofe política y económica; fueron los peores momentos del gobierno de Echeverría y uno de los más difíciles del régimen posrevolucionario.

La confrontación entre gobierno y sector privado cruzó el sexenio y desembocó en el decreto presidencial del 19 de noviembre de 1976, en virtud del cual se expropiaron a 72 familias, algunas de ellas muy poderosas, cien mil hectáreas de las codiciadas tierras de los valles de los ríos Yaqui y Mayo; de nada sirvieron en esta ocasión las ruidosas protestas de la COPARMEX ni el paro de labores decretado por el sector privado de Sonora y Sinaloa. Las tierras se repartieron entre más de ocho mil ejidatarios.

Del ostracismo a la cooperación

Con la culminación durante el cardenismo del proceso revolucionario iniciado en 1910, también llegó a su punto más alto el nacionalismo mexicano. A partir de 1940 los conflictos entre México y el mundo exterior, en particular con Estados Unidos y los principales países de Europa Occidental, disminuyeron e incluso cambiaron de naturaleza; México no intentaría ya cambiar drástica y unilateralmente las reglas del juego internacional. Sin embargo, los gobiernos posrevolucionarios no hicieron a un lado el nacionalismo y la insistencia en el valor permanente y universal de principios como los contenidos en la "Doctrina Carranza" sirvió como prueba de la naturaleza "revolucionaria" de los gobiernos de Avila Camacho y los que le siguieron. Nacionalismo, democracia y justicia social, fueron el trípode discursivo de la legitimidad del sistema político del México contemporáneo, pero los esfuerzos por mantener y aumentar la independencia relativa ganada durante la Revolución, no pudieron evitar que a partir de la segunda Guerra Mundial el carácter de México como parte de la esfera de influencia norteamericana se hiciera más patente.

El efecto inmediato fue positivo. Washington necesitaba de la estrecha colaboración de su vecino sureño y estuvo dispuesto a llegar a un rápido arreglo de los problemas pendientes entre los dos países. En 1942 y 1943 se suscribieron acuerdos sobre monto y términos de pago a las empresas petroleras expropiadas en 1938, en condiciones muy favorables para México. Se puso punto final al problema de pago de la vieja deuda externa y se firmó un tratado comercial y otro de braceros, que serían la contribución de México al esfuerzo bélico de los aliados.

Cuando la gran contienda terminó, México había superado de manera definitiva la etapa de ostracismo a que lo había sometido una buena parte de la comunidad internacional. El país participó activamente, y desde el principio, en la formación de la Organización de las Naciones Unidas y en la estructuración del sistema interamericano. Sus intercambios con el exterior se ampliaron con los requerimientos económicos de la industrialización, volvió a ser sujeto de créditos para la banca internacional y la inversión extranjera regresó. Envuelto en esa nueva respetabilidad, México se insertó de nuevo en las corrientes de comercio y del flujo internacional de capitales, pero ahora como vecino de la indiscutible primera potencia mundial. Casi inevitablemente sus relaciones exteriores se volvieron sinónimo de sus relaciones con los Estados Unidos. Con el paso del tiempo las inversiones europeas volvieron y se amplió el abanico de países con lo que se tuvieron intercambios comerciales. México abrió nuevas embajadas y acreditó representaciones en muchos de los países que surgieron a la vida independiente después de la guerra. Sin embargo, el grueso de los intercambios políticos o económicos siguieron concentrados en el vecino del norte, y la economía mexicana resultó tan dependiente o más que en el pasado.

Para 1947 la estrecha —aunque forzada— colaboración que tuvieron durante la guerra Estados Unidos y la Unión Soviética, se había transformado en un abierto enfrentamiento que desembocó en la llamada "guerra fría". El sistema internacional se dividió en dos bloques y México quedó inscrito, queriéndolo o no, dentro del autodenominado "mundo libre", con Estados Unidos a la cabeza. Sin embargo, a diferencia de otras naciones del hemisferio, procuró mantener una relativa distancia frente a la política norteamericana de militante anticomunismo internacional. No suscribió un acuerdo de cooperación militar con Estados Unidos, tampoco participó en la guerra de Corea, ni apoyó el movimiento subversivo contra el gobierno reformista de Jacobo Arbenz en Guatemala, ni rompió relaciones con Cuba cuando ésta se enfrentó con Estados Unidos, al declararse Estado socialista y ser expulsada de la Organización de Estados Americanos (OEA). Por otro lado, México se cuidó de colaborar de manera efectiva con los condenados por el gobierno de Washington. Simplemente enarboló su tradicional principio de no intervención y evitó llevar su política anticomunista interna al campo internacional. Para que el nacionalismo viviera, era necesario mantener una distancia, así fuera mínima, respecto a Estados Unidos.

A principios de los años setenta, el gobierno mexicano hizo un esfuerzo por aprovechar la disminución de las tensiones entre Estados Unidos y la Unión Soviética —la *detente*— para ampliar sus márgenes internacionales de maniobra. Se acercó entonces como nunca antes a la posición sostenida por los países del llamado "tercer mundo", pero la nueva política tenía bases débiles, las debilidades propias de la economía mexicana: su dependencia. La crisis económica de 1976 puso un límite muy claro a la acción "tercermundista" del gobierno del presidente Echeverría. El gobierno de José López Portillo, que lo sucedió, asumió inicialmente actitudes más prudentes para enfrentar algunos problemas inmediatos como la debilidad del peso y la enorme deuda externa. Pero conforme se evidenciaron las posibilidades petroleras, la estrechez de la acción externa de México disminuyó y volvieron a ampliarse sus contactos externos como un medio para aflojar el apretado abrazo que lo ligaba con los Estados Unidos.

Los beneficios de la guerra

Veamos ahora más de cerca la naturaleza de esta relación bilateral. Desde principios de 1941, antes de que Estados Unidos entrara a la guerra, el gobierno norteamericano empezó a sondear la posibilidad de construir bases navales en la costa mexicana del Pacífico. Preveía ya las necesidades estratégicas de un posible enfrentamiento con los japoneses. La respuesta de México no fue particularmente entusiasta, dio a entender que prefería tener ayuda para reforzar su propio ejército para vigilar eficazmente y por sí mismo su territorio contra posibles acciones del Eje. En todo caso, no podría discutir plenamente los términos de la cooperación en la seguridad continental si antes no se solucionaban los múltiples problemas pendientes con Estados Unidos.

En 1941, México y Estados Unidos firmaron un acuerdo para que los aviones de guerra de cada uno de ellos pudieran utilizar los aeropuertos del otro cuando lo cruzaran en tránsito. Eran facilidades a los norteamericanos en su esfuerzo por proteger el Canal de Panamá. Se empezaron a negociar también acuerdos para la compra de materiales estratégicos mexicanos, pero el problema petrolero bloqueaba el camino hacia una cooperación más amplia. Ese mismo año de 1941 el Departamento de Estado —contra los deseos de las empresas afectadas en 1938— aceptó nombrar una comisión para valuar las propiedades expropiadas y la forma de pagarlas. En noviembre se llegó a un acuerdo: un grupo mixto de expertos oficiales valuarían las propiedades expropiadas, aunque las empresas no estaban obligadas a seguir sus conclusiones. En 1942, ya con Estados Unidos en guerra, se aceptó que México pagara 24 millones de dólares de indemnización y 5 de intereses a la Standard Oil y a las otras empresas norteamericanas aún no compensadas por Cárdenas (el último pago se haría en 1949). Se acordó también que las reclamaciones por expropiaciones agrarias y por daños causados en México a ciudadanos norteamericanos durante la Revolución, se cubrirían con un pago global de 40 millones de dólares. Por su parte, Estados Unidos aceptó adquirir plata mexicana hasta por 25 millones de dólares anuales y otorgar un crédito por 40 millones de dólares a México para que estabilizara el peso, más otro por 30 millones para mejorar la red interna de comunicaciones, medida necesaria si se quería aumentar el intercambio con Estados Unidos. Finalmente, se negoció un tratado de comercio, fijando en realidad los términos en que México contribuiría a la causa aliada.

El ejército mexicano se reequipó con créditos norteamericanos, cooperó en la vigilancia de la región e incluso y, por razones simbólicas, envió un escuadrón aéreo al teatro del Pacífico. México también aceptó que sus ciudadanos residentes en Estados Unidos fueran enlistados en el ejército siempre que pudiera hacerse lo mismo con los norteamericanos residentes en México, supuesto que resultó enteramente teórico. Alrededor de 15 mil mexicanos sirvieron en las fuerzas armadas estadunidenses. Por último, México y Estados Unidos firmaron un tratado de braceros, según el cual hasta 200 mil mexicanos podían trabajar en los campos agrícolas norteamericanos, los ferrocarriles, etc., sustituyendo la mano de obra absorbida por el ejército y otras actividades bélicas.

La guerra también permitió que México reestableciera relaciones con dos de las grandes potencias aliadas: Gran Bretaña —rotas desde 1938 a raíz de la expropiación petrolera— y la Unión Soviética, suspendidas desde 1931. Sin problemas para nadie, México pudo así ser miembro activo del pacto de las Naciones Unidas.

Buena y mala vecindad

La política hemisférica de "buena voluntad" del presidente Roosevelt y la cooperación durante la guerra, alimentaron el optimismo de ciertos sectores nacionales en el sentido de que la relación bilateral había cambiado sustancial y permanentemente. El secretario de Relaciones Exteriores de Avila Camacho, Ezequiel Padilla, personificó esta actitud. En la posguerra, el propio presidente Miguel Alemán —sin abandonar el tema nacionalista— creyó posible también borrar el antagonismo de fondo y subrayar la complementariedad de las economías y la coincidencia de los proyectos políticos a largo plazo.

En realidad, la cooperación durante la guerra no careció de fricciones. Se llegó a un arreglo sobre el pago de la expropiación petrolera, pero el Departamento de Estado y, en particular, el embajador George Messersmith, esgrimiendo los problemas económicos de PEMEX, trató de inducir a Avila Camacho a aceptar algún tipo de asociación con las empresas expropiadas. Luego de un intenso debate interno, en 1943 Estados Unidos aceptó otorgar un préstamo por diez millones de dólares a la empresa petrolera mexicana para mejorar su capacidad de refinación, pero sólo porque esto contribuía de manera indirecta al esfuerzo bélico. Cuando al final de la guerra México solicitó un segundo préstamo para PEMEX, Washington lo condicionó a que los nuevos depósitos que se desarrollaron con su ayuda quedaran como reservas estratégicas de Estados Unidos y no fueran explotadas comercialmente: si México necesitaba recursos para una inversión estrictamente comercial, entonces debería buscarlos con las empresas petroleras privadas. La naturaleza de condicionamiento hizo que México desistiera del empeño. Sólo hasta el fin del gobierno de Alemán, a principios de los cincuenta, Estados Unidos aceptó finalmente que no podría tener ingerencia directa en la industria petrolera mexicana. Sólo entonces la expropiación de 1938 quedó libre de presiones externas.

Con el gobierno de Miguel Alemán (1946-1952) coinciden el debilitamiento de la influencia cardenista, el inicio del proyecto desarrollista y los principios de la guerra fría. El gobierno mexicano reiteró su apoyo a la política de "buena vecindad" y al mantenimiento de relaciones estrechas y cooperación amistosa entre los países del hemisferio occidental. En 1947 hubo visitas mutuas de los presidentes de ambos países caracterizadas por el entusiasmo oficial de ambas partes. Estados Unidos volvió a apoyar el peso mexicano y el EXIMBANK ofreció a México 50 millones de dólares para proyectos de desarrollo. Ese año se estableció también la comisión mixta para la erradicación de la fiebre aftosa en México, una calamidad que costó a los Estados Unidos 20 millones de dólares, a México el sacrificio de 160 mil cabezas de ganado y amargas disputas con los campesinos y ganaderos afectados.

Pese a los buenos deseos de mantener, o al menos prolongar, el espíritu de cooperación de ambos países durante la guerra, la realidad fue imponiendo sus intereses divergentes en varios campos.

Espaldas mojadas

Durante la guerra, la economía norteamericana había necesitado mano de obra no calificada al punto que la demanda superó a la oferta y fue necesario recibir braceros de México. Pero al final de la contienda, la desmovilización lanzó al mercado de trabajo norteamericano a cientos de miles de excombatientes a la vez que el ritmo de producción disminuyó en algunas ramas. Los sindicatos norteamericanos reanudaron la presión para que se devolvieran a sus compatriotas muchas de las plazas ocupadas por braceros mexicanos. No obstante, la corriente de trabajadores mexicanos hacia Estados Unidos no cesó ni mucho menos. En 1950 las autoridades migratorias de ese país detuvieron y deportaron a más de medio millón de mexicanos no documentados, los tristemente célebres "espaldas mojadas".

En 1951, tras arduas negociaciones, se firmó entre ambos países un segundo tratado de braceros. México insistía en que la contratación no la hiciera directamente el empleador, como deseaba Estados Unidos, sino el mismo gobierno norteamericano, pues sólo así habría una garantía mínima sobre las condiciones de trabajo. La experiencia había demostrado que los granjeros tendían a otorgar a los trabajadores mexicanos condiciones y salarios por debajo de los mínimos estadunidenses. Los mexicanos contratados según ese mecanismo, fueron menos de los que deseaban trabajar en el país vecino y la corriente de trabajadores no documentados siguió en aumento, junto con los abusos en su contra y las deportaciones.

En 1954 se intentó renegociar el acuerdo. México insistió en exigir mayores garantías y el gobierno norteamericano simplemente dejó expirar el acuerdo para proceder luego a la contratación unilateral. La respuesta oficial mexicana fue tratar de impedir que los braceros cruzaran la frontera, esfuerzo inútil que provocó motines. Miles de trabajadores mexicanos ignoraron las órdenes del gobierno, simplemente se internaron en el país vecino en busca de trabajo y México no tuvo más remedio que renovar el acuerdo de 1951. Quedó esto como lección: México no volvería a tratar de regular el flujo de trabajadores que cruzaban la frontera hacia el norte.

Pero la presión de los sindicatos norteamericanos contra los trabajadores mexicanos no cejó y en 1964 Estados Unidos dio definitivamente por terminado el acuerdo de braceros. Sin embargo, las fuerzas que empujaban a los trabajadores mexicanos a ir a Estados Unidos, —desempleo o búsqueda de mejores salarios— no sólo no desaparecieron, sino que en cierto sentido se acentuaron. La demanda de mano de obra barata no especializada de los grandes agricultores norteamericanos y ciertas industrias, continuó. Y el flujo de braceros, ahora ilegales, siguió en aumento, aunque ya sin ningún mecanismo oficial que pudiera servirles de protección. Para fines de los años setenta la emigración indocumentada de mexicanos a Estados Unidos —que en gran medida era una emigración temporal y no permanente— ascendía a varios millones y constituía uno de los principales problemas de las relaciones entre los dos países.

El fin de la relación especial

Otro problema central en las relaciones bilaterales ha sido el del proteccionismo y el comercio. En 1942, como ya se vio, el intercambio comercial entre México y los Estados Unidos quedó regulado por un tratado, pero al concluir la contienda mundial México estaba más decidido que nunca a seguir adelante con su incipiente proceso de industrialización a base de sustitución de importaciones, lo que requería, entre otras cosas, una alta barrera proteccionista para defender a los industriales en México de la competencia externa. Por ello, a pesar de la oposición norteamericana a la protección y a su insistencia de renovar el tratado, México se negó y en 1950 Estados Unidos se resignó a vivir con el proteccionismo mexicano. A la larga muchas empresas norteamericanas encontraron útil este proteccionismo: aquellas que se decidieron a instalar plantas al sur de su frontera y a producir para el mercado mexicano. De todas formas, el gobierno de Estados Unidos no quitó el dedo del renglón y puso restricciones a buen número de las exportaciones mexicanas. La segunda mitad de los años setenta y la primera de los ochenta fue marcada por la continua discusión bilateral sobre la conveniencia de que México suscribiera el Acuerdo General de Aranceles y Comercio (GATT) o encontrara otras vías de abrir más sus fronteras a las mercancías extranjeras, si deseaba tener mayor acceso con sus productos manufacturados a los mercados de los países desarrollados, en particular al norteamericano.

Temas de litigio bilateral fueron también la reintegración a México del territorio fronterizo de El Chamizal, cuyo origen, remontado al siglo XIX, únicamente se solucionó hasta 1963; el acuerdo sobre las rutas aéreas comerciales, que empezó a negociarse en 1945 y sólo se pudo concluir en 1957; la controversia sobre los derechos de pesca, viva por diecisiete años a partir de 1950, volvió a revivir a fines de los años setenta; la salinidad de las aguas del río Colorado, producto de un lavado de tierras salobres en Estados Unidos iniciado en 1961, se empezó a resolver realmente en 1973; el *dumping* algodonero norteamericano de los años cincuenta, que afectó negativamente las exportaciones mexicanas de esa fibra; las restricciones a través de cuotas a las exportaciones mexicanas de plomo, zinc o azúcar que tuvieron lugar entre 1957 y 1965; la sobretasa del 10 por ciento que impuso Estados Unidos a todas sus importaciones en 1971 y de la cual México trató sin éxito de que se le eximiera, el contrabando de drogas de México a los Estados Unidos se incrementó en el decenio de los sesenta y llegó a un punto crítico a mediados de los ochenta; en dos ocasiones Washington ordenó una serie de restricciones al enorme flujo de personas en la frontera para obligar a México a desarrollar campañas más activas contra los traficantes, creando con ello serias tensiones políticas; la negativa del Departamento de Energía norteamericano en 1977 a permitir la venta de gas mexicano a empresas norteamericanas a un precio previamente fijado entre las partes contratantes y a pesar de que México había iniciado la construcción de un costoso gasoducto. Al finalizar los años setenta, se había disipado la idea —producto de la alianza durante la segunda Guerra Mundial— de apelar a una "relación especial" entre México y Estados Unidos para solucionar los problemas entre ambos países. La naturaleza de la relación bilateral se percibió entonces de manera más realista: había que tratar de mantener relaciones cordiales con el vecino del norte pero partiendo de la existencia de antagonismos estructurales que hacían imposible una compatibilidad absoluta de intereses.

La relación directa con Estados Unidos no agotó el universo de la relación de México con ese país, pues parte de esta relación se llevó a cabo en foros multilaterales, como las organizaciones latinoamericanas, las Naciones Unidas y otras similares. Al concluir la segunda Guerra Mundial, la posibilidad de una alianza interamericana permanente resultó muy atractiva para México. Se consideraba entonces que a cambio del apoyo político de América Latina, Estados Unidos otorgaría a la región la ayuda suficiente para acelerar su transformación económica. El fracaso de esta posición en la conferencia interamericana de Chapultepec fue un duro golpe para quienes abogaban entonces por unir más a México con Estados Unidos. Pese a todo, México suscribió en 1947, junto con Estados Unidos y el resto de los países latinoamericanos, el Tratado Interamericano de Asistencia Recíproca, instrumento que consolidaba la alianza político-militar con Estados Unidos y sentaba las bases para una acción conjunta de los países de la región en caso de un ataque extracontinental. Justamente en ese momento, la ayuda económica oficial norteamericana —el llamado Plan Marshall— se volcó hacia Europa Occidental y no hacia America Latina. México perdió buena parte de su entusiasmo por el sistema interamericano y su participación en la OEA estuvo menos encaminada a fortalecer las ligas políticas hemisféricas que a objetar los intentos norteamericanos de usar la organización para legitimar sus intervenciones en casos como los de Guatemala en los años cincuenta y los de Cuba y la República Dominicana en el decenio siguiente. En foros más amplios, sobre todo en las Naciones Unidas,

México mantuvo una posición prudente: no contrarió la posición norteamericana en cuestiones vitales como la "guerra fría", pero trató de mantener una cierta distancia de Washington.

Puertas al campo

Es cierto que a partir de 1940 la relación con Estados Unidos siguió siendo el meollo de la política exterior mexicana; también lo es sin embargo, que persistieron los esfuerzos mexicanos para hacer menos asfixiante la relación. Las trabas a las exportaciones de materias primas mexicanas al mercado estadunidense de los años cincuenta y el deterioro comercial, llevaron a los dirigentes mexicanos a pensar en diversificar mercados. Entre 1956 y 1961 el valor de las exportaciones mexicanas se mantuvo prácticamente estacionario, en buena medida por la baja en los precios de artículos tales como café, algodón, plomo, zinc, camarón, etc. En contraste, el valor de las importaciones aumentó constantemente, de tal manera que la debilidad del comercio exterior empezó a afectar el esquema mismo de desarrollo del país.

Durante el gobierno de Adolfo López Mateos (1958-1964) se dieron pasos concretos para entablar relaciones políticas y económicas con las naciones que acababan de surgir a la vida independiente, aunque sin llegar a ligarse formalmente con el llamado grupo de los no alineados, encabezado por India, Yugoslavia y Egipto. Se trató también de revitalizar los lazos económicos con los países europeos occidentales y Japón y establecerlos a un nivel significativo con el bloque socialista. Se buscó la diversificación dentro de América Latina a través de la ALALC, a la que se consideró como el paso inicial para la eventual constitución de un verdadero mercado común de los países de la región.

Los resultados de estos esfuerzos fueron magros. Europa y Japón no intentaron ni pudieron tener en México la presencia que México deseaba. Los países africanos y asiáticos con quienes se establecieron vínculos diplomáticos, simplemente no estuvieron en posibilidad de efectuar ningún intercambio sustantivo por tratarse de economías débiles y complementarias. La ALALC finalmente se empantanó ante la imposibilidad de que los diversos países latinoamericanos sacrificaran sus intereses particulares inmediatos, en aras de una integración futura.

En este contexto de búsqueda de alternativas a la dependencia de los Estados Unidos, el gobierno del presidente Echeverría lanzó una nueva ofensiva internacional, más ambiciosa aún que la de López Mateos, para abrir a México esos nuevos mercados y foros políticos internacionales.

Se crearon entonces dos instituciones especializadas para apoyar esta política: el Instituto Mexicano de Comercio Exterior para fomentar las exportaciones y el Consejo Nacional de Ciencia y Tecnología, para disminuir la dependencia tecnológica alentando la creación de fuentes propias. Echeverría efectuó además una docena de giras internacionales que lo llevaron a alrededor de 40 países y a designar como embajadores a un buen número de economistas. Esta diversificación de contactos internacionales quedó inscrita dentro de un marco discursivo antiimperialista y de defensa de la posición del "tercer mundo". La concreción mayor de esta política fue la adopción por parte de las Naciones Unidas de la "Carta de Derechos y Deberes Económicos de los Estados", propuesta por México, contra el sentir de los grandes países industriales. Adoptada la carta, lo verdaderamente difícil —y que resultó imposible— fue lograr que se pusiera en práctica. México se topó en este empeño con la falta de voluntad política de las grandes economías industriales, más preocupadas por evitar una recesión a través del proteccionismo que en auxiliar a los países en desarrollo. La acción tercermundista de México, así como su acercamiento al régimen socialista chileno de Salvador Allende, irritó a ciertos círculos norteamericanos sin que lograra despertar una respuesta interna de apoyo sustantivo. La nueva política exterior del presidente Echeverría coincidió con la crisis general del desarrollismo mexicano, lo que ocasionó su debilitamiento y posterior fracaso. El déficit comercial creció a velocidad espectacular en los años setenta y, con ello, el endeudamiento externo, contratado en su gran parte con instituciones norteamericanas. Al finalizar el gobierno de Luis Echeverría, era claro que un legítimo esfuerzo por disminuir la dependencia no había dado el resultado esperado.

La tónica pesimista que imperó en los círculos políticos y económicos en México en 1976 y 1977 empezó a dar lugar a un cauto optimismo en 1978 a raíz de los anuncios de importantes descubrimientos de petróleo y gas en el sureste de México.

En un tiempo sorprendentemente corto, México se colocó en el sexto lugar mundial por sus reservas de hidrocarburos. El ritmo de crecimiento económico se recuperó y ese año de 1978 alcanzó el 4 por ciento. Mientras otros países sufrían un receso, se predecía en México un ritmo mayor de crecimiento para el futuro inmediato. Frente al auge petrolero (más de dos millones de barriles diarios de producción en la primera mitad de 1980), la deuda pública externa de 30 mil millones de dólares no pareció tan grande como en el pasado, y la confianza en México dentro de los mercados internacionales de capital se restauró.

El gobierno de López Portillo no tardó mucho en retomar la idea de diversificar las relaciones económicas de México, esta vez con base en el intercambio petrolero. El mercado natural del gas y del petróleo mexicano era Estados Unidos y en 1978 ese país absorbió el 88.6% de las exportaciones mexicanas de hidrocarburos; sin embargo, la proporción empezó a disminuir después de un esfuerzo consciente por aumentar la importancia de clientes como Israel, España, Francia, Canadá, Japón o Suecia. La idea no era sólo enviar petróleo a esos países, sino condicionar su venta a un intercambio más complejo. Incluso el petróleo se empezó a usar como un elemento de la política general hacia Centroamérica, donde México empezó a dar claras muestras de estar dispuesto a apoyar efectivamente a los gobiernos y partidos reformistas. En fin, al concluir el decenio de los setenta, México volvía una vez más a buscar solución a su eterno dilema de política exterior: establecer una relación satisfactoria con los Estados Unidos pero no tan estrecha y unilateral que ahogara sus posibilidades de un desarrollo razonablemente autónomo. Pero otra vez la debilidad de la estructura económica resultó ser su talón de Aquiles.

En 1980, en medio de la euforia del petróleo, el gobierno del presidente López Portillo pudo responder a las presiones norteamericanas para que México se uniera al GATT, orquestando un gran debate nacional en donde se rechazó la idea por considerarla producto de las presiones imperialistas y contrarias al interés nacional. Al año siguiente, cuando el precio internacional del petróleo empezó a desplomarse, México fue la sede de una conferencia cumbre internacional entre los no muy entusiastas jefes de Estado de los países industrializados del norte y algunos de los líderes de las numerosas naciones subdesarrolladas del sur; la ambiciosa meta de López Portillo al convocar a la conferencia de Cancún era nada menos que lograr un acuerdo de cooperación económica más entre pobres y ricos, es decir, triunfar donde había fallado la Carta de Derechos y Deberes Económicos de los Estados propuesta por Echeverría. Para 1982 el mercado petrolero se había desplomado irremediablemente y México, con una de las deudas externas más grandes del mundo —alrededor de 83 mil millones de dólares— no estaba en la posibilidad de ser la punta de lanza de una negociación Norte-Sur ni de nada parecido.

En agosto de 1982, México informó que no estaba en posibilidad de hacer frente al pago de su deuda. La Reserva Federal de los Estados Unidos, el Departamento del Tesoro de ese país y once grandes bancos internacionales le extendieron a México un préstamo de emergencia por 1,850 millones de dólares, préstamo que México debería de pagar, en parte, con petróleo vendido a bajo precio a la Reserva Estratégica de Estados Unidos. Era el principio de una nueva crisis y el triste fin de una política que se había anunciado en sus inicios como el verdadero camino a la independencia económica.

VI

El desvanecimiento del milagro 1968-1989

Dos ritmos

Una visión de conjunto de los últimos cuarenta años de la historia mexicana podría reconocer en ellos dos tiempos o dos ritmos. El primero, que hemos llamado del milagro mexicano, va de 1940 a 1968 y está caracterizado por una notoria estabilidad política y un notorio crecimiento económico; el segundo, que va de 1968 a 1984, habría que llamarlo el de la transición mexicana, una transición de orden histórico que reabre la pregunta sobre la duración y el destino del sistema político e institucional derivado del pacto social que conocemos como Revolución Mexicana.

Según se ha visto, la estabilidad política se organiza en torno a la consolidación del presidencialismo como eje de la vida política y social de México. Los años que van de 1940 a 1968 presencian, por un lado, el retraimiento de focos claves del poder tradicional, como la iglesia y el ejército y, por otro, la desaparición de las escisiones en la «familia revolucionaria». En 1940, Juan Andrew Almazán compite con Manuel Avila Camacho por la Presidencia y le arranca gran parte de la votación de las ciudades. En 1946, la candidatura presidencial de Ezequiel Padilla contra la de Miguel Alemán tiene un impacto muchísimo menor.

En 1952, otro candidato independiente de la familia, Miguel Henríquez Guzmán, forma un partido —Federación de Partidos del Pueblo (FPP)— que subsiste después de la campaña, y que tiene que ser disuelto por la fuerza en febrero de 1954, pero que no deja secuelas. La nota característica de la sucesión de Adolfo López Mateos, en 1958, fue la unanimidad en el tapadismo, institución por excelencia del presidencialismo mexicano, que desde entonces permitió al jefe del ejecutivo escoger a solas y sin turbulencias a su sucesor. En 1957, año de la elección de su sucesor, el entonces presidente Adolfo Ruiz Cortines pudo solicitar a todas las fuerzas políticas del país que se concentraran en la discusión del programa de gobierno que debía implantarse y olvidaran el litigio sobre quién sería el candidato, asunto de interés menor que después se vería. Como lo recuerda José Revueltas en *México, una democracia bárbara*, todas las fuerzas políticas del país, las de oposición y las del gobierno, se dedicaron entonces a discutir bizantinamente el programa de gobierno que exigía la coyuntura nacional, con el único resultado de que el presidente Ruiz Cortines pudo decidir, solo y sin rasgo público de discordia, quién sería su sucesor. Empezó así la tradición de la unanimidad en la decisión mayor de la política mexicana, que es, como en todas partes, ¿quién hereda el poder?, ¿quién y cómo lo transmite? Es ésa una de las claves de la estabilidad política del milagro mexicano: su eficaz mecanismo sucesorio.

Otro aspecto decisivo fue la absorción estatal de las instancias de manifestación y demanda política. Entre 1940 y 1968, México vivió el triunfo de una especie de monólogo institucional. Todas las negociaciones debían darse por dentro del aparato estatal a través de sus canales e instrumentos, con sus organizaciones sociales y piramidadas, su partido aplanadora y sus autoridades inapelables. Lo que se salía de estas normas de negociación intramuros, era violentamente reprimido: huelgas ferrocarrileras e invasiones de tierras de la UGOCM en el norte (1958) o movimientos estudiantiles (1968). Lo característico de este monólogo institucional es que los conflictos quedaban sujetos a una negociación subordinada con el Estado y sus aparatos de control político o a una represión selectiva de extraordinaria violencia.

Por lo que toca al crecimiento económico, los años que van de 1940 a 1968 son los de la construcción de la base industrial "moderna" del país, los años en que se acelera la sustitución de importaciones, la supeditación de la agricultura a la industria, la urbanización, el crecimiento sostenido del 6% anual en promedio, la estabilidad cambiaria y el equilibrio de precios y salarios. Son también los años de plena vigencia de un acuerdo central del sistema: la armonía básica entre la élite política y la élite económica, la apuesta por la construcción de un sector industrial, comercial y financiero mexicano.

Antes de 1938, la inversión extranjera directa en México era una parte sustantiva del total. Entre 1940 y los años sesenta, la inversión extranjera directa fue reduciéndose hasta llegar a ser entre un 5 y un 8% del total de la inversión: la economía se mexicanizó, aunque sus sectores de punta, aquellos que mostraban las innovaciones tecnológicas más acabadas, terminaron por ser, otra vez, áreas dominadas por el capital foráneo, sólo que a diferencia del pasado, la presencia norteamericana fue en esta ocasión aplastante. No obstante, nadie puede negar que la burguesía mexicana se convirtió entonces, definitivamente, en industrial; una industria que sustituyó importaciones protegidas por una compleja barrera impositiva y administrativa con la que el gobierno buscó permitir que el capital recuperara el tiempo perdido en el siglo XIX y durante la Revolución.

Al lado de una industria que crecía más rápido que el promedio general de la actividad económica, que a su vez era casi el doble que el crecimiento demográfico, surgió un poderoso sector bancario alrededor del cual, y bajo su sombra, se cobijaron importantes grupos manufactureros y comerciales. México se hizo cada vez más una sociedad urbana, a un ritmo tal que terminaría por desbordar las predicciones y capacidades de las autoridades para dar una forma ordenada y la altura de las necesidades humanas a los grandes agrupamientos urbanos, en particular en la ciudad capital.

La tónica de la vida económica, social y cultural de México entre 1940 y 1968 fue el cambio, la transformación acelerada e incluso caótica del entorno material y mental de los mexicanos. Frente a tal cambio contrastó la permanencia de las estructuras y formas del quehacer político. La transformación de todo, menos del sistema político, puso de manifiesto sus rigideces e inadecuaciones frente a una sociedad cuyas manifestaciones centrales habían empezado a desbordar a sus tutores.

El 2 de octubre de 1968 es la fecha de arranque de la nueva crisis de México; ahí se abre el paréntesis de un país que perdió la confianza en la bondad de su presente, que dejó de celebrar y consolidar sus logros y milagros para empezar a toparse todos los días, durante más de una década, con sus insuficiencias silenciadas, sus fracasos y sus miserias. La del 68 no fue una crisis estructural que pusiera en entredicho la existencia de la nación; fue sobre todo una crisis política, moral y psicológica, de convicciones y valores que sacudió los esquemas triunfales de la capa gobernante; fue el anuncio sangriento de que los tiempos habían cambiado sin que cambiaran las recetas para enfrentarlos.

La rebelión del 68 fue la primera del México urbano y moderno que el modelo de desarrollo elegido en los años cuarenta quiso construir y privilegió a costa de todo lo demás. Sus correas de transmisión fueron las élites juveniles de las ciudades, los estudiantes y los profesionales recién egresados que eran en sí mismos la prueba masiva de que el México agrario, provinciano, priísta y tradicional iba quedando atrás; los rebeldes del 68 fueron los hijos de la clase media gestada en las tres últimas décadas, la generación destinada a culminar el tránsito y a asumir las riendas del México industrial y cosmopolita del que era el embrión.

En ese sentido puede decirse que Tlatelolco mató un proyecto de continuidad en la modernización de México, una alternativa de relevo generacional. Representó el choque de una sensibilidad política y social inmovilista y monolítica —asida a los moldes vacíos de la unidad nacional y a la veneración aldeana de los símbolos patrios— con los testigos frescos e irreductibles de una realidad desnacionalizada y dependiente, en rápida transculturación neocolonial, extraordinariamente sensible a las causas y los símbolos que le eran contemporáneos.

A los esfuerzos oficiales del régimen por apropiarse las vestiduras de Juárez y Morelos, los jóvenes del 68 opusieron, en sus manifestaciones de agosto y septiembre de ese año, las efigies del Che Guevara y las consignas del mayo francés. A la unidad callista que fue la reacción de la pirámide política en torno a la «autoridad desafiada» del presidente Díaz Ordaz, la huelga estudiantil opuso su demanda de pluralidad y disidencia bajo la forma de un organismo rector, el Consejo Nacional de Huelga, con el que era imposible negociar sin interminables consultas con la base. La represión del 68 y la masacre de Tlatelolco fueron las respuestas petrificadas del pasado a un movimiento que recogía las pulsaciones del porvenir, que era en sí mismo la presencia embrionaria de otro país y otra sociedad cuyos vaivenes centrales serían cada vez más difíciles de manejar desde entonces con los viejos expedientes de manipulación y control.

Sobre las cicatrices impuestas por ese anacronismo nació en los años setenta el intento del régimen de la Revolución por actualizar su equipaje ideológico, abrir las puertas al reconocimiento de las iniquidades y deformaciones acumuladas y reagrupar desde arriba una nueva legitimidad, un nuevo consenso que revitalizara las instituciones y el discurso de la Revolución Mexicana.

Fue el sexenio de las autocríticas, el discurso populista, la estimulación de la inconformidad y la crítica a las oligarquías engordadas en el pacto del desarrollo estabilizador. A mediados de los setenta, sin embargo, el país se encontró con la segunda rebelión de los sectores modernos que su modelo de desarrollo había también prohijado. Los beneficiarios mayores de ese modelo —banqueros, empresarios y comerciantes—, irritados con el populismo echeverrista —más verbal que real—, fraguaron y dieron durante 1976 un «golpe de Estado financiero» —retracción de la inversión y fuga de capitales— cuyo desenlace fue, en agosto, la devaluación del peso y en los años siguientes un largo periodo de relativa hegemonía política y de negociación favorable de sus intereses ante el Estado y la sociedad.

Las avanzadas de la crisis

El sexenio de Luis Echeverría (1970-1976) fue un intenso peregrinaje desde el milagro mexicano hacia la realidad de esas «rebeliones de la modernidad». Estuvo sembrado de caídas agrícolas y monopolio industrial, invasiones de tierras, huelgas, contradicciones abiertas entre las fuerzas que nacían del seno de la sociedad y las que seguían reclamando para sí, desde el Estado, los papeles históricos de árbitro y padre. Según el economista José Blanco, durante 1975 la economía mexicana vivió la «crisis más profunda» de muchas décadas. En ese año, el crecimiento de la producción por habitante fue cero, el salario real quedó por debajo del tenido en 1972, la inversión privada se contrajo por primera vez en cinco años, el déficit en la cuenta corriente de la balanza de pagos fue cuatro veces mayor que el de 1971, el del sector estatal siete veces mayor y el subempleo tocó al 45% de la población económicamente activa.

Así llegaron a su clímax cinco malos años durante los cuales el país fue visitado sucesivamente por la «atonía», el derrumbe de los productos agrícolas, la inflación, el endeudamiento externo, la contracción del crédito y la desconfianza del capital privado por el estilo seudopopulista impuesto por el presidente Echeverría.

Sin embargo, lo que fue malo en ese corto plazo para la economía del país, no lo fue para la burguesía industrial, financiera y agrícola de México. Los signos de escasez y crisis en la pequeña y mediana industria fueron de acumulación y monopolización en la grande. En los primeros años de la década de los setenta, la gran industria había llegado a controlar un tercio o más del capital, de la producción total y del personal del sector (un millón doscientos mil obreros, trescientos mil empleados).

La escasez agrícola que disparó los precios de alimentos y bienes básicos obligó a volver a importar cosas en las que, como el maíz, no hacía mucho había excedentes. También significó el desplome de las tierras de temporal, cuyos rendimientos bajaron en un porcentaje de un 3.9% anual en promedio, pero no el de los grandes agricultores, que mejoraron en un 5.7% cada año la productividad de los distritos de riego.

Los empresarios y banqueros mexicanos habían tenido siempre voto de calidad y oídos de seda para sus demandas en el seno del Estado. En los años setenta aprendieron a regatear decididamente en público lo que no les era concedido amigablemente en privado. La ya mencionada reforma fiscal de 1971, prevista para gravar los rendimientos del capital, terminó encimándose sobre los sectores medios y los altos salarios.

Desde un principio, los financieros privados recibieron la promesa presidencial de que la banca no sería nacionalizada y en 1972 pudieron contener el intento de sindicalización de sus empleados. En 1973, los capitanes de la radio y la televisión aniquilaron, cohesionándose, la amenaza de una intervención estatal en sus campos hertzianos y sus balances contables. En 1975, el intento de someter a los grandes agricultores del noroeste terminó en la integración de una Comisión Tripartita en la que los supuestos afectados podrían diluir, como con la reforma fiscal, los peores ángulos de iniciativas que les fueran adversas.

La relativa independencia política alcanzada por empresarios, banqueros y agricultores ante las consignas y los proyectos del Estado, alcanzó visos de abierta ruptura en 1973 con el asesinato, por comandos guerrilleros urbanos de la Liga 23 de Septiembre, del industrial regiomontano Eugenio Garza Sada, patriarca indiscutido del Grupo Monterrey, el mayor grupo empresarial de la República. El presidente Echeverría asistió al sepelio y escuchó sin pronunciar palabra las muy despectivas que en la oración fúnebre le dedicó un representante empresarial, culpándolo, entre otras cosas, de haber instigado el clima de anarquía y odio social que hizo posible el hecho de sangre que arrebató la vida del industrial Eugenio Garza Sada.

La agitación y la Tendencia

En ningún sentido fue ajeno a este inicio de ruptura en la cúpula el clima de agitación obrera que dominó buena parte de la primera mitad de los años setenta.

El gobierno de Echeverría buscó en sus inicios poner fin o al menos fragmentar el largo reinado de Fidel Velázquez y sus próximos en la CTM y en los altos estamentos de la burocracia obrera. Sensible a las necesidades elementales de sus agremiados y sostenida en una vasta red de intereses políticos nacionales e internacionales, esa alta burocracia obrera pudo resistir (y hasta en forma desafiante: «Con la Constitución o contra la Constitución», dijo Fidel Velázquez en Tepeji del Río, en 1972) la ofensiva del poder ejecutivo de la nación. La historia que siguió y su contexto son reveladores.

La crisis económica de principios de los setenta facilitó las cosas para la industria monopólica, pero ésta, en su avance, perfiló las condiciones de posibilidad para que se produjese la movilización obrera, tanto ante los sectores empresariales como ante los órganos de control sindical. En la cúspide del sistema industrial se dieron el auge, la concentración y el monopolio, pero ahí mismo se dieron también al mismo tiempo las luchas obreras de mayor aliento y significación.

Precisamente en esos sectores altamente estratificados, privilegiados y técnicos del proletariado industrial, fue donde los años setenta registraron la lucha obrera. La prolongada agitación de los electricistas y los ferrocarrileros en 1971 y 1972; las huelgas de las empresas Nissan, Rivetex, Celanese y Medalla de Oro en 1973; las de General Electric, Cinsa-Cifunda y Lido en 1974; las de Spicer y Manufacturas Metálicas de Monterrey; la de Lacsa en Cuernavaca y las de Texlamex, Harper Wayman, Cofisa, Searle, Hilaturas Aztecas, Panam y Duramil, en Naucalpan, Estado de México, durante 1975, hasta culminar con la gran marcha electricista del 15 de noviembre de ese año en la ciudad de México.

Mencionadas juntas, estas huelgas parecen lo que no eran: el inicio de una insurrección obrera. Si dieron fue porque, en medio de la crisis, los tradicionales controles del gobierno sobre las estructuras sindicales no pudieron ejercerse cabalmente en todas las zonas del proletariado industrial. Con la inflación, pareció que se perdía el equilibrio de ese control sindical al tambalearse lo que hasta entonces era su principal base material de sustentación: la garantía de salarios y trabajos estables y la red de prestaciones compensatorias. Lo interesante de los setenta fue que los altos cuadros de ese sindicalismo anquilosado pudieron reaccionar y dar la batalla por los salarios de sus representados. Si la inflación fue vista en esos años por ciertos factores como una «ofensiva burguesa», los aumentos de salarios negociados en 1973-1974 por la CTM y el Congreso del Trabajo fueron, de algún modo, una «contraofensiva de los trabajadores». Fidel Velázquez, un dirigente cauto y conservador, arriesgó en esos días la amenaza de una huelga nacional, lo que habla a las claras de la presión en las bases del sindicalismo oficial y de la intensidad del enfrentamiento.

La reacción de los empresarios a las exigencias de la burocracia obrera no fue menos ilustrativa. En 1974, ante la posición de Fidel Velázquez de un 42% de aumento de salarios, la CONCAMIN advirtió que el aumento «iría contra el programa antiinflacionario». Un paro patronal en Monterrey en junio de 1974, acusó al gobierno local de no frenar los procedimientos «ilegales y gangsteriles» de sindicatos que emplazaban la huelga. CANACINTRA, COPARMEX y CONCAMIN, centrales empresariales, se unieron para afirmar que los grandes sindicatos padecían «un afán de preponderancia sectorial, política, en aras de un futurismo inconfesado». Finalmente, en agosto, los empresarios dijeron que no habría aumento, no pagarían los salarios caídos y en caso de huelga solicitarían que se les declarase inexistentes, responsabilizando a los trabajadores por el cierre de las fábricas que sus actos ocasionara.

En su informe presidencial de septiembre de 1974, Echeverría fijó la posición del Estado y declaró legítimas y legales las demandas obreras, con lo cual no volvió a hablarse de ilegalidad y sólo quedó a discusión el «porcentaje de aumento», que fue finalmente del 35 por ciento.

En la alianza con este sindicalismo tradicional a cuyos jerarcas trató de suprimir en sus inicios, el presidente Echeverría halló la coyuntura oportuna para oponer un dique a un cierto desafío que, desde la caída de Allende y el asesinato de Eugenio Garza Sada, en 1973, recibía del sector empresarial. Del poder adquirido y refrendado por Fidel Velázquez en esa alianza, nació, en ocasión de la muerte de Francisco Pérez Ríos, líder del Sindicato Unico de Trabajadores Electricistas de la República Mexicana (SUTERM), la expulsión del dirigente Rafael Galván de ese sindicato —Galván era, quizá, uno de los representantes más connotados de la izquierda dentro del PRI y el surgimiento de la más notable posibilidad de una vanguardia obrera y política independiente de los años setenta: la Tendencia Democrática de los electricistas—. A fines de 1975, Rolando Cordera escribió: "La actividad económica de los electricistas, las relaciones productivas y económicas que implica, dan cuenta de la trascendencia de su movimiento... El escenario productivo de la lucha... es un escenario estratégico y singular, se trata de una industria clave para el conjunto de la economía, que constituye, además, uno de los pilares fundamentales del poderío económico y político del Estado".

El movimiento de los electricistas fue un núcleo de movilización obrera contra la burocracia sindical, las corrientes antinacionalistas de dentro y de fuera del gobierno, el aislamiento de otras movilizaciones populares, la izquierda sectarizada y voluntarista, la atomización partidaria y el imperialismo.

En las circunstancias de fines del sexenio en que surgió, la Tendencia Democrática no engañaba a nadie con su nombre; más que la vanguardia independiente y orgánica de las luchas democratizadoras del país, era una perspectiva en construcción, una brújula que orientaba, atraía y empezaba a dar cohesión y alternativa práctica a una agitación obrera y popular que, pese a sus logros y sus experiencias, seguía siendo la expresión de lo que el mismo Galván, su líder, describió como un «estado de ánimo».

Meses de una intensa campaña del sindicalismo oficial contra la Tendencia y sus líderes, una larga secuela de provocaciones y la neutralidad expectante de las autoridades, culminaron en el mes de julio de 1976 con un emplazamiento a huelga de los 20,000 trabajadores de la Tendencia.

En respuesta, las instalaciones y los centros de trabajo fueron ocupados por personal del SUTERM y por elementos del ejército. El forcejeo intersindical tuvo un final súbito e inesperado el 17 de julio, cuando se produjo un enfrentamiento a tiros de los ocupantes de las instalaciones de Puebla y grupos de la Tendencia que celebraban un mitin frente al centro de trabajo, enfrentamiento que arrojó un saldo de varios heridos y un muerto del SUTERM. Al día siguiente, las dos secciones mayores de la Tendencia —Jalisco y Puebla— aceptaron su reingreso al SUTERM, y con ello la Tendencia dejó de ser una opción pública, nacional, para regresar al seno original de su actividad: la política interna en uno de los tres sindicatos estratégicos del país.

La apertura democrática

El litigio social de la primera mitad de los años setenta tuvo, como siempre, expresión acabada con el discurso presidencial. La tradición que alimentó el tono echeverrista fue el molde polémico de los primeros años de Calles y Cárdenas, con la incorporación persistente de las secciones de autocrítica, diálogo y apertura, demandas inequívocas del 68, así como de la retórica tercermundista. Esta transformación del lenguaje público fue una sorpresiva oxigenación del ambiente y tuvo su propuesta más socorrida en la continua exhortación de gobierno y sociedad a la apertura política.

La apertura echeverrista fue, sobre todo, un alegato por reafirmar la legitimidad ideológica e institucional del Estado mexicano erosionado por la crisis política del 68. No puso en cuestión la bondad esencial del "legado" mexicano, sino el anacronismo de cierta mentalidad y la inoperancia de algunas de sus prácticas. Respondió a la exigencia de "ponerse al día" para preservar lo preservable. La idea de "cambiar para permanecer iguales" acompañó como actitud y conciencia del propio anacronismo algunos de los mayores descubrimientos de la política gubernamental. La renovación de los instrumentos de legitimación ideológica fue un aspecto importante de ese cambio de tono, porque en los años setenta el poder público puso mayor empeño en el uso de la publicidad y la comunicación masiva. Una parte de su litigio visible con el sector privado, en efecto, tuvo como escenario a los medios masivos de comunicación. (La Subsecretaría de Radiodifusión y la agencia Notimex fueron innovaciones del sexenio).

La búsqueda de la comunicación masiva fue la búsqueda de un público que había desertado de los medios tradicionales de información del Estado, la urgencia de restaurar su credibilidad y de recomponer su audiencia. Así, poco a poco, pero cada día con mayor intensidad, en la radio y la televisión empezaron a filtrarse consignas de paternidad responsable y elocuentes cifras de la eficiencia paraestatal. La campaña electoral de José López Portillo, a partir de 1975, incluyó una estrategia de publicidad y política con logotipos, correspondencia, persuasión telefónica y comerciales contra la corrupción, la desunión y el abstencionismo electoral. El sector público adquirió y financió ambiciosamente su primer canal de televisión competitivo, el canal 13, amplió su cobertura, reformó su programación y empezó a dotarse de una infraestructura de producción televisiva.

La primera mitad de los setenta trajo esta certidumbre: para reconquistar su papel decisivo en la formación de la conciencia nacional, el gobierno debía modificar sus medios, vender sus productos ideológicos y sus programas educativos a través de los mismos instrumentos masivos que lo habían rebasado.

El momento de mayor credibilidad de la Apertura Democrática fue la noche del 10 de junio de 1971. La tarde de ese día, un grupo paramilitar organizado en secreto por una dependencia oficial disolvió a garrotazos y a tiros, con metralletas y armas de alto poder, una manifestación estudiantil en la Ciudad de México. El presidente Echeverría prometió por la televisión que los culpables serían castigados. Las palabras del poder público parecieron coincidir entonces enérgicamente con sus acciones. Fue un momento espectacular porque acarreó la destitución de altos funcionarios, entre ellos el regente de la Ciudad de México, Alfonso Martínez Domínguez, aunque la investigación no se concluyó nunca y la ley no cayó sobre los culpables.

Sin embargo, la verdadera eficacia política de la apertura echeverrista vino por otros carriles. Hizo su efecto mayor como hecho burocrático, presupuestal e ideológico. Colmó las expectativas sectoriales de los núcleos de protesta del 68: líderes estudiantiles, universidades y centros de altos estudios, abanderados progresistas de las clases medias e intelectuales críticos. La amplitud de subsidios, reconocimiento, exhortación y trato personal a esos sectores agraviados fue una avalancha inesperada de tolerancia, cordialidad y propósito de enmienda.

En el terreno del ejercicio de la libertad de expresión, información y crítica pública, no fue un grupo de intelectuales sino un periódico, *Excélsior*, el que llevó a la práctica las propuestas presidenciales de apertura, diálogo y autocrítica. *Excélsior* fue el vehículo que presidió el desfile noticioso de los aparecidos de la década de los setenta, el fin del México impasible del desarrollo estabilizador y la aparición de sus deformaciones. Día con día, la primera plana del *Excélsior* registró la agudización de la crisis política y moral del país, buscó y encontró las noticias para cumplir su empresa de los setenta. *Excélsior* denunció, recordó, polemizó, se convirtió en el centro de una opinión pública que fue creando con sus arbitrariedades y sus riesgos, sus muchos aciertos, y su solidaridad con las mejores causas liberalizantes del país.

El 8 de julio de 1976, una larga ingeniería de presiones internas y externas determinó la expulsión de siete cooperativistas de *Excélsior*, entre ellos el director, Julio Scherer García. Con ellos salió prácticamente toda la planta de redactores y editorialistas que habían hecho del periodismo el instrumento polémico, informativo y crítico que era. La presión gubernamental contra el diario y el desprestigio que le acarreó en algunos sectores, fue un primer indicio de la crisis política en que se adentraba el país en los agitados meses intermedios de 1976. La creciente virulencia del enfrentamiento presidencial con los sectores empresariales y la opinión conservadora del país, la hostilidad norteamericana, el excesivo endeudamiento externo y el desequilibrio de la balanza de pagos condujeron en septiembre de 1976 a la primera devaluación de la moneda mexicana en los últimos 22 años, y se condensaron en el clima de incertidumbre, inquietud e inconformidad políticas que marcó el fin del sexenio presidencial echeverrista.

La "crisis de confianza" y la austeridad económica fueron los signos del cambio de gobierno en diciembre de 1976. El desarreglo financiero abrió la entrada a las fórmulas de estabilización y ajuste del Fondo Monetario Internacional, se impusieron topes a los aumentos salariales, límites a la capacidad de endeudamiento externo del país y mecanismos de supervisión internacional sobre el comportamiento de las finanzas mexicanas.

La conquista del futuro

Entonces, en medio de la austeridad, llegó el petróleo. Durante los siguientes cinco años, el país vio una película semejante a la del gobierno anterior, pero en proporciones sumamente amplificadas, tanto en sus auges como en sus caídas.

A semejanza del sexenio de Luis Echeverría, el de José López Portillo (1976-1982) tuvo un primer y último año de crecimiento económico bajo comparado con los años intermedios. Pero mientras el crecimiento promedio entre 1972 y 1974 fue cercano al 6%, los años del auge petrolero lopezportillista, 1978-1982, registraron tasas de crecimiento superiores al 8% anual, una de las más altas del mundo.

Venido de un desarreglo político y una contracción económica, el gobierno de José López Portillo vio en el petróleo la palanca de Arquímides para sortear el estancamiento y reiniciar el desarrollo económico con posibilidades ilimitadas.

El descubrimiento de nuevos recursos de hidrocarburos a mitad de los años setenta permitía esa expectativa: había hecho pasar las reservas probadas del país de unos 10,000 millones de barriles a más de 70,000 millones de barriles de petróleo en unos cuantos años. PEMEX, que empezaba a ser un incipiente importador de gasolinas y derivados petroleros, ascendió en unos pocos meses a la condición de exportador neto de crudo con jerarquía mundial, igual que la industria petrolera mexicana de principios de los años veinte. El director de esa empresa durante los primeros años del gobierno lopezportillista, Jorge Díaz Serrano, el artífice de la conversión del petróleo en el eje del nuevo salto de México hacia el desarrollo económico, expuso su convicción sobre las posibilidades históricas abiertas por los yacimientos recién descubiertos en su comparecencia ante el congreso de 1977:

> Esta riqueza (petrolera) constituye no sólo el instrumento para resolver los problemas económicos que tenemos en la actualidad. Es, además, el gran eje económico que ha faltado desde el principio de nuestra historia y cuya ausencia ha inhibido la total consolidación de la nación. Esta riqueza hace posible ver hacia el futuro la creación de un nuevo país, en donde el derecho al trabajo sea una realidad y cuyas remuneraciones permitan en general un mejor estilo y calidad de vida.

La convergencia de ese descubrimiento con el momento en que el mundo sufría su primera crisis energética de importancia, dio lugar a la certidumbre gubernamental, pero compartida por amplios sectores de la población, de que México podría comprar una salida definitiva a su problema económico, certidumbre afianzada por los nuevos hallazgos y las revaluaciones de las reservas potenciales, que llegaron a mencionar cifras de hasta 200,000 millones de barriles, en un momento en que la severa crisis internacional del mercado petrolero haría subir vertiginosamente el precio del producto que en un decenio escaso pasaría de los 4 dólares por barril de principios de los años setenta a 38 dólares por barril en el año 1979.

Los límites del presente

El valor de las exportaciones petroleras creció, pues, en forma muy acelerada, pero no fue suficiente para pagar las importaciones, que se duplicaron entre 1977 y 1981, para satisfacer el ritmo de crecimiento, también vertiginoso, de la estructura productiva desarticulada y dependiente heredada del desarrollo estabilizador. Entre 1976 y 1981, el valor del petróleo exportado creció 32 veces, de 560 a 14,600 millones de dólares. Pero el total de las importaciones de bienes y servicios, aunque sólo creció tres veces, pasó de 9,400 millones de dólares a 32,000 millones de dólares, un incremento absoluto mucho mayor que el de los ingresos petroleros.

El tema decisivo del aumento de las importaciones y su peso final en el comportamiento de la economía a fines de los años setenta y principios de los ochenta, fue revisado detalladamente por los observadores; según ellos cuatro factores contribuyeron a ese crecimiento desmedido. En primer lugar, el aumento de la actividad económica. En segundo lugar, la liberación de las importaciones, que tuvo lugar entre 1977 y 1981. En tercer lugar, los cuellos de botella en ciertos sectores donde la demanda crecía más rápido que la capacidad productiva. Finalmente, el efecto de la inflación, mayor en México que en el resto del mundo, que daba lugar a que fueran más competitivas las importaciones. Dicen Barker y Brailowsky:

> Las estimaciones realizadas muestran que alrededor de un tercio de la diferencia entre la tasa de crecimiento observada de las importaciones y la planeada se debe a la política de liberación de importaciones. La parte restante se explica por la mayor demanda interna.
>
> Aunque quizás sólo una tercera parte del déficit en la balanza de pagos de 1981, equivalente a 3,700 millones de dólares, es atribuible directamente a la liberación, su efecto acumulado durante el periodo puede haber llegado a unos 8,700 millones de dólares, que se elevan a 10,000 millones en términos de deuda externa adicional, una vez que se incluyen los pagos correspondientes de interés. Esto equivale al 75% del aumento en la deuda externa oficial entre fines de 1977 y fines de 1981, por factores distintos a la fuga de capitales.

Expandir rápidamente la economía con agresiva liberación de importaciones fue la verdadera política económica seguida hasta el año de 1981, desoyendo los malos indicios —una inflación mayor de la prevista, del orden del 27% en 1980-1981— y celebrando los buenos

—una generación de empleos superior al crecimiento natural de la fuerza de trabajo en 1979 y 1980—. A mediados de 1981, el mercado petrolero internacional tuvo una fuerte caída y se hizo evidente que dejaba de ser un mercado de vendedores para volverse un mercado de compradores. El artífice del boom petrolero, Jorge Díaz Serrano, renunció, luego de haber reducido abruptamente el precio del crudo mexicano para mantener el nivel de las ventas al exterior. Paralelamente al derrumbe del mercado petrolero, empezó a acentuarse notoriamente en los centros financieros internacionales la tendencia a las alzas en las tasas de interés. En el curso de los siguientes dos años, esas alzas significaron para México un costo financiero adicional que implicó un desembolso del orden de los 10,000 millones de dólares.

El espectro y la realidad de una aguda crisis financiera, con especulación galopante y fuga de capitales, se cernieron sobre el país. Pese a la caída en 1981 del precio de la principal exportación —el petróleo—, el presidente decidió no cambiar los patrones de gastos ni modificar el tipo internacional de cambio. López Portillo llegó a declarar "presidente que devalúa es presidente devaluado". Para principios de 1982, la política económica había hecho del peso una moneda notablemente sobrevaluada y, por ende, estimuló la dolarización de la economía y la fuga de capitales. Un indicador que condensó esos equilibrios críticos fue la presencia sostenida y magnificada de un serio déficit en la balanza de pagos. Los factores negativos que concurrieron a delinear dicho fenómeno fueron, según Barker y Brailowsky: 1) El exceso de la demanda interna, que superó con creces los recursos en moneda extranjera obtenidos por el petróleo: una tercera parte del déficit. 2) El aumento en las tasas de interés y la fuga de capitales: alrededor del 40% del déficit y 3) La liberación de las importaciones: otro 30% del déficit.

Agregado todo ello al congelamiento del crédito externo por el temor de los bancos a una posible insolvencia de México, el año terminal de la gestión de José López Portillo, 1982, fue de vertiginosa profundización de los rasgos adversos de la economía y la política.

La quinta opción

En febrero de 1982, frente al enorme déficit en la balanza de pagos, ampliado por la especulación cambiaria, los costos de una deuda externa de proporciones considerables (19,000 millones de dólares en 1976, 80,000 millones en 1982) y un mercado petrolero que no repuntaba, el gobierno de México se vio forzado, tardíamente, a devaluar su moneda en un 70 por ciento.

Un actor y testigo central de esos meses, Carlos Tello, escribió una crónica del proceso y del modo como fue gestándose en la cúpula del gobierno la convicción de que el sistema financiero del país estaba tocando fondo y precipitaba decisiones sin precedentes:

> Era difícil darse por satisfecho con las cuatro opciones de política que por esas fechas se discutían en el gobierno: 1) una nueva y fuerte devaluación del peso para desalentar la demanda por divisas y anticiparse a los que presuponían que el nuevo tipo de cambio, que había resultado de la ya desproporcionada devaluación de más del 70% en febrero no podía sostenerse; 2) la libre flotación de la moneda para que "el mercado" fijara su auténtica paridad en relación con el dólar, en una situación en la que sólo había demanda por dólares; 3) un sistema de control de cambios que prácticamente todos consideraban imposible de establecer en México y 4) el mantenimiento de la política cambiaria que se estaba practicando a partir de la devaluación de febrero, con el objeto de darle tiempo para que funcionara. A partir de la información disponible y tomando en cuenta los argumentos y razones en favor y en contra de estas posibilidades, se formuló la que después llegó a conocerse como la quinta opción: la nacionalización de la banca privada en México [...] conforme pasaban los días del mes de agosto tenía cada vez más la impresión de que se había perdido la capacidad de manejo de los asuntos financieros en el país. La fuga de capitales continuaba y ya a principios del mes el Banco de México no disponía de suficientes reservas internacionales para hacerle frente a los compromisos más urgentes en divisas. Unas semanas antes, la banca comercial extranjera, que en mucho se había beneficiado del proceso de fuerte endeudamiento del país —y que lo había auspiciado decisivamente — decidió suspender sus créditos a México. Todo ello llevó al gobierno mexicano a mediados de agosto a realizar una venta anticipada de petróleo para la reserva estratégica de los Estados Unidos [...] y a formalizar conversaciones con el Fondo Monetario Internacional con el propósito de solicitar su ayuda. Por otro lado, el clima político —favorable para el presidente López Portillo por más tiempo que para muchos otros presidentes de México— cambió radicalmente a una celeridad asombrosa, agravándose día con día hasta volverse, en cosa de unos cuantos meses, intolerablemente hostil.
>
> Con el desarrollo de los acontecimientos del mes de agosto, la opción de la nacionalización de la banca fue cobrando fuerza. En realidad, el fracaso evidente de la política financiera adoptada para detener el deterioro de la situación económica de México [...] [Esa política] había transitado por la devaluación de febrero, la aceleración de la devaluación cotidiana de la moneda, nuevos aumentos en la tasa de interés con el

afán de retener el ahorro en el país, una nueva devaluación en agosto y el establecimiento de una doble paridad del peso frente al dólar [...] había llevado al tipo de cambio a devaluarse en más de cuatro veces en seis meses y en mucho contribuyó a fortalecer los argumentos a favor de la nacionalizacion de la banca [...].

El claroscuro

En su sexto y último informe de gobierno del 1° de septiembre de 1982, el presidente López Portillo hizo las cuentas de lo que llamó el "claroscuro" del gobierno. En la parte luminosa del dibujo recordó que gasto público y deuda externa no formaban parte sólo de la columna del «debe» sino también de la del «haber», y que con esos recursos se había dado un enorme salto en la industria petrolera, cuyas reservas probadas de 6,338 millones de barriles de1976, había llegado a ser en 1982 de 72,000 millones. La exportación petrolera de ese año era de un millón y medio de barriles, que rendían 14,000 millones de dólares más que en 1976. Entre 1977 y 1982 se había casi duplicado la oferta eléctrica, en los últimos cuatro años el producto industrial había crecido a una tasa del 9% y el aumento en el promedio de empleos había sido del 5.5%, cifra sin paralelo en la historia del país, que hizo descender temporalmente el desempleo abierto del 8.1 al 4.5%. El volumen de los diez principales cultivos, que en 1977 era de 19 987 000 toneladas, llegó en 1981 a 28 600 000 toneladas; la frontera agrícola se había ampliado en 3 350 000 hectáreas (963 000 de riego) y el sector agropecuario había mantenido una tasa anual de crecimiento del 4.5% con un salto de 8.5% en el año de 1981. Se proporcionaba la educación primaria al 90% de los niños mexicanos, servicios médicos al 85% de la población y agua potable al 70%, con una multiplicación de 87 en los recursos destinados al medio rural marginado.

Resumidas así las claridades de sus seis años de mandato, López Portillo abordó a continuación —si bien de manera selectiva— las sombras. En primer lugar se refirió al impacto negativo de que la economía internacional hubiera entrado a la más graves y prolongada crisis desde la gran depresión de 1929, la caída estrepitosa de los precios de todas las exportaciones mexicanas, la vigencia de las tasas de interés más altas de la historia, la restricción del crédito y la perpetuación de las medidas proteccionistas en los países industrializados. Seguía diciendo López Portillo:

> El golpe se recibió de lleno a partir de la caída del precio del petróleo [...] Después vino el efecto del golpe, en el incremento reciente de la deuda externa [...] la deuda ascendió en julio de este año a 76,000 millones de dólares, de la cual corresponde 80% al sector público y 20% al privado. [...] La elevación de las tasas de interés explica gran parte del deterioro económico: entre 1978 y 1981, la tasa de interés de los préstamos internacionales pasa del 6% hasta el 20% y esto explica, parcial, pero fundamentalmente, el que el pago por intereses de los países en desarrollo, que en 1978 alcanzaba 14,200 millones de dólares se eleve en 1981 a 38,000 millones de dólares. En el caso de México, el pago por intereses de la deuda pública y privada, documentada, alcanzaba en 1978 a 2,606 millones de dólares, mientras que en 1981 correspondía a 8,200 millones de dólares.

Por el lado de las exportaciones, recordó también López Portillo, México había enfrentado, al igual que otros países en desarrollo, el deterioro muy marcado de las cotizaciones de buen número de sus productos básicos y clásicos de exportación. Tal había sido el caso, entre 1980 y 1981, principalmente del café en grano (cuyo valor unitario de exportación se redujo en un 16%), el algodón en rama (—12%), el cobre en minerales o blister (—51%), el plomo refinado (—25%) y desde luego, la plata (—75%). Por este factor, el dinamismo de los ingresos por exportación de productos primarios, que representaban aún una producción significativa en el total de la exportación no petrolera (50.5% en 1981), se vio frenado muy considerablemente.

La nacionalización de la banca

Luego hizo el presidente las cuentas críticas de la economía política interna, que vació sus escepticismos y su búsqueda de rendimientos sin riesgo en la especulación cambiaria, la fuga de capitales y el profundo desarreglo de las finanzas nacionales conducido a través del circuito bancario privado:

> El acoso al peso empezaba en las mismas ventanillas de los bancos en las que se aconsejaba y apoyaba la dolarización [...] No lo sabemos con certeza pero tenemos datos de que las cuentas bancarias recientes de mexicanos en el exterior ascienden, por lo menos, a 14,000 millones de dólares [...] Adicionalmente, los inmuebles urbanos y rurales en Estados

Unidos de América, propiedad de mexicanos, se estima que tienen un valor del orden de 30,000 millones de dólares. Esto generó ya una salida de divisas, por concepto de enganches y primeros abonos, del orden de 8,500 millones [...] Las cuentas en bancos mexicanos denominadas en dólares, pero nutridas original y mayoritariamente en pesos, son del orden de 12,000 millones. Los llamados mexdólares significan el aspecto más grave de la dolarización de la economía nacional.

Conservadoramente podemos afirmar, en consecuencia, que de la economía mexicana han salido ya, en los dos o tres últimos años, por lo menos 22,000 millones de dólares; y se ha generado una deuda privada no registrada para liquidar hipotecas, pagar mantenimiento e impuestos, por más de 20,000 millones de dólares, que se adiciona a la deuda externa del país. Estas cantidades, sumadas a los 12,000 millones de mexdólares, es decir, 54,000 millones de dólares, equivalen a la mitad de los pasivos totales con que cuenta en estos momentos el Sistema Bancario Mexicano en su conjunto y alrededor de dos tercios de la deuda pública y privada documentada del país...

Desgraciadamente, el informe presidencial no incluyó la responsabilidad directa del gobierno federal en el desastre financiero. Después de todo, la acción de los bancos no era autónoma sino que obedecía a las reglas básicas de las instituciones de crédito, y estas reglas habían sido formuladas con la intervención directa de la Comisión Nacional Bancaria.

... Puedo afirmar que en unos cuantos, recientes años, ha sido un grupo de mexicanos [...] encabezado, aconsejado y apoyado por los bancos privados, el que ha sacado más dinero del país, que los imperios que nos han explotado desde el principio de nuestra historia.

No podemos seguir arriesgando que esos recursos sean canalizados por los mismos conductos que han contribuido de modo tan dinámico a la gravísima situación que vivimos.

Tenemos que organizarnos para salvar nuestra estructura productiva y proporcionarle los recursos financieros para seguir adelante; tenemos que detener la injusticia del proceso perverso: fuga de capitales —devaluación—, inflación que daña a todos, especialmente al trabajador, al empleo y a las empresas que lo generan.

Estas son nuestras prioridades críticas.

Para responder a ellas he expedido en consecuencia dos decretos: uno que nacionaliza los bancos privados del país, y otro que establece el control generalizado de cambios, no como una política superviviente del más vale tarde que nunca, sino porque hasta ahora se han dado las condiciones críticas que lo requieren y justifican. Es ahora o nunca. Ya nos saquearon. México no se ha acabado. No nos volverán a saquear.

Tierra de nadie

Las decisiones del 10 de septiembre de 1982 fueron el clímax inesperado de un largo deterioro estructural, el término de un esquema económico y político que sólo necesitó una oleada de abundancia para demostrar su estrechez.

Durante sus años de auge petrolero, México vivió la increíble paradoja de que todo lo que podía hacer que el país creciera con rapidez habría de ponerlo también en el riesgo de la bancarrota. El ambicioso plan de inversión del Estado durante el gobierno lopezportillista trajo consigo dispendio e inflación que devoraron la moneda y sus finanzas. La banca privada convirtió su búsqueda de rendimientos seguros en especulación y dolarización agresiva de sus operaciones. La desintegrada industria nacional creció abruptamente pero al costo de un flujo insostenible de importaciones y una debilidad creciente frente al exterior. El poderoso, aunque concentrado y deforme mercado interno, vació sus potencialidades adquisitivas en el consumo suntuario, el contrabando y el turismo petrolero. Sector por sector, la sociedad y la economía mexicanas encontraron en el auge la prueba dramática de su impreparación estructural para el auge, el anacronismo y la vulnerabilidad del acuerdo fundamental que las regía.

Obligado por la crisis ingobernable de 1982, el gobierno más empresarial y menos populista de mucho tiempo, se vio precisado a barrenar el sustento mismo del acuerdo con los grupos privados y nacionalizó la banca por decisión casi exclusiva del presidente, pues tan trascendental decisión no fue parte de ningún proyecto oficial previo ni consultada con los representantes de las principales fuerzas políticas y sociales del país. Fue, en realidad, la confesión implícita de un mutuo fracaso, el reconocimiento de que había dejado de funcionar un trato histórico con el capital financiero porque el régimen de concesiones económicas en que estaba fundado no garantizaba ya sino desequilibrio económico.

La sociedad mexicana vivió el trimestre posterior a la nacionalización de la banca como una cavilante tierra de nadie. La inminente salida del gobierno nacionalizador le restó fuerza como ejecutor de las expectativas de la sociedad y como líder de la clase política que buscaba o había encontrado ya su alineamiento en el nuevo gobierno del presidente Miguel de la Madrid, electo apenas dos meses antes, el 7 de julio de 1982. Luego de intentar inútilmente darle un cauce y establecer ciertas normas generales para el futuro desarrollo de la banca nacionalizada, a fines del mes de octubre el presidente López Portillo se rindió a las evidencias y admitió en Tlaxcala que "reorganizar" la banca nacionalizada en treinta y tres días que quedaban "sería irresponsable y de una imprudencia política extrema".

En el otro lado de la balanza, la discreción del gobierno entrante y su reticencia frente a la medida, fueron indicios claros de su discrepancia política con la decisión. Los meses que siguieron a la nacionalización fueron así el escenario de una parálisis. De un lado, la recta final de un gobierno en sus últimos días, sin poder ni proyecto para dar rumbo específico a su decisión nacionalizadora. Del otro, un gobierno electo obligado a replantearse propósitos y compromisos, ante la nueva e inesperada coyuntura.

Luego de un periodo inicial de desconcierto, los grupos privados encontraron, a partir de 1983, la forma de darle una dirección unitaria a su protesta. Construyeron un coherente discurso ideológico y una acción política de concertación y aglutinamiento cuyo rostro público fue una serie de reuniones llamadas "México en la libertad".

Se sostuvo ahí la tesis reiterada de que la nacionalización de la banca era el primer paso de la conspiración estatal para imponer el socialismo en México. Esa certidumbre unificó las voces tradicionales de la derecha, las cámaras de industriales y comerciantes, el partido Acción Nacional, los medios de información privada e incluso la Iglesia católica, que habló esta vez por boca de sus obispos.

En su movimiento defensivo, la resistencia empresarial tocó ámbitos civiles significativos: el conservadurismo y la beligerancia antiestatal de amplios sectores de la clase media emergente golpeada por la inflación y adherida a la defensa de sus libertades consumistas, la beligerancia política de la iglesia reactivada que actuó desde el púlpito predicando contra al fantasma del comunismo ateo y la socialización de México; el aparato privado de comunicación masiva, un sector significativo de la alta burocracia pública y la casi totalidad de la financiera y hacendaria; el propio peso, en fin, del sector empresarial como una comunidad productiva organizada políticamente. Finalmente, la notoria corrupción de las altas esferas políticas en el sexenio que concluyó en diciembre de 1982, dio una justificación moral a la condena empresarial de toda la política de José López Portillo.

El ojo de la crisis

Así, a finales de 1982, en la inminencia de su cambio de gobierno, luego del mayor auge que recuerden sus tratos con el mercado mundial, el país de la Revolución Mexicana había visto diluirse en el aire acuerdos centrales de su estabilidad. Su camino al futuro había perdido la claridad de la rutina institucional que solía acompañarlo, sin que al mismo tiempo se hubiera puesto en marcha el mecanismo reformador que su nueva estructura exigía. Por tercera vez consecutiva, el gobierno entrante heredaba del anterior una situación crítica agravada considerablemente durante el último año de gestión. No parecían estar los mexicanos frente a una simple coyuntura de desarreglo sexenal con crisis económica y desacuerdo en la cúpula.

El horizonte del nuevo gobierno era de recesión, estrangulamiento financiero, cierre de los mercados monetarios y comerciales internacionales, desempleo con castigo salarial, caída del gasto público y un decrecimiento económico para 1983 que se preveía ya entonces que se situaría entre cero y menos cinco por ciento.

La nacionalización de la banca no era una respuesta directa a los problemas fundamentales de la economía, pues la raíz del problema no estaba en las estructuras financieras sino en el modelo global de desarrollo económico. Nadie pudo evitar quiebras por falta de liquidez y depresión del mercado, ahogo de las finanzas públicas por compromisos perentorios que impedía el sostenimiento de importaciones estratégicas y pánico especulativo. El mes de diciembre de 1982 encontraba al país con una planta productiva notoriamente mayor que a principios de la década de los sesenta, pero extraordinariamente más dependiente.

El sueño de la "interdependencia" con arreos de potencia media que el petróleo hizo concebir como una salida mexicana al mercado mundial, había tenido un amargo despertar en las duras realidades de la recesión internacional, la caída de los precios de las materias primas y el *crack* petrolero de mediados de 1981. El aumento en las tasas de interés en el mercado internacional del dinero triplicó los costos de la deuda externa mexicana ya ejercida. La contracción del mercado internacional de capitales por la salida de petrodólares del circuito, estrechó por su parte el callejón del financiamiento externo y dejó abierto el acceso sólo a préstamos rápidos, redimibles en el corto plazo. Fueron las puntillas financieras del modelo "interdependiente" mexicano.

Salvo los años de violencia revolucionaria, los mexicanos de este siglo quizás no habían vivido una coyuntura económica tan grave como la que se cernía sobre el país en esos meses finales de la fiesta petrolera.

La gravedad de la crisis fue reconocida abiertamente por el presidente entrante, Miguel de la Madrid, que en su discurso de toma de posesión el 2 de diciembre de 1982 dijo:

México se encuentra en una grave crisis. Sufrimos una inflación que casi alcanza este año el 100%; un déficit sin precedentes del sector público la alimenta agudamente y se carece de ahorro para financiar su propia inversión; el rezago de las tarifas y los precios públicos pone a las empresas del Estado en situación deficitaria, encubre deficiencias y subsidia a grupos de altos ingresos; el debilitamiento en la dinámica de los sectores productivos nos ha colocado en crecimiento cero.

El ingreso de divisas al sistema financiero se ha paralizado, salvo las provenientes de la exportación del petróleo y algunos otros productos del sector público y de sus créditos. Tenemos una deuda externa pública y privada que alcanza una proporción desmesurada, cuyo servicio impone una carga sucesiva al presupuesto y a la balanza de pagos y desplaza recursos de la inversión productiva y los gastos sociales; la recaudación fiscal se debilita acentuando su inequidad. El crédito externo se ha reducido drásticamente y se han demeritado el ahorro interno y la inversión. En estas circunstancias, están seriamente amenazados la planta productiva y el empleo. Confrontamos así el más alto desempleo abierto de los últimos años. Los mexicanos de menores ingresos tienen crecientes dificultades para satisfacer necesidades mínimas de subsistencia.

La crisis se manifiesta en expresiones de desconfianza y pesimismo en las capacidades del país para solventar sus requerimientos inmediatos; en el surgimiento de la discordia entre clases y grupos; en la enconada búsqueda de culpables; en recíprocas y crecientes recriminaciones; en sentimientos de abandono, desánimo y exacerbación de egoísmos individuales o sectarios, tendencia que corroe la solidaridad indispensable para la vida en común y el esfuerzo colectivo.

La crisis se ubica en un contexto internacional de incertidumbre y temor; una profunda recesión está en ciernes. Hay guerras comerciales, incluso entre aliados, proteccionismo disfrazado de librecambismo. Altas tasas de interés, el desplome en los precios de las materias primas y el alza en los productos industriales, producen la insolvencia de numerosos países. Al desorden económico mundial se añaden la inestabilidad política, la carrera armamentista, la lucha de potencias para ampliar zonas de influencia. Nunca en tiempos recientes habíamos visto tan lejana la concordia internacional.

Vivimos una situación de emergencia. No es tiempo de titubeos ni de querellas; es hora de definiciones y responsabilidades. No nos abandonaremos a la inercia. La situación es intolerable. No permitiremos que la Patria se nos deshaga entre las manos. Vamos a actuar con decisión y firmeza.

La explosión que no llegó

Esta sensación de haber llegado a un límite peligroso en orden a la estabilidad y la viabilidad del sistema heredado del desarrollo estabilizador, permeaba el ambiente político y social del país al cerrar el año de 1982. En enero de 1983, altos funcionarios del gobierno lamadridiano calculaban que si era posible llegar al 10 de septiembre de 1983, fecha del primer informe presidencial, sin que se hubiera producido una explosión social, el nuevo gobierno podría asentarse e imponer su proyecto. Dominaba ese proyecto la convicción de haber llegado a un punto terminal del país, sumido como estaba en la crisis más profunda de su historia contemporánea. Y la audacia de creer que en el riesgo de la situación estaba la oportunidad del cambio, pues era ésa la hora propicia para producir las reformas drásticas que hicieran posible la emergencia de un México distinto. El nuevo México en que pensaba el nuevo gobierno era un país no centralizado sino descentralizador, no populista y corporativo sino liberal y democrático, no patrimonial y corrupto sino moralmente renovado; no ineficiente y desagregado sino racional y nacionalmente planeado. Y no el Estado grande, laxo, subsidiador y feudalizado que había administrado hasta entonces el pacto histórico de la revolución de 1910-1917, sino un Estado chico, sin grasa, acotado claramente en sus facultades interventoras, económicamente realista, no deficitario y administrativamente moderno. La sola enunciación del proyecto mostraba sus bondades y, también, su desmesura. Siete tesis lo habían resumido durante la campaña electoral de Miguel de la Madrid: 1) nacionalismo revolucionario, 2) democratización integral, 3) sociedad igualitaria, 4) renovación moral, 5) descentralización de la vida nacional, 6) desarrollo, empleo y combate a la inflación, 7) planeación democrática.

En diciembre de 1984, a dos años de puesto en práctica ese proyecto, podían resumirse sus logros diciendo lo siguiente: no había más sino menos nacionalismo revolucionario y nacionalismo a secas; el país, mucho más que nunca en años anteriores, miraba al norte y pensaba en dólares. La democratización integral había empezado por no manifestarse en su ámbito por excelencia que son las elecciones: los ciudadanos habían asistido durante las elecciones locales de 1984 a 1986 al retorno de la manipulación y el fraude electoral.

El jalón de la crisis hacia la baja de los salarios que cayeron entre 1978 y 1983 un 40% no hablaba de avances en la sociedad igualitaria sino de zancadas históricas en el ahondamiento de la desigualdad. La inflación era, por definición, una fuerza que propiciaba la concentración del ingreso en pocas manos.

Junto con algunos encarcelamientos célebres como el de Jorge Díaz

Serrano, héroe petrolero del sexenio anterior, y algunas formas de fondo para evitar fugas mayores en los fondos públicos, la campaña del gobierno en favor de la renovación moral pretendió ser el inicio de un proceso que pusiera fin al desprestigio y a la devaluación moral de la sociedad mexicana ante sí misma en el exterior. Los resultados no correspondieron a las expectativas y la confianza del ciudadano común en la honorabilidad de sus gobernantes no retornó.

La descentralización de la vida nacional olvidó, en aras del realismo político, la propuesta de independencia y fortalecimiento municipal esbozada por el gobierno en sus reformas al artículo 115, de diciembre de 1983, y la actividad descentralizadora confiada básicamente en la ampliación del procedimiento de desconcentración administrativa establecidos en gobiernos anteriores.

Un crecimiento de —54 por ciento durante 1983 y de algo más del 3 por ciento en 1984, hablaba de límites severos en el proceso económico y quitaba vuelo a la ambiciosa propuesta de desarrollo con empleo y embate a la inflación. La inflación del 80 por ciento en 1983 superó el 100 por ciento en 1986 y desbordaba considerablemente la expectativa oficial y castigaba el mantenimiento del empleo y conservación de la planta productiva.

La llamada planeación democrática había tendido a volverse, frente al público, una serie de mesas redondas con participantes que legitimaban con sus ponencias decisiones alimentadas con anterioridad por cuerpos de diagnóstico de las propias dependencias convocantes.

En resumen, visto con ánimo crítico, el panorama era de descentralización y desigualdad crecientes, democratización en retroceso, moralización superficial con autodevaluación, descentralización administrada desde el centro, desarrollo raquítico con inflación indominada, empleo y planta productiva sostenidos, nacionalismo sin sustancia y planeación tecnocrática. Pero el gobierno lamadridiano había llegado no sólo al 10 de septiembre de 1983 sino al 1° de diciembre de 1984 sin tener encima una explosión social, un desgarramiento irreversible y sangriento o una alteración sustancial de la convivencia pacífica e institucional entre los mexicanos. Ese logro, dados los muy adversos síntomas de sus inicios, era en sí mismo el triunfo político de su gobierno.

La restauración

Visto en su conjunto, el gobierno lamadridiano parecía tener dos rostros que quería complementarios. Uno miraba hacia el futuro con voluntad reformista; el otro, hacia el pasado, con el ánimo restaurador. Un supuesto central del proyecto parecía ser que no había futuro estable para México si no se restauraba el acuerdo esencial de la sociedad con el Estado y, más particularmente, el acuerdo del capital privado con el sector público.

Política e ideológicamente opuestos a la nacionalización bancaria del 1° de septiembre de 1982, los miembros del nuevo gobierno vieron en esa medida el fin de un contrato social, la casilla terminal o el punto de no regreso de la confianza empresarial y de la simbiosis del capital privado con el gobierno.

Para fines de 1984, había dedicado dos años de esfuerzos y concesiones a restaurar siquiera parcialmente esa ruptura con la cúpula del capital. En diciembre de 1983, en un proceso de desnacionalización parcial, pusieron a disposición del capital privado el 34% de las acciones de la banca. Meses después pagaron una indemnización más que generosa a los exbanqueros, garantizándoles acceso privilegiado a la adquisición de las empresas no bancarias caídas en la charola de la nacionalización. Finalmente, se les brindó un nuevo ingreso al sistema financiero en la muy amplia zona de los "intermediarios financieros no bancarios" (casas de bolsa, compañías de seguros, etc.), decisión que, en opinión de algunos observadores, equivalía a sancionar la existencia de una "banca paralela". Atendiendo a este fenómeno, el antropólogo Arturo Warman sugirió que la experiencia histórica de los ferrocarriles nacionalizados podía verse como una especie de "recuerdo del porvenir" de la banca nacionalizada:

> Entre 1940 y la actualidad, el sistema de vías férreas aumentó probablemente un 5% en extensión, mientras que todo el sistema de transporte aumentó en un 400% por medio del sistema de carreteras y vehículos motorizados. Fue un sistema paralelo que en un momento dado se volvió el motor del desarrollo nacional, frente al que el sistema ferrocarrilero envejeció [...]. El desarrollo del país se fue por otro lado y los ferrocarriles languidecieron hasta llegar a su estado actual. Y como no hubo marcha atrás en la nacionalización de los ferrocarriles, tampoco la habrá con la banca, porque esto debilitaría al gobierno. Igualmente, el país no podría prescindir del sistema de ferrocarriles, que lo sigue alimentando pese a todo. No ha crecido, marcha mal, pierde dinero, pero sigue ocupando un lugar central en la economía.

La decisión de restaurar el acuerdo fue también el hilo conductor de las reformas constitucionales de diciembre de 1983, que definieron la rectoría del Estado y la economía mixta, y de la oferta de venta a particulares de diversas empresas paraestatales. Fue también uno de los ejes de la estrategia para enfrentar la crisis y buscar la recuperación: segada la fuente de financiamiento externo que había servido hasta entonces para subvenir los déficits crecientes del gobierno y de la economía en general, atados los recursos de la renta petrolera al servicio de la deuda y restringido el gasto público, sólo la inversión privada, nacional o extranjera, podría garantizar en medio de la crisis alguna posibilidad de recuperación pronta y sostenida. Pese a las facilidades otorgadas, la inversión extranjera no había fluido hacia México como se esperaba y la nacional empezaba a despuntar pero no parecía suficiente para garantizar una recuperación sostenida.

Las cuentas de Contadora

A los problemas tradicionales del litigio bilateral, México y Estados Unidos añadieron a principios de los ochenta uno de orden estratégico: la situación centroamericana. El triunfo de la revolución nicaragüense en 1979, puso fin a la larga dictadura de la familia Somoza en ese país, dictadura que, hasta poco antes de su dramático fin, había contado con el apoyo norteamericano. A partir de ese momento, Centroamérica se convirtió paulatinamente en el escenario de un enfrentamiento geopolítico entre México y Estados Unidos, el escenario donde chocaban las políticas de seguridad nacional de ambas naciones. Para desgracia de México, ése también resultó el escenario donde el gobierno estadunidense había decidido dirimir parte de su estrategia global de enfrentamiento con la URSS.

La llegada de Ronald Reagan a la presidencia de los Estados Unidos a principios de 1981 significó un fortalecimiento de las visiones más conservadoras en ese país. La derrota militar de las fuerzas revolucionarias centroamericanas en América Latina, la tensión en la relación de México con su gran vecino del norte se hizo notoria. Una forma de evitar el agravamiento de la relación entre Washington y México fue transformar la política mexicana en Centroamérica de bilateral en multilateral, coordinándola con Venezuela, Colombia y Panamá en una reunión que tuvo lugar en la isla de Contadora, en Panamá.

La configuración del Grupo Contadora a principios del 83 y su papel central en la negociación del conflicto centroamericano, fue uno de los hallazgos de la política exterior mexicana en medio de la crisis de los ochenta. Desde su formación, Contadora fue un dique diplomático y político capaz de generalizar en el escenario internacional la conciencia de que era posible y urgente una salida negociada a la guerra centroamericana; en cierta medida contuvo en distintas ocasiones inminentes preparativos de ampliación bélica del conflicto y dio continuidad y fuerza latinoamericana a la posición de México, que reconocía como origen de los conflictos en la región la desigualdad y la fractura interna de esas naciones, no la interferencia de la URSS y el enfrentamiento Este-Oeste.

Luego de dos años de excelentes oficios, bajo la presión norteamericana, a fines de 1984, y la hostilidad de los gobiernos de El Salvador, Honduras y Costa Rica, Contadora parecía caminar hacia la inanición. Las propuestas de reforma al Acta de Pacificación de la zona hechas por los gobiernos de Honduras, Costa Rica y El Salvador excluían expresamente la participación de los gobiernos de Contadora en el control de la desmilitarización de la zona y contraatacaban eficazmente sugiriendo que había en el tutelaje del grupo un intervencionismo velado en el destino de las naciones centroamericanas.

Contadora fue también desde su aparición un eje de la definición interna, uno de los escaparates donde se hizo evidente que la influencia norteamericana había hecho avances profundos en las redes de la sociedad mexicana. La labor de Contadora encontró oposición en amplias corrientes ideológicas y políticas de México, en la mayor parte de los medios de comunicación televisiva e impresa y en los muchos sectores que miraban con recelo —por interés o pragmatismo— todo lo que pudiera parecer un enfrentamiento con Estados Unidos.

Moldeando a México

Observadores de la prensa y la academia norteamericana detectaron en esos años un cambio de fondo en la política norteamericana hacia México, en dos sentidos complementarios: por un lado, un cierto temor a la ingobernabilidad de México y la desconfianza sobre la capacidad del antes muy confiable sistema político mexicano para hacer frente a los problemas del país; por otro lado, y producto de esa desconfianza en la capacidad de la élite política mexicana, la posibilidad de un intervencionismo de nuevo tipo en los asuntos de México que garantizara para Estados Unidos el "control" de su frontera sur. Una de las vertientes más novedosas de ese nuevo intervencionismo era para algunos observadores la noción de *shaping México*: moldear a México, cambiarlo poco a poco en el sentido de los intereses norteamericanos, reconocer en la sociedad mexicana las fuerzas reales que la modernización había creado y que no parecía capaz de absorber el viejo sistema de instituciones, ideas y prácticas políticas; reconocer esas fuerzas y acercarse a ellas para ayudarlas a ser y a desarrollarse, ya que esas fuerzas serían las llamadas a abrir y erosionar el largo pacto autoritario, corporativo y nacionalista del México posrevolucionario; eran las fuerzas que miraban de un modo natural hacia Estados Unidos como amigo gigante y camino a seguir, y las que podrían protagonizar un proceso *natural* dentro de México hacia la convergencia histórica con Estados Unidos.

En esa hipótesis de *moldear a México* parecían inscribirse por igual, a mediados de los ochenta, la integración de la economía mexicana a la norteamericana, el ascenso de la industria maquiladora y sus nuevos desarrollos automotrices en Saltillo y Hermosillo, la incorporación de la empresa Televisa a la red de comunicaciones norteamericanas como la mayor televisora hispana de Norteamérca (Spanich International Network), el reconocimiento del PAN por los republicanos como la fuerza más próxima a encarnar el ideal de Estados Unidos para su vecino mexicano: un sistema bipartidista. Tal bipartidismo pareció atractivo al gobierno norteamericano no tanto por su posible carácter democrático sino por su efecto modernizante y estabilizador en la vida política mexicana. En el camino de ese proyecto parecían embonar también las actitudes públicas y la locuacidad política del embajador John Gavin, el más activo y conflictivo representante diplomático estadunidense de varias décadas.

Democracia y no

El descontento, la irritación, la desconfianza, el empobrecimiento, la clausura entre 1982 y 1983 de expectativas vividas no cuajaron en movimientos políticos independientes, sino en una búsqueda de alternativas institucionales. Después de todo, en la memoria colectiva se encontraban vivas las traumáticas experiencias de 1968, 1958 y de más atrás. Así pues, la gente no fue a la calle sino a las urnas; y no a la izquierda, sino a la derecha. Ahí, muy pronto, en las elecciones de mitad del primer año de gobierno, la realidad puso a prueba y deshizo los propósitos de democracia formal y respeto al voto largamente pregonados por el lamadridismo. Se instaló un litigio intragubernamental entre quienes sostenían la necesidad de respetar los triunfos electorales de la oposición y quienes sostenían la necesidad, prísta por excelencia, de una democracia dirigida, destinada a impedir que una mala coyuntura desembocara en cambios políticos estructurales que harían al país vulnerable a la presión extranjera y al chantaje oligárquico de capitalistas y empresarios a los que ya se daban concesiones por otra vía.

En el debate de estas dos corrientes triunfó la última, en particular después de que en las elecciones municipales de Chihuahua, el 3 de julio de 1983, la oposición panista arrasó en los municipios que concentraban el 70% de la población del más grande estado fronterizo con Estados Unidos. Esas elecciones, en las que la oposición panista ganó también la ciudad de Durango y la de Guanajuato, fueron entendidas por el gobierno como un aviso de que efectivamente la crisis había ido a las urnas y como el anticipo de una caída en cascada del PRI y un auge en cascada del PAN en el norte y entre la población urbana.

Para detener ese posible dominó, el sistema volteó al cuarto de trebejos y aparecieron alquimistas, marrulleros y manipuladores de otra hora. De la *Operación Dragón*, instalada en Baja California Norte para las elecciones gubernamentales y municipales del 4 de septiembre de 1983, hasta el operativo *Tango Papas*, montado en Mérida para las elecciones del domingo 25 de noviembre de 1984, la receta fue "alquimia" o fraude electoral, el triunfo de la idea de que el poder no se "regala" en las urnas.

La sociedad mexicana, sin embargo, había cambiado, y la "alquimia" no. La manipulación de los votos se vio y no pudo ocultarse; entre otras cosas porque se ejerció contra una ciudadanía no abstinente o desganada, sino electoralmente movilizada contra el sistema.

Ni la decisión presidencial de ponerse al frente del PRI en estados críticos ni la manifiesta decisión del gobierno federal de premiar la votación priística con apoyos de inversión y recursos, habían logrado revertir la tendencia a la deserción electoral del PRI en los ámbitos urbanos del país, y particularmente en el norte de la República. Parecía ya imposible convertir al propio PRI en una oferta política convincente en esas zonas de deserción y ante la opinión pública nacional.

Las escisiones internas no eran el problema menor entre los que impedían al PRI actuar en los sitios críticos como la aplanadora tradicional que ha sido. Por un lado, la llegada al poder del equipo de Miguel de la Madrid había desplazado a un sector importante de la llamada clase política, contra cuyo acuerdo y con cuya resistencia en el PRI, en el sector obrero y en parte de la burocracia, fue encumbrada en 1981 la candidatura del entonces secretario de Programación y Presupuesto. Por otro lado, parte del proyecto global del presidente Miguel de la Madrid incluía la necesidad de un cambio generacional de estilo y procedimientos en el personal político del país. Esa convicción explicaba la presencia de numerosos políticos jóvenes, de escasa militancia y trayectoria, en puestos que antes se reservaban a políticos experimentados.

Empezando por el gabinete y terminando por el PRI, el lamadridismo parecía decidido a pagar el precio de la inexperiencia para garantizar, al menos de un modo parcial, la siembra de una nueva clase política acorde con las metas de la modernización económica que se proponía emprender. Los supuestos y el sentido de futuro de esa nueva iniciativa contradecían flagrantemente los hábitos del modelo anterior. Las premisas del proyecto —resumidos como un propósito de "cambio estructural"— pueden resumirse en dos profundas sustituciones: la del modelo proteccionista de crecimiento "hacia adentro" por un modelo competitivo orientado "hacia afuera"; y la del Estado interventor, subsidiador, "keynesiano" por un Estado meramente "rector", superabitario y restringido a sus tareas básicas para estimular más que encabezar las energías y las iniciativas de la sociedad.

Los costos del ajuste

Los costos sociales de ese viraje apenas pueden exagerarse porque se dieron en el marco de un ajuste recesivo de la economía mexicana que llegaba a los ochenta sobreendeudada y deficitaria como nunca en su historia. Y porque los años del desarrollo sostenido, no habían bastado para diluir el más antiguo y más persistente de los problemas de México: su régimen ancestral de desigualdades.

A principios de la década de los ochenta, luego del auge petrolero y en el umbral de la crisis económica que le siguió, los rasgos más severos de la desigualdad en la base de la sociedad mexicana seguían tan dramáticos y coloniales como siempre: sólo 35 de cada cien mexicanos tenían un nivel nutricional aceptable y 19 de cada cien presentaban cuadros crónicos de desnutrición; 23 millones de mexicanos mayores de 15 años —o 58 de cada cien— no habían terminado de cursar la primaria, y 6 millones de ellos carecían de toda instrucción; 43 de cada cien muertes ocurridas en México habían sido muertes evitables y el 45 por ciento de la población total —30 millones de mexicanos— no tenía cobertura médica o asistencial de ningún tipo; sólo 38 de cada cien viviendas (31 de cada cien en 1970) tenían agua potable entubada, drenaje y electricidad.

Un total de 22.3 millones de mexicanos— 46 de cada cien— carecía de los mínimos de bienestar en materia de alimentación, empleo, educación y salud. Por contra, sólo 14.8 millones de mexicanos —30 de cada cien— registraban índices bajos de marginación. Se había consolidado una franja de estratos medios, consumidores, con buenos ingresos, pero 35 de cada cien hogares mexicanos tenían ingresos menores al salario mínimo (apenas arriba de 100 dólares) y 19 millones de personas estaban desnutridas —13 millones de las cuales en zonas rurales—. Morían más niños por cada millar que en Paraguay y nacían más niños con poco peso (12 de cada cien) que el promedio latinoamericano (10 de cada cien). El 45 por ciento de la población no tenía atención médica y había 22 millones de mexicanos analfabetos o que no habían concluido su educación primaria. La mitad de las viviendas del país no tenía agua potable y una de cada cuatro carecía de luz eléctrica. La distancia entre el 10% más rico de la población y el 10% más pobre que era de 24 veces en 1963 se había hecho de 35 veces en 1977, y todo hace suponer que la brecha aumentó en los diez años siguientes.

La quiebra económica de los ochenta añadió a las deficiencias estructurales de los mecanismos redistributivos del país, el drama de la más profunda recesión de su historia contemporánea. Durante seis años —1982-1987— hubo en México un crecimiento nulo cuyos estragos arrojan sobre la playa de los años noventa un saldo en costos sociales de tal magnitud que significa probablemente un salto cualitativo en la desigualdad mexicana: no sólo un empobrecimiento general, sino también la reconcentración de los recursos y la riqueza en un número más reducido de mexicanos que en la década de los setenta.

Una investigación de diciembre de 1987 sustentó la paradoja de que los seis años de crisis económica habían hecho a la sociedad mexicana más igualitaria en el sentido de que los mexicanos eran ahora "más iguales en la pobreza". El número de pobres (ingreso familiar mensual menor a dos salarios mínimos) había dejado de ser en esos años el 40% de la población para llegar a casi el 60%. A su vez, los ocho mexicanos de cada cien que a principios de los ochenta ganaban más de catorce salarios mínimos, eran ya sólo 5 de cada cien al terminar 1987.

Entre 1982 y 1987, el salario mínimo había tenido una caída superior al 40%. La participación de la masa salarial en el reparto global de la riqueza había bajado de 42% a 30%, según unos autores y del 37.4 al 28.9% según otros —en cualquier caso había regresado a su nivel de una generación anterior, el año de 1966—. El salario medio, medido en pesos constantes de 1970 había caído de 51 pesos diarios en 1985 a 35 diarios en 1985. El costo de los veintidós productos de consumo básico que requería en 1982 una tercera parte del salario mínimo, valía en 1986 el 42.4% del mismo —para comprar lo elemental en 1982 una gente de salario mínimo debía trabajar 50 horas; para comprar lo mismo en 1986, debía trabajar 85.

No sólo había menos salario, sino también, proporcionalmente, menos mexicanos con acceso a ese salario. Justamente en la década de mayor afluencia de mano de obra joven al mercado de trabajo —en promedio un millón por año, el más alto de la historia del país—, la recesión había inhibido la creación de empleos y multiplicado el desvío de los nuevos contingentes laborales hacia la economía informal, el desempleo y el subempleo, la emigración al exterior o la delincuencia. Según los cálculos de un economista norteamericano, Clark Reynolds, para absorber la avalancha demográfica de jóvenes en busca de trabajo, habría hecho falta crecer desde 1980 a un ritmo sostenido de 7% anual. Pero entre 1982 y 1987 la economía mexicana decreció, en promedio, —.4% anual. El número de desempleados permanentes aumentó en las principales ciudades del país en las magnitudes correspondientes. A fines de 1983, en la Ciudad de México, 24 de cada cien personas en edad de trabajar no tenían trabajo; a fines de 1985, la situación había empeorado: no tenían trabajo 34 de cada cien.

El recurso distributivo por excelencia del modelo estatal mexicano también alcanzó un techo y un declive. El gasto público de interés social, que había venido cayendo desde los setenta como porcentaje del producto nacional, a partir de 1982 sufrió una caída en su monto per cápita —en los ochenta cada mexicano recibió menos dinero por cabeza del gasto social del estado: una cuarta parte menos en inversión para la salud, una tercera parte menos en inversión educativa. En consecuencia, para 1986 eran perceptibles fenómenos inquietantes, anunciadores de regresiones y desvíos de largo plazo, en dos órdenes centrales del bienestar mexicano. Por un lado, en la conservación de los recursos humanos del país; por el otro, en su calificación y adiestramiento, únicas garantías duraderas de mejoría económica y movilidad social.

En 1986 el gasto público en salud fue el más bajo de los últimos veinte años: 35 millones de mexicanos permanecían en ese momento fuera de los sistemas de salud del país, públicos o privados. El número de personas atendidas por las instituciones públicas de salud y seguridad social aumentó proporcionalmente entre 1982 y 1985, pero el número total de habitantes sin protección también creció sensiblemente, de 37.2 millones en 1982 a 41.4 millones en 1985. Hubo indicios de baja en la calidad de los servicios por multiplicación de pacientes en relación con camas y médicos disponibles y un descenso paralelo de sueldos, salarios y fondos destinados a prestaciones —créditos, guarderías, pensiones— de los institutos de seguridad social. Sobre todo, hubo una inversión regresiva en las tendencias de la mortalidad infantil que subió de 40 muertes por cada mil en 1980 a 51 de cada mil en 1984 y una progresión de los accidentes de trabajo, frutos del descenso en los fondos de capacitación, mantenimiento de las instalaciones y sistemas de seguridad fabril que hicieron pasar el número de incapacidades permanentes otorgadas por el IMSS de 16 mil en 1981 a 24 mil en 1986.

Más severa aún fue la contracción educativa. Estable con tendencia a la baja se mostró el renglón de las instalaciones físicas —número de alumnos atendidos por cada maestro: 43 en 1982, 45 en 1985— con la consiguiente caída en la calidad de la atención, agravada, como en el caso de los médicos, por el descenso paralelo de salarios magisteriales.

El proceso revelador, verdaderamente expresivo de la crisis, acaso debe buscarse en el cambio severo de las tendencias dentro de la educación media superior. Es la zona del mayor desafío humano y social del país, el de sus millones de jóvenes adolescentes en camino al desempleo, la frustración, el cierre del futuro y sus oportunidades. A mediados de los ochenta, la crisis sacaba de las aulas, requeridos por la penuria familiar, a millones de muchachos que sus familias ponían a trabajar para mejorar el ingreso contraído. En 1982 lograban terminar el ciclo de educación media superior —jóvenes de entre 13 y 19 años— 42 de cada cien alumnos; en 1986 la cifra había caído dramáticamente y terminaban el ciclo sólo 21 de cada cien.

Un frente más directo de castigo, aunque sus efectos de largo plazo sean tan subterráneos como los otros, es el de la contracción alimenticia. La caída del ingreso familiar, la reducción del gasto público compensatorio, el retiro de subsidios a alimentos básicos y a los precios de bienes y servicios en un medio de inflación acelerada, explican que entre 1982 y 1986 el consumo anual de carne de res de los mexicanos haya bajado a la mitad (de 16 a 7.9 kilos por cabeza), el consumo de leche a una tercera parte (de 108 a 74 litros por cabeza) y otro tanto la carne de pollo (de 5.4 a 3.5 kilos por cabeza). Hechas las cuentas del poder adquisitivo sobre los ocho productos básicos —tortilla, frijol, carne de res, azúcar, café, huevo, leche y manteca—, el poder adquisitivo del salario mínimo de 1986 era el mismo que en 1940 —un regreso cabal a los orígenes del Milagro Mexicano y nuestra sociedad preindustrial.

En consecuencia de tan duras condiciones, los índices de la delincuencia y la inseguridad también crecieron inusitadamente. Los robos denunciados en el Distrito Federal pasaron de 44 mil en 1982 a 74 mil en 1984. Lo verdaderamente significativo, sin embargo, acaso fueron los saltos increíbles de los casos de delincuencia juvenil: el crecimiento calculado de la criminalidad en jóvenes menores de 18 años para el fin del siglo es de 50% en delitos patrimoniales —robos, etc.— y 236% en delitos menos como ebriedad, irregularidades de conducta, vagancia, etc.

En el otro extremo de la dura sobrevivencia y sus naufragantes paliativos, está el vértice de la pirámide del ingreso. Para ella la crisis de los ochenta fue auge sin precedentes. La participación del capital en el reparto de la riqueza nacional, que había venido cayendo durante los setenta, pasó de ser el 43.1% en 1982 al 54% en 1985, un incremento de 10.9% a costa de la participación del salario y del sector público. México vivió en esos años una reconcentración de la riqueza nacional en manos de quienes ya la concentraban por varias vías: inflación, rentas financieras, facilidades especulativas, política cambiaria. En efecto, al agudo proceso inflacionario mexicano de los ochenta —que de por sí enriquece a quien tiene y empobrece a quien no— la desigualdad mexicana de fin de siglo sumó extraordinarias ventajas:

1. Altas tasas de interés que premiaron a rentistas con ganancias seguras equivalentes a dos o tres veces la inflación e hicieron pasar el valor de las rentas financieras del 4.2% del producto nacional en 1970 al 13.5% en 1985.

2. Un mercado de valores que, antes de su desplome en noviembre de 1987, otorgó rendimientos promedio del 600% anual (1987) y que fue el lugar de la formación vertiginosa y legendaria de fortunas especulativas.

3. Una política de sobrevaluación del peso sostenida hasta 1982, que premió con sus devaluaciones de ese año a quienes habían sacado su dinero del país para convertirlo a dólares. Calculadas conservadoramente por un especialista, esas ganancias fueron equivalentes, en diciembre de 1982, a 12.2% de la riqueza nacional producida ese año. La política contraria, de agresiva subvaluación del peso desde 1983 premió por su lado otro tipo de concentración sectorial —exportadores, maquiladores e industria turística—. Puede dar una idea del volumen de la transferencia a esos sectores el que entre 1986 y 1987 los exportadores mexicanos hayan obtenido, según los cálculos del economista francés Maxime Durand, una ganancia extra de unos 4 mil millones de dólares, casi la mitad del servicio de la deuda externa mexicana.

Así, al terminar la década de los ochenta, el mapa de la distribución del ingreso y la desigualdad mexicana había dado un salto regresivo o, si se prefiere, un salto cualitativo hacia adelante en materia de concentración de la riqueza. En una población de 85 millones de habitantes, casi la mitad, unos cuarenta millones, sobrevivía con ingresos menores a dos salarios mínimos (unos 200 dólares) y sólo una veinteava parte, unos cuatro millones y medio de personas, vivía con ingresos superiores a veinte salarios mínimos (arriba de los 4 mil dólares al mes).

No había sido sólo una década perdida para el desarrollo, sino también para la distribución de la riqueza, incluso en su modalidad más gradual, efectivamente realizada en México: la gestación en escalas masivas de estratos, sectores y movilidad de clases medias. Más todavía: el ajuste del modelo de desarrollo mexicano con su contracción estatal, el fin de su economía subsidiada y su búsqueda del exterior al costo de una fuerte caída de la demanda y el consumo interno, tuvo un efecto reconcentrador en las cúpulas poseedoras y un efecto de empobrecimiento absoluto y relativo de sus propias clases medias exitosas. Al terminar los ochenta la desigualdad había agudizado la pobreza en la base de la pirámide, ratificado y ampliado la hegemonía económica de la cúspide y paralizado en un límite naufragante las expectativas de crecimiento de sus zonas intermedias.

La política exterior

En los años ochenta, la política exterior de México estuvo centrada, directa e indirectamente, en la relación con Estados Unidos como no lo había estado en varios decenios. Como ya quedó señalado en páginas anteriores, al iniciarse este decenio, la relación política de México con su vecino del norte estuvo marcada por un aumento de la tensión. Sin embargo, en el plano estrictamente económico, el signo dominante fue el contrario: el de la colaboración. Hubo, por tanto, un elemento de esquizofrenia en el diálogo que en estos años sostuvieron los gobiernos de la Ciudad de México y Washington.

La razón de fondo del deterioro de las relaciones políticas entre México y los Estados Unidos se encuentra en el intento del gobierno de López Portillo por llevar el activismo de la política exterior mexicana —que databa del sexenio anterior— a un nuevo plano. En efecto, a partir de 1979 se buscó usar los recursos que directa e indirectamente daba el petróleo, para transformar a México en potencia media internacional. Centroamérica fue el sitio que se eligió para inaugurar esta política que pretendía dejar atrás la defensa tradicional del interés nacional mediante el aislamiento y la pasividad frente al mundo externo. Al pretender apoyar al sur de la frontera a las fuerzas moderadas pero comprometidas con el cambio, la cancillería mexicana buscaba alcanzar varias metas a la vez. En primer lugar, un objetivo histórico: disminuir la enorme presencia norteamericana en la zona. México intentó ganar influencia sobre sectores moderados y nacionalistas centroamericanos ofreciendo, en unión de Venezuela, petróleo a todos los países de la zona en condiciones más favorables que las prevalecientes en el mercado, además de créditos, ayuda técnica y mercados. Aunque la oferta mexicana tuvo siempre una dimensión modesta, se esperó que fuese de interés para algunos gobiernos y corrientes políticas centroamericanas que buscaban diversificar sus ligas con el exterior como medio de afirmar su independencia relativa. Tal parecía ser, sobre todo, el caso del gobierno nicaragüense tras el triunfo de la revolución sandinista sobre la dictadura de la familia Somoza.

La política mexicana no sólo pretendió abrir algún espacio en lo que hasta ese momento era una región de influencia exclusiva norteamericana. Igualmente, intentó contribuir a la pacificación de una zona vecina convulsionada por las guerras civiles, dando apoyo a las fuerzas que buscaban la estabilidad en el largo plazo mediante la destrucción de estructuras oligárquicas que ya eran obsoletas. Para México la paz centroamericana era una forma de evitar un flujo mayor de refugiados hacia su territorio y de detener la polarización creciente de la atmósfera política, pues tal situación abría la posibilidad de una mayor presencia de Cuba y la Unión Soviética y, por tanto, de una reacción norteamericana de igual o mayor magnitud, todo lo cual disminuiría las posibilidades de autonomía de la región latinoamericana.

A fin de cuentas, la estrategia mexicana no dio el resultado que se esperaba. Para empezar, la caída de los precios petroleros internacionales en 1981 y el inicio al año siguiente de la gran depresión económica mexicana, debilitaron en extremo la base material del activismo internacional mexicano. En segundo lugar, la dirigencia revolucionaria nicaragüense perdió su pluralismo original y se radicalizó en sus políticas internas y externas hasta el punto en que la negociación americano-nicaragüense se hizo imposible. Ante la creciente hostilidad estadunidense, el gobierno de Managua decidió llevar adelante su proyecto nacional revolucionario recurriendo cada vez más a la ayuda soviética y cubana, enfrentándose abiertamente al gobierno de Washington y haciendo a un lado propuestas moderadas como la de México. En tercer lugar, y relacionado con el punto anterior, el gobierno norteamericano presidido por Ronald Reagan definió la radicalización nicaragüense así como el aumento de la acción de las fuerzas revolucionarias en El Salvador, como una situación incompatible e irreconciliable con la seguridad nacional norteamericana en el Hemisferio Occidental. En estas condiciones, la política mexicana hacia la región centroamericana fue vista en Washington como antagónica a sus intereses prioritarios. El resultado no se hizo esperar: en poco tiempo la atmósfera en la relación política entre los gobiernos de Ronald Reagan y Miguel de la Madrid se hizo tensa, y esa tensión no habría de desaparecer sino hasta la conclusión de ambas administraciones en 1988-1989.

La situación anterior no dejó de revestir aspectos paradójicos, pues en lo referente a su proyecto económico, las dos administraciones compartían muchos puntos de vista e intereses. Fue por ello que no obstante las diferencias políticas entre México y Washington la cooperación entre ambos en el plano económico se mantuvo inalterable. En efecto, a partir de la crisis económica mexicana de 1982 los dos gobiernos buscaron dar a las fuerzas del mercado una acción mayor en la distribución de los recursos sociales y, por tanto, disminuir el creciente papel que el Estado había desempeñado en ese campo desde los años treinta. Estados Unidos había buscado infructuosamente de tiempo atrás que México accediera a abrir su economía, y fue De la Madrid quien empezó a desmantelar la vieja estructura proteccionista de la industria mexicana como parte de una reformulación a fondo del proyecto económico mexicano. En una palabra, esta nueva política de Miguel de la Madrid acercó las visiones económicas dominantes en México y Estados Unidos como no lo habían estado desde la Segunda Guerra Mundial. Fue justamente por ello que Washington decidió que sus diferencias políticas con México no deberían impedir alentar esta parte de la evolución del país vecino.

Fue la compatibilidad básica de los esquemas que para la economía propusieron De la Madrid y Reagan lo que permitió que la tensión generada en el campo político-diplomático no se tradujera en un conflicto mayor. Pese al enorme costo social, el gobierno mexicano se empeñó en mantener puntualmente su pago de intereses y capital de una deuda externa enorme y cuyo monto con el paso del tiempo no disminuía sino aumentaba. La administración de Washington, por su parte, respaldó las peticiones mexicanas de nuevos préstamos hechas a los organismos financieros internacionales —Fondo Monetario Internacional y Banco Mundial— en donde la voz de los representantes norteamericanos era decisiva. De la misma manera, los responsables estadunidenses de la política financiera de ese país, no se opusieron a los planteamientos hechos por México ante la comunidad bancaria internacional para que considerara la conveniencia de disminuir la carga del pago de la deuda. Si finalmente el gobierno de De la Madrid no logró modificar en su favor los términos originales del endeudamiento externo, ello no se debió a la oposición de las autoridades de Washington, sino a la intransigencia de los acreedores.

Para disminuir la presión norteamericana sobre la diplomacia mexicana en Centroamérica, pero sin tener que admitir un cambio de posición, la cancillería mexicana decidió transformar de bilateral en multilateral su acción política en Centroamérica. México fue el motor de la creación del llamado Grupo de Contadora al principiar el sexenio delamadridista. Este grupo, compuesto por Venezuela, Colombia, Panamá y México, sirvió para que éste último tomara distancia de los sandinistas, pero continuara insistiendo en que la solución del problema centroamericano debería hacerse dentro del marco del respeto al principio de no intervención y, sobre todo, de la solución pacífica de las controversias. El resultado final de Contadora fue ambiguo. Por un lado, no hay duda que contribuyó a limitar la posibilidad de una acción directa de Estados Unidos contra Nicaragua. Por el otro, no logró el respeto efectivo al principio de no intervención, pues Estados Unidos abiertamente creó y financió un ejército nicaragüense contrarrevolucionario que operó desde santuarios en territorio hondureño. Finalmente, el plan de paz de Contadora para terminar con los conflictos dentro y entre los Estados de la región, no recibió el apoyo de todos los interesados, pero en cambio sirvió de base y estímulo para que los propios centroamericanos, encabezados por Costa Rica, propusieran su propio esquema de pacificación (acuerdos de Esquipulas). Si bien este plan tampoco habría de llevar a la solución definitiva del problema regional, ambos impidieron lo que a veces pareció inevitable: el conflicto armado entre Nicaragua y sus vecinos, y entre aquél y Estados Unidos.

Las diferencias políticas entre los gobiernos de México y Estados Unidos no se expresaron única o básicamente como una incompatibilidad de proyectos en Centroamérica, sino también como un desacuerdo en relación a un problema interno compartido por los dos países y que para Estados Unidos revestía particular importancia: el narcotráfico.

La lucha contra el consumo de drogas por una parte importante de la población norteamericana, se convirtió en los años ochenta en uno de los puntos más importantes de la agenda interna del gobierno de Washington. En este contexto, la presión de Washington en contra de los gobiernos de los países productores o exportadores de las drogas se transformó en una política con amplio apoyo en la opinión pública de Estados Unidos. Y México resultó blanco de esta presión por ser un país productor de mariguana y heroina y, además, punto de ingreso a Estados Unidos de la cocaína sudamericana.

El asesinato en Guadalajara en 1985 de un agente de la Agencia Antidrogas de los Estados Unidos (DEA) por narcotraficantes que eran protegidos por las policías local y federal, marcó el inicio de una intensa campaña internacional de desprestigio del aparato policiaco mexicano en particular, y del sistema político en general. Los encargados de la campaña antidrogas en el gobierno federal norteamericano así como un buen número de legisladores de ese país, presentaron a la opinión pública norteamericana y mundial la imagen de un aparato policiaco mexicano y de administración de justicia corruptos de arriba abajo. Las cifras de miles de toneladas de mariguana y de miles de kilos de heroina y cocaína decomisadas por el ejército y la policía mexicanos, los millones de dólares y el alto número de efectivos que el gobierno mexicano destinaba a la lucha contra productores y comercializadores de los estupefacientes, así como la captura en Costa Rica del traficante mexicano acusado del asesinato del agente de la DEA, no sirvieron para satisfacer las exigencias norteamericanas. En Washington se insitió en que México debería reestructurar a fondo su propio aparato de lucha antinarcóticos para erradicar las persistentes ligas entre funcionarios y traficantes.

El otro punto que sirvió en los Estados Unidos —y en menor medida también en Europa Occidental y América Latina— a aquellos grupos interesados en ese país en reforzar la imagen de un gobierno mexicano deficiente, fue el proceso electoral. Al surgir durante la presidencia de Miguel de la Madrid una verdadera oposición electoral al gobierno, los medios masivos de difusión externos —especialmente nortemericanos, pero no exclusivamente— se transformaron en un factor importante en el proceso político mexicano, al dar credibilidad internacional a las acusaciones de la oposición de centro derecha —el PAN— en torno a los fraudes del partido oficial en el norte del país. De manera indirecta, algunos círculos políticos norteamericanos dejaron saber su beneplácito ante la posibilidad de que en México la oposición conservadora democrática y con simpatías por las políticas dominantes en Estados Unidos, pusiera fin al largo monopolio del poder político del PRI. La duda expresada por los medios de comunicación extranjeros sobre la legalidad de los procesos electorales llegó a su punto culminante en la elección presidencial de 1988, cuando en primera plana del *New York Times* aparecieron testimonios directos de instancias concretas de fraude del partido del gobierno, y que dieron credibilidad a las dudas sobre la validez general de las cifras oficiales. Sin embargo, el entusiasmo original en Estados Unidos por la oposición mexicana se moderó a partir del momento en que el signo de la principal fuerza contestataria cambió de la derecha a la izquierda.

A partir del cambio presidencial casi simultáneo en México y Estados Unidos a fines de 1988 y principios de 1989, la actitud del gobierno norteamericano hacia el mexicano cambió notablemente. Tras el primer encuentro entre George Bush y Carlos Salinas en Houston, Texas —en donde ambos líderes ofrecieron colaborar uno con los objetivos del otro— surgió lo que se denominó entonces "el espíritu de Houston" que no significó otra cosa que el fin de las mutuas recriminaciones del pasado inmediato. Los motivos del cambio en la relación mexicano-americana en 1989 parecen haber sido varios. Entre ellos destaca, como se dijo, el surgimiento de una fuerza opositora importante de centro izquierda —el neocardenismo— y la relativa debilidad del nuevo gobierno mexicano. Ante esta situación, los responsables en los Estados Unidos de la política hacia México, llegaron sin dificultad a la conclusión de que la mejor manera de proteger el interés nacional norteamericano al sur del Río Bravo era darle apoyo abierto·y pleno al sistema·político vigente en México y, sobre todo, al gobierno de Carlos Salinas. Ambos eran la garantía de que seguiría adelante el cambio estructural de la economía mexicana sin correr el riesgo de perder la estabilidad social y política mexicana, y que constituían el interés central de Estados Unidos al sur del llamado Río Grande.

Inmediatamente después de su toma de posesión, el gobierno de Carlos Salinas empezó a actuar de manera espectacular y decisiva contra ciertos representantes conspicuos de la corrupción oficial y de la oposición a la modernización del sistema económico y político mexicano —los arrestos de los líderes del poderoso sindicato petrolero y del antiguo jefe de la Dirección Federal de Seguridad, que en su carácter de encargado de la policía política se ligó al narcotráfico—. Además, el nuevo gobierno logró la captura y condena de la persona que de años atrás encabezaba la lista elaborada por la DEA de narcotraficantes mexicanos: Félix Gallardo. Estos hechos reforzaron las razones de quienes en Washington proponían el apoyo decidido al nuevo gobierno mexicano. En los círculos oficiales y privados norteamericanos, así como en los medios masivos de comunicación, menudearon entonces las opiniones positivas sobre el presidente mexicano y su proyecto político. Finalmente, la desaparición de los últimos vestigios del activismo mexicano en Centroamérica y una coincidencia de la posición mexicana con la norteamericana en el caso de Panamá —ambos condenaron la política autoritaria del general Manuel Noriega—, reforzaron esta atmósfera de optimismo en Estados Unidos respecto del gobierno mexicano en 1989.

Poco después de asumir su cargo, el presidente Bush —y su secretario de Estado y del Tesoro— se situó abiertamente al lado de las autoridades mexicanas en apoyo a la exigencia de éstas para que la banca internacional aceptara una modificación sustantiva del monto y términos de pago de la deuda externa mexicana, pues de lo contrario no se le daría una verdadera oportunidad de éxito al proyecto político central de Carlos Salinas; poner fin a la prolongada depresión económica mexicana para reactivar a un socio comercial importante y evitar el surgimiento de la inestabilidad política al sur de la frontera.

A mediados de 1989, la relación mexicano-estadunidense a nivel gubernamental era notable por la ausencia de fricciones y desacuerdos sustantivos. Un ambiente similar no se había dado desde el final de los años sesenta. Ahora bien, lo anterior no significaba, ni con mucho, que las contradicciones entre los dos países hubieran desaparecido. Estas seguían, por ejemplo, en el campo de la migración indocumentada de mexicanos hacia Estados Undios, en los precios de las materias primas, en la transferencia tecnológica, en la integración de la industria maquiladora —básicamente propiedad norteamericana— a la economía nacional o en la interpretación del principio de no intervención.

Al concluir el periodo bajo estudio, el tema fundamental de la relación de México con su entorno exterior, era la forma y los alcances de la integración dé la economía mexicana con la economía mundial, en particular con la norteamericana. Las incógnitas al respecto eran muchas, y los peligros y las posibilidades enormes.

Las elecciones: de la irrelevancia a la centralidad

El objetivo principal, casi único, del gobierno encabezado por Miguel de la Madrid a partir de diciembre de 1982, fue lograr la transformación estructural de un sistema económico que acababa de mostrar su inviabilidad histórica. Este proceso tuvo que darse en medio de, y debido a, la gran depresión en que cayó la economía a partir de la baja dramática de los precios mundiales del petróleo en 1981. Entre más avanzó el sexenio delamadridista, más clara se hizo la decisión del presidente y de los hombres que le rodeaban, de subordinar la compleja problemática política al logro de la meta prioritaria: la transformación del modelo económico mediante su apertura y reacomodo respecto de las fuerzas económicas externas.

Aun en la mejor de la circunstancias, el cambio de un aparato productivo que por alrededor de cuarenta años había crecido basado en el mercado interno y en la protección arancelaria, a otro cuyo dinamo central fuese la demanda del mercado mundial y el intercambio comercial abierto, implicaba un gran costo para la sociedad en su conjunto. La lógica del nuevo proyecto nacional requería, entre otras cosas, que el papel del Estado como productor disminuyera drásticamente, que el de la inversión privada —interna y externa— aumentara en la misma o mayor proporción en que disminuyera el estatal, que el peso del petróleo en el total de las exportaciones fuera cada vez menor y que el de los productos manufacturados y los servicios mayor. El costo de este enorme reacomodo de los factores de la producción se agudizó por el peso de la gran deuda externa que al inicio de 1989 era de 105 mil millones de dólares y cuyo servicio absorbía el 6% del Producto Interno Bruto (PIB).

La puesta en marcha del ambicioso y urgente proyecto económico, se hizo dentro de un proceso de crecimiento de los precios que en 1987 se acercó peligrosamente a la hiperinflación, con un aumento promedio anual de 160%. De todos estos precios uno aumentó sistemáticamente menos que el resto: el precio del trabajo. La irritación social corrió pareja a la curva inflacionaria. Para revertir o por lo menos frenar esta situación tan peligrosa, el gobierno, con el apoyo de las organizaciones corporativas, puso en marcha en 1988 el Pacto de Solidaridad Económica (PESE) que consistió en una relativa congelación de precios y salarios aunado a un ajuste fiscal y a la fijación de la paridad cambiaria.

Como es fácil comprender, el fin catastrófico del "milagro mexicano" y el posterior esfuerzo de modernización económica no podían dejar de tener una repercusión política. Pese al golpe brutal que significó la depresión iniciada en 1982 para las formas de vida y las expectativas de la mayoría de los mexicanos, la larga estabilidad política del país —la más prolongada de la América Latina— no se rompió, ni el partido en el poder perdió su monopolio tradicional sobre el ejercicio del poder en México. Ambas cosas se mantuvieron gracias a la enorme fuerza de las instituciones —en particular la concentrada en la presidencia— aunada al peso de una añeja cultura cívica autoritaria e inhibidora de la participación, y sobre todo, por la ausencia de una oposición fuerte que pudiera canalizar políticamente el descontento generado por el fin del crecimiento económico y el costo social de la reconversión del aparato productivo.

Si bien el fracaso económico de los años ochenta no se vio acompañado de una ruptura del orden político o social (como algunos observadores extranjeros temieron) la esencia del sistema político autoritario y corporativo, se desgastó en la misma medida en que la caída del bienestar de la mayoría de los mexicanos fue visto por una parte importante de la sociedad como el resultado no sólo de las ciegas fuerzas de la economía, sino también como producto de errores de conducción política del pasado inmediato: del desorden en el ejercicio del gasto público, no exento de corrupción, y de un mal manejo del endeudamiento externo.

Las tensiones sociales generadas por la gran depresión económica se fueron canalizando penosa e incluso torpemente, y pese a los obstáculos puestos por los intereses creados, por una vía constructiva: la electoral. Hasta principio de los años ochenta, las elecciones mexicanas habían sido históricamente casi pura forma y nada de contenido, particularmente desde que en 1958 la presidencia controló de principio a fin y prácticamente sin oposición, el proceso de selección interna de candidatos en el partido del Estado y el desarrollo posterior del proceso electoral que enfrentaba a ese partido con un grupo de competidores impotentes, o casi. En 1982 México tenía un sistema de partidos en el papel pero no en la realidad. El férreo control presidencial y su dependencia de los recursos gubernamentales, hacían que el partido en el poder

—PRI— no fuera realmente un partido político sino realmente parte de las estructuras del gobierno federal. En la oposición, la izquierda vivía una permanente marginalidad y únicamente un partido de centro derecha; el PAN, por su parte, sí contaba con las características organizativas y la penetración social indispensables para ser un verdadero partido político en la concepción moderna del término, pero la acción del gobierno y el entorno le daba pocas oportunidades de hacer efectivo su potencial político.

No obstante lo anterior, la crisis económica hizo que en un periodo relativamente corto —un sexenio— el panorama tradicional cambiara de manera drástica y que empezara a surgir en México algo totalmente nuevo: un verdadero sistema de partidos, y con ello la posibilidad de hacer del voto en el futuro, y por primera vez, la fuente central de la legitimidad gubernamental. En el momento de concluir esta obra, el tránsito del autoritarismo postrevolucionario a la democracia política moderna apenas se iniciaba en medio de grandes contradicciones. En 1989, la democracia era todavía una promesa y de ninguna manera un destino inevitable. Veamos algunos de los hechos que abrieron esta posibilidad.

Como candidato presidencial, en 1982, Miguel de la Madrid no enfrentó ninguna oposición significativa, sin embargo, debió aceptar una victoria electoral menos contundente que la de sus antecesores, pues no podía ignorar las tensiones políticas y sociales que ya empezaban a surgir ante lo que aún se presentaba a la opinión pública por los voceros oficiales como una crisis económica seria pero pasajera. Es por ello que el triunfo presidencial del candidato del partido oficial se obtuvo con únicamente el 71.7% de los votos emitidos. Esa cifra, aunque muy aceptable como base de una victoria, situó al nuevo presidente en el extremo más bajo de apoyo electoral en la historia del PRI.

Durante su campaña electoral y aún después, De la Madrid subrayó su compromiso con la revitalización de los procesos políticos por la vía electoral. En este campo su proyecto parecía ser la búsqueda de la legitimidad perdida por el sistema político en su conjunto a raíz de la crisis económica. Así, al iniciarse 1988 todo parecía indicar que el gobierno podría apoyar la transformación económica con una paulatina transformación política. Sin embargo, la velocidad y magnitud de las ganacias del PAN en las elecciones locales posteriores a 1982, pareció ser mucho mayor de la que el gobierno había supuesto y estaba dispuesto a tolerar. En efecto, en las elecciones de Chihuahua en 1983 el PRI perdió a manos del PAN once presidencias municipales, entre las que se encontraron la capital y Ciudad Juárez y que en conjunto representaban la mitad del electorado. Y no sólo eso, el PRI también perdió en favor de la oposición panista cinco de once diputaciones locales. Repuestos de la sorpresa, el presidente y las cúpulas corporativas priístas coincidieron en la conveniencia de dar marcha atrás y posponer para después de la revitalización de la economía la apertura del sistema político, pues de lo contrario el PRI podía perder en poco tiempo el control sobre la zona norte del país. Sin embargo, la recuperación económica no se dio según los planes originales del gobierno y sí, en cambio, aumentó el descontento.

Las elecciones locales en varios estados norteños con una oposición fuerte, en particular las de Chihuahua en 1986, se caracterizaron por el uso abierto y masivo de los recursos del gobierno federal en apoyo de los candidatos oficiales, por la sospecha generalizada del fraude electoral y por el uso del control gubernamental sobre la Comisión Federal Electoral y sus contrapartes locales para sostener triunfos priístas que la opinión pública nacional e internacional no consideró legítimos. La atmósfera creada por este empeño gubernamental de contraponer la inmovilidad de los mecanismos de poder al cambio económico y las transformaciones sociales que él mismo acarreaba, fue caracterizada por un agudo observador del proceso —Juan Molinar— como una atmósfera de "asfixia electoral".

A partir de 1984, el gobierno logró obstruir el ascenso de la oposición externa pero a un costo considerable de credibilidad. Sin embargo, la presión finalmente escapó al control del presidente mediante la aparición de una grieta dentro del propio partido de Estado. En efecto, la agudización de las contradicciones sociales y la desusada estrechez del círculo presidencial, llevaron en 1987 a un grupo de dirigentes del PRI marginados por el delamadridismo, a desafiar la disciplina tradicional. En efecto, en ese año un puñado de priístas encabezados por el exgobernador de Michoacán, el Ingeniero Cuauhtémoc Cárdenas, y el ex presidente del CEN del PRI en el sexenio de Luis Echeverría, Porfirio Muñoz Ledo, dieron forma a una corriente política dentro del propio partido gobernante —la Corriente Democrática— que cuestionó públicamente la idoneidad de la política económica puesta en marcha por el presidente y pidió se iniciara un debate interno al respecto.

La existencia misma de una corriente política organizada dentro del PRI que se presentaba como tal ante la opinión pública, era un desafío mayúsculo a una de las reglas centrales del sistema político imperante: la subordinación de todo el aparato del partido de Estado a la disciplina impuesta por el presidente. Y como si lo anterior no fuera suficiente, el grupo inconforme pidió también la inauguración de mecanismos de verdadera democracia interna del partido, lo que de haber sido aceptado hubiera significado un cambio fundamental no sólo en el PRI sino en el sistema político en su conjunto, pues cualquier ganancia de independencia efectiva de los cuadros del partido se tenía que hacer a costa de la fuerza de la institución política central: la presidencia.

Al final de cuentas, laCorrienteDemocrática fue relegada y poco después abandonó el PRI para inicar la formación de una fuerza independiente de centro izquierda que contendiera en las elecciones presidenciales de junio de 1988. Usando a la ley electoral vigente y a partidos marginales —PPS, PARM, PST—, la corriente democrática dio forma a una coalición denominada Frente Democrático Nacional (FDN) que presentó a Cuauhtémoc Cárdenas como candidato presidencial. Tras una serie de negociaciones bastante difíciles, el antiguo Partido Comunista Mexicano, transformado ya en Partido Mexicano Socialista, abandonó su idea inicial de postular un candidato propio y se unió al FDN, que se convirtió en la verdadera opción de centro izquierda frente al PRI. El proyecto cardenista se centró en la necesidad de revertir el proceso de empobrecimiento de las mayorías, disminuir la velocidad de desmantelamiento del aparato paraestatal y la apertura de la economía al exterior y dejar de dar prioridad al pago de la deuda sobre las necesidades de reanudar el crecimiento.

El PRI, por su parte, en un proceso interno diseñado por el Presidente de la República, presentó a seis posibles precandidatos tras lo cual, y sin gran debate interno, surgió un precandidato único: el joven doctor en economía y secretario de Programación y Presupuesto, Carlos Salinas de Gortari. Salinas de Gortari presentó un programa que consistió, básicamente, en seguir adelante con el proyecto económico iniciado por Miguel de la Madrid —la reducción del papel del Estado como productor económico, la apertura comercial, la modernización de la planta industrial y la insistencia en una renegociación de la deuda externa—, y del cual Salinas de Gortari había sido uno de los principales arquitectos.

La oposición de centro derecha —representada por el PAN— y tras un proceso de selección muy abierto a la participación de sus bases, eligió como candidato a un elemento recién llegado al partido: el extrovertido empresario norteño Manuel J. Clouthier. La propuesta panista no difería mucho de la oficial, sobre todo en lo que se refería a la disminución del papel económico del aparato estatal y el aumento de las fuerzas del mercado en la asignación de recursos. Sin embargo, el tema fundamental del PAN no fue económico sino político: la exigencia del sufragio efectivo, de la democracia.

La elección de julio y los primeros meses del Gobierno

La candidatura prísta a Carlos Salinas de Gortari en la sucesión presidencial de 1987, fue un claro indicio de que el equipo gobernante persistiría en el camino modernizador elegido y tuvo consecuencias políticas inusitadas. Cuauhtémoc Cárdenas, para esos momentos ex gobernador de Michoacán, ex senador de la república y ex subsecretario de asuntos forestales, pudo cohesionar en su torno una amplia gama de voluntades políticas y el apoyo de cuatro partidos que configuraron el Frente Democrático Nacional y una agrupación sin registro: el Partido Auténtico de la Revolución Mexicana, el Partido Popular Socialista, el Partido Frente Cardenista de Reconstrucción Nacional y el Partido Mexicano Socialista más la Corriente Democrática.

La candidatura cardenista creció consistentemente en los meses de campaña electoral y llegó a las elecciones de julio de 1988 con fuerza suficiente para volverse la segunda fuerza electoral del país, desplazando al Partido Acción Nacional y arrasando al PRI en las votaciones de la capital de la República y otras zonas centrales del país más algunas ciudades del norte.

La lentitud de cómputo de los resultados electorales, el auge de la oposición, la ostensible manipulación del proceso por las autoridades y la incredulidad de la opinión pública, echaron sobre las elecciones de julio de 1988 una espesa sombra de duda y la acusación de fraude. Los resultados oficiales que otorgaron el triunfo a Carlos Salinas de Gortari por algo más del 50% de los votos (30% para el cardenismo y 20% para el PAN), fueron impugnados por diversos sectores nacionales y por los medios de información internacionales, y dieron paso a un clima de confrontación y litigio.

Al final, nadie quedó satisfecho: ni la oposición ni el gobierno ni un alto porcentaje de los votantes. El desencuentro de las expectativas ciudadanas con los lentísimos tiempos de proceso, la insuficiencia de las vías legales para dar curso a las protestas y la manipulación gubernamental del espectáculo, pusieron de manifiesto una zona delicada y crítica de la vida política del país: la falta de instituciones adecuadas para dar sitio a la nueva presencia ciudadana en las urnas y la necesidad de una reforma política capaz de ajustar esas instituciones a la nueva realidad.

Las elecciones de julio hicieron evidente, aun para los observadores más fríos y tradicionales, que México debía de entrar al camino que conduce a la instauración de un régimen de partidos sólido, con elecciones competidas. Pero sus leyes en la materia seguían privilegiando la estructura de un partido de estado, casi único. Los hábitos políticos de aquel dominio, como se ha dicho, estaban a su vez en creciente desencuentro con las expectativas de una ciudadanía emergente, fruto de la modernización social y económica vivida por el país en el último cuarto de siglo.

Las elecciones de julio, tuvieron efectos políticos directos en otros ámbitos.

Primero, reformaron de hecho al presidencialismo mexicano, cortándole facultades y creándole contrapesos. Le quitaron, por lo pronto, la facultad de emprender reformas constitucionales sin anuencia de la oposición, al configurar una cámara de diputados en que el PRI tuvo 260 de 500 escaños. Ya que las reformas constitucionales requieren la aprobación de dos terceras partes del Congreso —unos 332 diputados— en adelante el presidente debería mantener cohesionados todos sus votos y convencer a más de 70 miembros de la oposición para lograr alguna.

Segundo, equilibraron las relaciones del poder ejecutivo con el legislativo, volviendo a éste una instancia capaz de oponerse y hasta de derrotar las iniciativas presidenciales. La precaria mayoría priísta en el congreso podía en adelante ganar pero no avasallar, imponerse pero no aplastar.

En tercer lugar, las elecciones de julio regionalizaron y fragmentaron territorialmente el poder del régimen. Le arrebataron la mayoría en el Distrito Federal, vengando así un agravio ciudadano mayor —la inexistencia de elecciones para configurar el gobierno de la ciudad más importante del país—. También perdió el régimen la segunda ciudad de la república —Guadalajara, ganada por el PAN—, hubo triunfos de la oposición en estados que eran del dominio tradicional priísta —Morelos, Michoacán y Guerrero—, y la república en su conjunto apareció de pronto como un mapa de intensa competencia y equilibrio electoral. De acuerdo con las cifras oficiales de la elección de 88, en los años siguientes bastaría un pequeño aumento del ánimo desfavorable al gobierno —equivalente al 10% del electorado: 1.9 millones de votos— para emparejar la votación nacional del PRI con la de la segunda fuerza del país.

Así, las elecciones de julio abrieron claramente la posibilidad del paso a la instalación de un régimen creíble y competitivo de partidos en México, un régimen capaz de conducirlo a la experiencia democrática por excelencia que los mexicanos no han tenido en este siglo ni en el pasado: la alternancia pacífica en el poder.

El nuevo gobierno

Al tomar posesión de la presidencia de la república Carlos Salinas de Gortari, el 1 de diciembre de 1988, esa novedad política parecía estar en el primer orden de los reclamos de la nación. Pero no era el único desafío. El territorio de la transición mexicana mostraba sus duros perfiles en todos los órdenes. Aún para los observadores más optimistas era claro que los años de reparación económica, después del colapso de los años ochenta, exigiría de la nación esfuerzos gigantescos para obtener resultados modestos.

Debían crearse un millón de empleos cada año simplemente para evitar que el desempleo siguiera aumentando. Si el pago de la deuda se condicionaba al crecimiento de la economía y se liberaban recursos suficientes para garantizar, hasta el año 2000, un ritmo del 2.5% de crecimiento anual —el promedio entre 1982 y 1988 fue de -.4%—, para el fin del siglo los mexicanos habrían recuperado el ingreso per cápita que tenían en 1980. Si en el curso de los siguientes seis años el salario real de los mexicanos se duplicaba —lo cual no había sucedido en la historia del salario en México durante ningún sexenio— para 1994, al final del sexenio de Salinas de Gortari, el salario de los mexicanos volvería a tener apenas su nivel de 1982.

La infraestructura productiva y de comunicaciones del país exigía operaciones de salvamento en muchas zonas. Así, por ejemplo, la desinversión de los ochenta en la industria petrolera auguraba un sexenio de caída progresiva de la producción de crudo si no se reactivaban de inmediato las tareas de exploración y explotación primaria. Había un millón de solicitudes telefónicas no atendidas y otro tanto de servicio precario, inestable o de baja calidad. Y desde tiempo atrás se oían en la industria eléctrica voces que anticipaban los estragos de la desinversión: si el país crecía otra vez, no habría suficiente electricidad para satisfacer la demanda.

Por último, había en la sociedad mexicana al iniciarse el gobierno de Salinas de Gortari otras dos grandes dudas políticas de fondo, aparte del reclamo electoral.

Primero, la duda de si el gobierno podía controlar a la población armada que transcurría por su territorio: polícias, narcos, hampa, delincuencia, bandas y los pequeños ejércitos privados o corporativos que parecían haberse multiplicado hasta convertir la demanda de seguridad pública en uno de los más fuertes reclamos ciudadanos.

Segundo, la duda de si el régimen y su gobierno podrían sobreponerse a la presión y la autonomía de los enclaves corporativos que su propia acción clientelar había creado: sindicatos secuestrados por férreas camarillas dirigentes, capitales demandantes de certidumbres sin fin para especulaciones sin vigilancia ni riesgo, y un gobierno atrapado entre su proyecto de un cambio necesario pero impopular, y las inercias abusivas de un establecimiento corporativo injusto y predador, pero poderoso y amenazante.

Los primeros seis meses del gobierno salinista avanzaron sobre estos dos últimos frentes desplazando en una serie rápida y espectacular viejas impunidades corporativas. A principios de enero de 1989 fue encarcelado Joaquín Hernández Galicia, líder intocable hasta entonces del poderoso sindicato petrolero. Un mes más tarde, en el marco de una campaña de penalización a evasores fiscales, fue encarcelado también por violación de leyes bancarias y fraude bursátil, el prominente financiero privado Eduardo Legorreta. La movilización magisterial independiente de marzo y abril determinó la caída del otro emblema de la corrupción corporativa sindical del país: Carlos Jonguitud Barrios, líder del Sindicato Nacional de los Trabajadores de la Educación.

Casi simultáneamente se informó de la detención del mayor capo de la mafía del narcotráfico en México, Félix Gallardo, cuya captura trajo en cascada una larga serie de exitosas batidas contra el narcotráfico —detenciones masivas, decomisos de varias toneladas de cocaína pura en una sola operación, etcétera—, y la pronta reacción positiva de los medios oficiales y de la prensa norteamericanos a la firmeza de la campaña. Revelaciones de los propios narcos detenidos, condujeron a logros adicionales inesperados. Entre ellos, el hallazgo de las piezas arqueológicas que habían sido robadas en diciembre de 85 del Museo Nacional de Antropología.

Por último, en el mes de junio de 1989, en medio de la presión sostenida de la opinión pública y la prensa nacional, fue presentado como resuelto el caso del asesinato del periodista Manuel Buendía, muerto por la espalda, en mayo de 1984, por instrucciones del entonces responsable de la Dirección Federal de Seguridad (la policía política del país) José Antonio Zorrilla Pérez. Se había pretendido evitar con esa muerte, según las autoridades, que el columnista denunciara en la prensa las relaciones de la DFS con el narcotráfico.

La investigación del asesinato de Buendía, detonó a su vez el más grande escándalo policiaco de la historia de México: reveló hasta qué punto el hampa y la policía habían llegado a ser una y la misma cosa y hasta qué punto era fundada la exigencia ciudadana de seguridad y su continua protesta por la impunidad de los cuerpos policiacos. Así, a raíz del esclarecimiento del asesinato de Buendía fue desmantelada la recién creada Dirección de Inteligencia del Distrito Federal, en su mayor parte formada por ex agentes de la DFS, varios de cuyos comandantes fueron consignados penalmente como socios del narcotráfico o como responsables de la conspiración que arrebató la vida a Buendía. La demanda social de una policía responsable y eficiente seguía en pie.

Corto y largo plazo

En el frente de la recuperación económica, el nuevo gobierno se planteó como prioridad reanudar el crecimiento. Para ello puso en el centro de su estrategia lo que era ya el clamor general del país en los años finales del gobierno de Miguel de la Madrid: una renegociación de la deuda que rebajara sustancialmente su servicio y liberara recursos frescos para el desarrollo y para atender sus rezagos dramáticos en todos los órdenes.

El nuevo planteamiento de México a sus acreedores externos fue la reducción de un 50% de la deuda con los bancos comerciales —que ascendía a unos 55 mil millones de dólares—, una baja en las tasas de interés y la garantía de nuevos y sustanciales financiamientos durante los siguientes cinco años. El lanzamiento del llamado Plan Brady del gobierno norteamericano a principios de marzo, cobijó la iniciativa mexicana al establecer la necesidad de que los bancos aceptaran acuerdos voluntarios de reducción de las deudas con los países deudores. Al concluir la primera mitad de 1989, los bancos internacionales privados y el gobierno mexicano continuaban su difícil negociación para llegar a un arreglo mutuamente conveniente; como telón de fondo estaba la posibilidad de que México se uniera al grupo de países que ya habían suspendido sus pagos a los intransigentes acreedores internacionales.

El sostenimiento del Pacto de Estabilidad y Crecimiento Económico —un acuerdo de congelación virtual de precios puesto en marcha en enero de 1988— había logrado reducir la inflación de un 150% anualizado en diciembre de 1987 a un 18% en junio de 1989. Pero mantener el precio del dólar congelado hasta diciembre de 1988 y con un pequeño desliz, equivalente al 10% de devaluación anual, partir de enero de 1989, había tenido un impacto negativo sobre las reservas internacionales mexicanas. La agresiva apertura comercial que acompañó la implantación del PECE —como una forma de reducir y contener los precios internos—, hizo crecer las importaciones y tuvo también impacto negativo sobre las reservas. El superávit comercial de México con Estados Unidos, por ejemplo, cayó un 50% entre 1987 y 1988 —de 5 mil 23 millones a 2 mil 409 millones de dólares.

En esas condiciones, para evitar corridas especulativas de los capitales contra el peso y fugas de capital por posibles devaluaciones, el gobierno se veía obligado a sostener tasas de interés internas extraordinariamente altas —50 y 60% anual con inflación de 19%— abultando con ello su deuda interna y frenando el flujo de los capitales hacia las áreas productivas. Sólo las buenas señales de la negociación con los bancos acreedores podrían garantizar la estabilidad futura del peso y permitir el lento tránsito hacia la baja de tasas de interés y la paulatina salida de los capitales de los circuitos especulativos hacia la inversión productiva.

A principios de junio, el gobierno pudo sin embargo prorrogar por otros nueve meses —hasta marzo de 1990— las condiciones básicas del PECE y darse así un nuevo margen de espera para concluir sus negociaciones con la banca internacional. No obstante, las condiciones internas descritas, el nerviosismo y la presión de los capitales, configuraban en lo básico una situación inestable que seguía requiriendo con urgencia una solución favorable en el frente externo.

Así las cosas en el corto plazo, el gobierno emitió en el último día de mayo su propuesta de mediano y largo plazo: el Plan Nacional de Desarrollo 1989-1994. Se trataba, en realidad, de una conceptualización del nuevo tipo de desarrollo que el gobierno de Miguel de la Madrid había empezado a establecer en los años precedentes; un tipo de desarrollo distinto, opuesto en muchos sentidos al que México había seguido durante los últimos cuarenta años.

Los cambios conceptuales propuestos por el PND empezaban por sostener una idea del Estado distinta a la que ha regido en México desde los años treinta: la estabilidad política corporativa y autoritaria, la industrialización protegida de sustitución de importaciones, la expansión del gasto público y del Estado sobre las omisiones sociales y productivas de la sociedad. Es decir, el modelo de crecimiento *hacia adentro* que dio tan buenas cuentas hasta que empezó a rendirlas tan malas.

El PND planteó un Estado distinto al estado omnipresente, absorbedor y subsidiador de la tradición posrevolucionaria. Propuso un Estado "rector en su sentido moderno", no intervencionista y nacionalizador sino "promotor". El documento salinista proponía nuevas reglas también en materia de la relación con el exterior. Partía del reconocimiento a los procesos mundiales de integración y de las condiciones necesarias para un crecimiento orientado hacia afuera, capaz de insertarse en forma competitiva en las corrientes de la economía mundial. De acuerdo a esas nuevas reglas el mercado nacional abierto y competido por mercancías del exterior, no el mercado cautivo y protegido del desarrollo anterior, sería el nuevo juez de las industrias y los servicios deseables para México y los mexicanos.

Para garantizar un desarrollo exitoso en el futuro, el nuevo gobierno proponía al país hacer todo lo contrario de lo que en el pasado se había hecho. Era necesario desregular la economía y el mercado, convocar a la inversión extranjera, poner en el centro de la escena a la inversión privada, salir de nuestras fronteras en busca de mercados, socios, inversiones y tecnología, cambiar el laberinto de la soledad por el supermercado de la integración al mundo.

Dos programas de equilibrio y reforma interna completaban el diseño del PND salinista.

El primero era el compromiso estatal de enfrentar el rezago social acumulado, que el PND llamó Acuerdo para el Mejoramiento Productivo del Nivel de Vida. El compromiso derivaba de la certidumbre, implícita en el PND 1989-1994, de que la miseria heredada y agravada por la crisis no sería erradicada por la lógica misma del proceso modernizador, sino que exigía voluntad política expresa y programas de inversión estatal orientados a romper los círculos viciosos reproductores de la pobreza. La articulación de esta inversión con la propuesta de dar prioridad absoluta a las fuerzas del mercado en la distribución de los recursos, no quedó muy clara.

El segundo programa se refería a la reforma política democratizadora que las elecciones de julio de 1988 pusieron a la orden del día y que el PND llamó Acuerdo para la Ampliación de Nuestra Vida Democrática. Parecía entender y aceptar el PDN que las muletas autoritarias heredadas del modelo anterior, eran arcaicas ya para la sociedad mexicana que votó el 6 de julio de 1988 y habrían de resultar intolerables para la sociedad que pudiera brotar de una modernización económica medianamente exitosa, abierta al mundo y a la libre circulación de bienes, ideas, capitales, tecnologías y oportunidades, como lo que proponía el PND. En efecto, las limitaciones de la democracia mexicana —cómputos electorales que tardaban en hacerse una semana, fuerte traslado de fondos públicos al partido oficial, falta de un padrón confiable, imposibilidad metafísica de simplemente contar los votos— eran ya ridículas en 1988 pero serían simplemente explosivas para la sociedad que pudiera brotar de la modernización prevista por el PND salinista.

A seis meses de inaugurado el gobierno salinista, las posibilidades de honrar a fondo el compromiso de una mejoría en el bienestar de la sociedad empobrecida parecían muy problemáticas. La lógica de los procesos económicos dominantes actuaba en su contra.

En primer lugar, porque la desigualdad y la pobreza son el problema más viejo y peor resuelto de México: una deuda social de siglos que no tiene ni puede tener soluciones rápidas. En segundo lugar, porque, aun si el PND cumplía sus plazos y sus metas a cabalidad, su oferta era de un repunte gradual del crecimiento. El camino verdaderamente sólido hacia la mejoría de la gente —la exigencia de nuevos empleos formales, la mejora del poder adquisitivo, el fortalecimiento del consumo interno— habría de tardar en llegar largos meses, acaso largos años. En tercer lugar, porque los instrumentos estatales disponibles para implantar programas contra la pobreza absoluta, habían dado hasta entonces pobres resultados redistributivos.

Más viable, pese a sus dificultades e inercias, parecía el camino hacia la ampliación democrática del sistema. Durante largos meses, a partir de marzo de 1989, debatieron los partidos y los ciudadanos en el seno de la Comisión Federal Electoral distintas opciones y posibles consensos para emprender la reforma política que el país demandaba. Se había llegado al acuerdo de un periodo extraordinario del Congreso, a iniciarse el 28 de agosto de 1989, para proceder al debate de la legislación respectiva.

Pero mucho más reveladoras de los verdaderos ritmos políticos de la cuestión fueron desde luego las elecciones que en la primera semana de julio de 1989 se celebraron en cinco estados de la república: Campeche, Zacatecas, Chihuahua, Michoacán y Baja California Norte.

En estas cinco elecciones locales quedaron de manifiesto, retratados, los vicios que aún carga a cuestas el sistema político mexicano, pero también las posibilidades de hacer del voto y del sistema de partidos una forma efectiva de encauzar las energías políticas de la nueva sociedad mexicana. En los casos de Campeche, Zacatecas e incluso Chihuahua, campearon el abstencionismo y las formas tradicionales de hacer política: el PRI triunfó sin mayores problemas.

En Michoacán, las cifras oficiales que dieron el triunfo a los candidatos del PRI sobre los del PRD no resultaron creíbles y desataron un litigio y una impugnación semejante, en el orden regional, a los de las elecciones nacionales de un año antes.

Pero en Baja California Norte la victoria rotunda de la oposición de centro derecha —el PAN— abrió las posibilidades de la alternancia en el poder y mostró lo que puede ganar una oposición bien organizada, que ha sabido penetrar el tejido de la sociedad sobre la que actúa. Con un gobernador y un congreso local panistas, en Baja California Norte se dio en julio de 1989 el primer caso, desde la creación del partido del Estado (1929) de una entidad gobernada por la oposición. Fue el hecho culminante, anunciador de los nuevos tiempos de la posible democracia mexicana.

Al promediar 1989, estaba claro que la modernización política de México por la vía de la democracia, aún tenía que salvar muchos obstáculos y que la sociedad aún no encontraba los caminos para imponer sus preferencias por encima de las del gobierno. Pero había logrado hacer parcialmente verdad la promesa democratizadora de julio de 88.

VII
La transición mexicana

Las últimas décadas

La sociedad mexicana de mediados de los ochenta vivía la sensación generalizada de un cambio de época, la sospecha de una gran transición histórica. Los síntomas acumulados del cambio sufrido por el país y su sistema institucional durante las últimas cuatro décadas, hacían cada vez más evidente la citada transición.

A partir de 1968, uno por uno los elementos constitutivos del pacto de la estabilidad se habían ido erosionando. La rebelión estudiantil de ese año fue el más célebre pero no el único rechazo al monólogo institucional de las décadas del milagro mexicano. En el curso de los años setenta apareció dentro del movimiento obrero una disidencia organizada, la Tendencia Democrática, que llegó a cohesionar amplios contingentes y a ofrecerse en un momento dado como alternativa al liderato obrero tradicional. Desde 1975, el sistema asistió a una progresiva rebelión empresarial y a la paulatina organización independiente de grupos y capitales que hasta ese momento habían vivido satisfechos con la simbiosis de los años del milagro y el desarrollo estabilizador. El monólogo institucional fue roto también por la campaña antiguerrillera que se libró en los primeros años setenta, una guerra que tuvo focos insurreccionales en el campo y en la ciudad, fundamentalmente en Guerrero, con los movimientos de Genaro Vázquez y Lucio Cabañas, y en la secuela de la represión del 68: los grupos urbanos armados cuya acción se asocia con el nombre de la Liga 23 de Septiembre.

En consecuencia y en paralelo de estas sacudidas, el sistema político mexicano se orientó a la apertura y el diálogo (1971-1976) y después a la reforma política institucional (1978-1982), reconociendo así, explícitamente, que su concierto institucional no incluía ya todas las notas, ni siquiera algunas de las más importantes.

El desarrollo estabilizador también tocó a su fin como realidad económica y como pacto político. En los setenta y los ochenta, México no sólo no tuvo un crecimiento sostenido, sino que sufrió rompimientos extremadamente bruscos en su producto interno bruto, con años de crecimiento económico cero y otros, como el de 1983, de —5.4 por ciento. El proceso de modernización del país, que pareció una de las mayores ventajas del modelo industrializador de los años cuarenta, emergió en los setenta como un grave problema nacional. Precisamente con el auge productivo y de inversión de los años petroleros (1978-1981), ese esquema industrializador se reveló impracticable y desfiló a la quiebra justamente en el momento en que mayores recursos había para aumentarlo. ¿Por qué? Por su desarticulación productiva, por su vulnerabilidad, por su dependencia externa y por su tradicional ineficiencia; porque era incapaz de crecer sin importar masivamente y porque era incapaz de exportar para evitar la consiguiente crisis de balanza de pagos. Por otro lado, el deterioro de la economía agraria hizo que la autosuficiencia alimentaria se perdiera, y divisas que antes se empleaban en la importación de insumos industriales debieron usarse en la compra de alimentos. La nacionalización de la banca del 1 de septiembre de 1982, finalmente, clausuró lo que pudiera haber quedado de aquella simbiosis política en la cúpula de la burguesía financiera, industrial y comercial con el Estado y la burocracia política. Ya recelosos y ávidos de independencia y garantías durante la presidencia de Luis Echeverría (1970-1976), esos grupos vivieron la nacionalización bancaria de septiembre de 1982 como una ofensiva estatizadora que rompía el acuerdo básico de la economía mixta y exhibía la incontrolabilidad autoritaria del presidencialismo mexicano, sus tendencias "socializantes", las facultades expropiatorias sin contrapeso, "totalitarias", del gobierno. A mediados de los años ochenta, los intentos de restablecer ventajas, beneficios y amplias concesiones políticas para estos sectores empresariales, con el propósito de restaurar el acuerdo y la simbiosis destruida, no habían logrado rehacer el acuerdo político de los años cuarenta y cincuenta; no habían podido hacer que estos empresarios se sintieran de nuevo representados por las instituciones estatales y razonablemente seguros de que su destino histórico como clase estaba de alguna manera garantizado por las decisiones del Estado nacional.

La caracterización general de las condiciones políticas, productivas y sociales del desvanecimiento del milagro a los desgarramientos de la transición, debe incluir el examen de por lo menos trece actores y/o situaciones centrales del sistema: cuatro de la cúpula política (la presidencia, la burocracia, el partido del Estado y la llamada clase política); cuatro vinculados con la representación de las clases sociales y la acción de éstas en el sistema (campesinos, obreros, empresarios y clases medias); tres del lado del movimiento de la sociedad (los partidos políticos, la opinión pública y la Iglesia); y por último, otros dos actores vitales: el ejército y la influencia norteamericana. A continuación se esbozan algunas ideas, no de todo lo que esas pequeñas historias debieran tener, pero sí de los elementos que no deberían faltar en ellas.

La presidencia

La presidencia de la República es pieza primera y consustancial del sistema político mexicano. Entre 1934 y 1984 ha ido pasando de la consolidación del presidencialismo mexicano bajo Lázaro Cárdenas y Avila Camacho (1934-1946) a la indesafiabilidad de los años alemanistas, ruizcortinistas y lopezmateístas (1946-1964), y a una especie de nueva fase, durante los setenta, en la que, sin perder el carácter del eje indisputable de la vida política del país, el presidente actúa y funciona en verdad como un gran coordinador de intereses y de agencias burocráticas ("Un presidente de México recoge banderas, es su función", resumió alguna vez el presidente Luis Echeverría). Los presidentes mexicanos de los ochenta tenían un poder absoluto muchísimo mayor que sus predecesores en recursos y atribuciones, pero un poder relativo de gobierno sobre el conjunto de la sociedad menor que el de sus antecesores. Se han mencionado ya al principio de este capítulo algunos factores de la consolidación de esta pieza clave: el retraimiento político del ejército y la Iglesia. Pueden mencionarse otros. En primer lugar, hay un problema de fundación. La Constitución de 1917 puso el énfasis en la construcción de un ejecutivo fuerte. En los constituyentes estuvo presente la idea de que la dictadura porfiriana encontró parcialmente su origen en el hecho de que la Constitución de 1857 hubiera diseñado un ejecutivo débil, el cual, para poder gobernar, tuvo que irse haciendo del poder apoderándose de las funciones prerrogativas de los poderes legislativos y judiciales de los estados de la federación. La decisión del constituyente de 1916-1917 fue conceder al ejecutivo atribuciones amplias, muy por encima de cualquiera de los tres poderes constitucionales. En consecuencia de ese ejecutivo fuerte, hubo la mengua proveniente de los otros poderes (legislativo y judicial).

A esa vertiente constitucional fundadora hay que agregar una histórica: la tradición paternalista y autoritaria del pasado indígena y colonial de México y en los modos políticos de los virreyes, hay un tipo de gobernante similar al que conocemos después como presidente, un político hábil que debe jugar y negociar con varios poderes buscando la conciliación de distintas fuerzas, que actúa al mismo tiempo con una gran discrecionalidad y una gran necesidad de conciliación y negociación. El siglo XIX añade a esta tradición colonial su propia historia caudillil, o arraigada cultura del hombre providencial, llámese Iturbide o Santa Anna, Benito Juárez o Porfirio Díaz.

Todavía bañados por esa tradición, en el siglo XX Obregón y Calles parecieron también a la nación gobernantes insustituibles.

Una de las cosas políticas importantes del siglo XX mexicano es que, a partir de los años cuarenta, el carisma y la autoridad dejaron de estar depositados en el caudillo y el cacique (en lo personal) y empezaron a estar adscritos al puesto. La institucionalización presidencial ha sido definitiva en el sentido de otorgar fuerza al presidente sólo mientras ocupa la silla presidencial. Un presidente saliente es prácticamente nadie, un presidente entrante es prácticamente todo. Por efecto de la institucionalización, los titulares de esos puestos transitan de la "nada" al poder y del poder a la "nada". Esta es una de la razones de la estabilidad del país y una de las características de la institución presidencial. Es un puesto que, además, tiene un enorme poder en una cultura burocrática patrimonial como la mexicana. En el año de 1970 un presidente de la República podía repartir entre seis mil agraciados seis mil puestos de los mejor remunerados y de los de mayor privilegio y estatus del país; en 1982, andaba en el orden de los diez mil puestos. Hablamos de un poder considerable del premio, castigo y reparto patrimonial, concentrado en esta institución, la mayor del sistema político mexicano. Sin descuidar el carácter central de la presidencia, su pequeña historia sería limitada si no cuestionara los lugares comunes que nublan esa zona de nuestra vida política creyendo eliminarla: la idea de un presidente todopoderoso, la de una "monarquía sexenal", la idea de que hacen una selección caprichosa de los sucesores, de que al fin de cuentas todo lo decide el presidente y es su responsabilidad directa, la idea de que los secretarios no son sino ejecutores ciegos y el gobierno en su conjunto una ridícula corte de aduladores y cortesanos. Escribió Carlos Monsivais:

> ¿Cuáles son los alcances de un presidente? Extraordinarios en cierto modo: nombra y protege, concede, coarta o facilita la corrupción, es la medida de toda su carrera política, le da el tono a los estilos de su sexenio. En otro sentido no parecen serlo tanto: en el terreno de las transformaciones fundamentales. Si este poder no es minimizable, tampoco es magnificable. Pero el presidencialismo es la teoría de la desmesura, y el mito del presidencialismo que implanta las formaciones buro-

cráticas, simplemente no toma en cuenta el orden financiero internacional, el imperialismo norteamericano, las prohibiciones y los intereses de la Iglesia católica, el capitalismo nacional, la autonomía creciente de la burocracia, el "independentismo" policiaco, las estructuras mismas del país en suma.

La burocracia

La burocracia es quizá el único sector del sistema político que ha crecido sistemáticamente en los últimos años, para adquirir un poder cada vez mayor y una capacidad de gestión sobre la sociedad también cada día más amplia. El desplazamiento político de fondo en el carácter y el poder de esta burocracia expresa algunas de las características centrales en el cambio del sistema mismo. Un indicador de ese desplazamiento es que los presidentes de la República vinieron de la Secretaría de la Defensa hasta Manuel Avila Camacho (1946), y de la Secretaría de Gobernación hasta Luis Echeverría (1970-1976) —con la sola excepción de Adolfo López Mateos (1958-1964), que vino de la Secretaría del Trabajo—. Pero a partir del gobierno de López Portillo (1976-1982), venido de la Secretaría de Hacienda, el peso político de la burocracia parece haberse desplazado del sector político tradicional al sector financiero y planificador: de la Secretaría de Gobernación a la de Hacienda y luego a la de Programación y Presupuesto, de la que fue secretario el presidente Miguel de la Madrid (1982-1988).

Esta considerable burocracia tiene características que ninguna historia mínima debería descuidar. La primera, es que está constituida mayoritariamente por personas provenientes de los sectores medios, que tienen poca relación con los grupos económicos dominantes de la sociedad y no son, en su mayor parte, de una significativa extracción popular. Esos miembros de los sectores medios hacen su fortuna dentro del Estado y lo ven como centro de su propia movilidad social, el escenario que a ellos les interesa privilegiar y desarrollar.

En segundo lugar, la burocracia mexicana funciona como un mecanismo de circulación de las élites gobernantes. Cada sexenio trae consigo un cambio sustancial de funcionarios. La inexistencia de un servicio civil permite que cada seis años cambien las cúpulas y los cuadros intermedios, lo cual supone una amplia zona de ineficiencia, voluntarismo, dispendio y desperdicio de recursos humanos, pero también aire fresco y movilidad política.

En tercer lugar, la burocracia es un escenario de la discrecionalidad patrimonial, una ocasión de enriquecimiento personal y de transferencia neta de recursos públicos a manos privadas, transferencia que suele convertir a políticos en empresarios o simplemente en gente rica, que sale de la actividad pública para alimentar la actividad privada.

Por último, un cuarto aspecto poco estudiado pero fundamental: la burocracia es un escenario básico de lucha política entre distintos grupos de intereses de la sociedad; representa en ese sentido una posibilidad de negociación política entre tendencias divergentes y a veces contradictorias dentro del aparato. La guerrilla interburocrática es, por poco que se haya revisado, uno de los elementos de mayor fuerza en el ordenamiento de la lucha política. Una pequeña historia a que podríamos aspirar sobre esta casta ambicionada y aborrecida que es la burocracia mexicana, debiera poder cuantificar y describir esas tendencias, intentar una sociología política que pueda devolvernos el verdadero rostro de la administración pública mexicana, un rostro que será probablemente equidistante del lugar común que se quiere inexistente o arcaica y de la leyenda negra que la refleja de manera unánime corrupta e irresponsable.

El Partido Nacional Revolucionario

Un tercer actor fundamental es el partido del Estado, el viejo Partido Nacional Revolucionario, transfigurado con Cárdenas en el Partido de la Revolución Mexicana y con Alemán en el Partido Revolucionario Institucional. En los últimos años de su era institucional, el partido ha llegado a una situación que podríamos llamar de inanición revolucionaria. La riqueza de su presencia en la vida mexicana es, sin embargo, tan indudable, como la ausencia de una historia que la recoja. La historia de la era prística es incompleta si no incluye la mención al menos de las cuatro funciones claves que el partido del Estado ha tenido en las décadas del milagro y de la transición mexicana. Ha sido, en primer lugar, el instrumento reclutador de una buena parte de los cuadros políticos primarios (aunque no de los cuadros de alto nivel); en segundo lugar, el instrumento de control de las organizaciones de masas; en tercer lugar, el gran aparato de gestoría del bienestar y las demandas sociales; por último, la maquinaria de legitimación electoral.

El partido del Estado ha funcionado porque es fundamentalmente una coalición pragmática de intereses, la encarnación puntual de lo que algunos llaman el interclasismo de la Revolución Mexicana, la posibilidad de reunir en una misma tarea política intereses de todas las clases:

conservadores y revolucionarios, campesinos pobres y grandes terratenientes, obreros y empresarios, de modo que en la negociación pragmática, puertas adentro, cada quien obtenga algo y los que no, al menos esperanza. El problema del PRI en la transición es que parece un partido político diseñado para un México anterior a las últimas décadas de modernización. El PRI empieza a ser rebasado con claridad en los enclaves y regiones regidas por la modernidad: ciudades, sectores medios, ámbitos universitarios e intelectuales, medios masivos de comunicación. Conserva en cambio su capacidad de cohesión —de hecho una forma de organización nacional— en las zonas marginadas, tradicionales o de modernización incipiente. Como estas zonas son todavía las mayoritarias del país, puede decirse que el PRI, pese a sus desgastes, sigue siendo el instrumento de organización mayoritaria de México. Pero está claro que el camino por venir de la economía y de la sociedad no es en el sentido de las cosas que el PRI puede todavía cohesionar, sino justamente en el sentido de la modernización urbanizadora, industrial y de crecientes servicios frente a cuyos contingentes los recursos corporativos del partido no son los más eficaces.

Sergio Zermeño ha sugerido la vigencia de dos lógicas políticas que conviven y pelean en el corazón revuelto del presente mexicano: la lógica popular nacional-corporativa, oriunda del pacto fundamental de la Revolución Mexicana, y la práctica democrática-liberal, hija del México urbano e industrial, que tiende a descreer y a repudiar las respuestas autoritarias y piramidales de la otra. La sociedad y la economía generan sectores, estratos sociales, modos de vida, aspiraciones culturales y de consumo, que caen fuera del horizonte tradicional administrado hasta ahora por la lógica popular nacional. No son mundos aparte, sino mezclados, pero son mundos de lucha, y en esa lucha de contrarios no resuelta reside uno de los nudos históricos de la transición mexicana. El partido del Estado vive en lo fundamental de las reservas políticas, aún existentes, de la primera lógica; pero pierde peso y presencia conforme la segunda irriga y seduce los ánimos de la sociedad mexicana.

La élite política y burocrática

Un cuarto actor fundamental es lo que, contra los legítimos alegatos de sociólogos, hemos dado en llamar la clase política, la élite política y burocrática del país, el equivalente de la nomenclatura soviética, los que gobiernan efectivamente y ocupan además los puestos claves en la ejecución de las decisiones de gobierno. En estos últimos cuarenta años, la clase política mexicana ha sufrido cambios esenciales, el mayor de los cuales tiene que ver con su extracción: ha dejado de venir de la militancia priísta a las escuelas públicas, y ha empezado a venir de los postgrados en el extranjero y las escuelas privadas. Desde el punto de las profesiones dominantes, hay un tránsito de los abogados a los economistas y, en la crisis de los ochenta, una gran presencia de los contadores, que en efecto hacen las cuentas de los excesos (después de la fiesta, las cuentas). En esta evolución de la clase política, un pleito central que encierra en sí mismo un cambio de época, es el que la prensa recoge como la pugna de políticos contra tecnócratas, un pleito vivamente presente desde López Mateos. ¿Por qué? Porque el aparato burocrático se ha vuelto refinado, complejo y enorme, con intereses propios, y al que es imposible gobernar de manera directa, sin la intermediación de complejas instancias de naturaleza técnica.

Desde la época de López Mateos, los así llamados *políticos-políticos* cuentan las horas de su desaparición, mientras van apareciendo los así llamados *políticos-tecnócratas*, gente venida de las universidades y los tecnológicos, que en el curso de los años va asimilando también la mecánica de la política-política (clientelas, recelos, finezas y manipulaciones) y resultan confiables para efectos de la planificación de inversiones, obra pública, educación, salud y otras cuestiones centrales de la administración. Las últimas décadas del desarrollo estabilizador atestiguan el desplazamiento de esta vieja clase política en favor de un nuevo tipo de político tecnificado o tecnocrático, como se quiera decir, que irrumpe en escena con una fuerza incontenible a partir de los años setenta.

A medida que este desplazamiento se da, también hay una transformación orgánica de otros mecanismos esenciales de control y agregación política. El caciquismo, en particular, que ha sido el instrumento por excelencia de la manipulación local y regional. Las instancias caciquiles que ofrecen garantías efectivas de control político, ya no son sólo los viejos cacicazgos estilo Gonzalo N. Santos en San Luis Potosí, Leobardo Reynoso en Zacatecas o Rubén Figueroa en Guerrero. El replanteamiento y la implantación territorial de la burocracia federal en el país, facilita la configuración de cacicazgos de nuevo tipo, erigidos en torno a los ocupantes de las direcciones y superintendencias de grandes empresas paraestatales, gerencias de bancos agrícolas y delegaciones federales. Esos son ahora los intermediarios entre los poderes federales o burocráticos y la realidad social de las distintas regiones del país. Y alcanzan una amplitud de gestión, clientela y poder político, verdaderamente extraordinaria.

El campesinado

El drama de la representación política de los campesinos tiene que ver centralmente, entre otras cosas, con ese desplazamiento de ejes tradicionales de la organización regional. Entre los años del milagro mexicano y los de la crisis de los ochenta, el control campesino ha ido trasladándose de la otrora viva y poderosa Confederación Nacional Campesina a las nuevas instancias caciquiles de la modernización, un nuevo tipo de cacicazgo cuya casa matriz está en las ciudades, ni siquiera en el campo o en el ámbito local. Los últimos cuarenta años han presenciado una efectiva burocratización en las relaciones sociales y productivas en el campo, al grado que hay quienes señalan la presencia de agencias estatales y paraestatales como el obstáculo estructural número uno del desarrollo agrícola de México. Paralelamente, hay una terrible invisibilidad política de los movimientos genuinamente campesinos. Sus organizaciones han pasado a un segundo plano como grupos capaces de presionar y negociar sus demandas.

Ese drama de representación política se da en un escenario de una transformación estructural y una debilidad estratégica de la nación. En primer término, como consecuencia del proceso de la modernización industrializadora, México vivió en las últimas décadas una descapitalización del campo en favor de la ciudad, una migración interna creciente, bracerismo y lo que algunos llaman *descampesinización* del campo. Un campo cada vez más erosionado y más difícil de transformar en base de la autosuficiencia y modernización que se desean. En segundo lugar, hay, por un lado, la ofensiva del *agrobussiness*, la agricultura capitalista, y por otro la ganaderización a costa de las tierras de cultivo. Se configura así la debilidad estratégica de la dependencia alimentaria en que han desembocado años de ineficiencia y escamoteo en la organización productiva del campo mexicano. El resultado político de estos factores es que las viejas formas organizativas de control y movilización no sirven o sirven cada vez menos, carecen de vitalidad y están pidiendo a gritos un nuevo molde histórico.

Obreros y empresarios

Por lo que toca a los obreros y sus organizaciones, se diría que México vivió lo mismo en el milagro que en la transición, la era de Fidel Velázquez, la era del sindicalismo responsable. A partir de la crisis de los ochenta, ese sindicalismo enfrenta, sin embargo, un desplome del salario real, que puede prolongarse durante la siguiente década. Es un hecho adverso fundamental en la perspectiva histórica del sindicalismo responsable, porque el sostenimiento del salario real durante décadas, y ocasionalmente su mejoría, ha sido la única decisiva y verdadera conquista que ese sindicalismo y sus líderes han garantizado a sus agremiados desde la época de Morones en los veinte. Perdido el salario real, ¿qué es lo que pueden ofrecer? No una organización obrera moderna: los intentos de organización sindical por rama industrial no han ido a ninguna parte, en gran medida por la oposición de este sindicalismo de viejo tipo. La Confederación de Trabajadores de México, el enclave propiamente fideliano, está lejos de ser una forma sindical adecuada para organizar a los trabajadores en las industrias de punta.

No es sólo un problema cetemista. Incluso un sindicato como el Sindicato Mexicano de Electricistas (SME), que pudo negociar en el año de 1936 cuestiones básicas características de un sindicalismo moderno, como las normas de trabajo, se encontró en 1984 con que sus conquistas "obstruían" la productividad de la Compañía de Luz y Fuerza, y se vio enfrentado a la demanda de negociar sobre bases menos "viejas" su contrato colectivo. He ahí un problema central que altera decisivamente las relaciones (y la organización por tanto) de las clases fundamentales: ¿cuál ha sido el impacto tecnológico en las condiciones de trabajo, organización y movilización obrera? ¿Qué ha sucedido en el interior de las fábricas y con las líneas de negociación sindical que la innovación tecnológica vuelve obsoletas? ¿Hasta qué punto esta forma de sindicalismo responsable, genuinamente derivado de la Revolución Mexicana, está viviendo de una insostenible prehistoria productiva?

Las mismas preguntas deberían ser respondidas en la historia de la clase empresarial de las últimas cuatro décadas. Es una clase empresarial que ha hecho también un largo tránsito: de la rentable simbiosis en la cúpula durante el milagro mexicano a la rebelión antiecheverrista de los años setenta, a la clausura histórica de lo que quedaba del viejo acuerdo en el año ochenta y dos y el principio de uno nuevo, aún sin cuajar. Ha pasado también de la sustitución relativamente fácil de importaciones con que reemplazó, protegida por el Estado, al capital extranjero, a una nueva dependencia que arranca claramente en los años sesenta por la innovación tecnológica y el proceso de trasnacionalización. En el año de 1965, casi el 17% de las 980 empresas mayores de México estaba controlado parcial o totalmente por el capital externo (si se consideran sólo las 50 empresas mayores, entonces el 48% era controlado por el capital extranjero, y si se habla sólo de las empresas de bienes de capital, entonces el 53%). Es decir, después del periodo de luna de miel de la sustitución fácil de importaciones y del desplazamiento de la inversión extranjera que tuvo lugar durante el milagro mexicano, esta burguesía nacional fue o empezó a ser nuevamente dezplazada de los sectores de punta de la industria y domina sólo en los sectores tradicionales, y eso gracias en buena medida, al proteccionismo. Nada de lo cual impide que los años de la transición encuentren en esa clase a uno de los sujetos políticos más activos, visibles y beligerantes de todo el establecimiento mexicano. A la intensificación de su discurso antigubernamental, ha correspondido la aparición de organizaciones de nueva representación política empresarial, como el Consejo Coordinador Empresarial, en 1975. Otro cambio sustancial es el de las sucesivas vanguardias del empresariado mexicano: en los años cuarenta y cincuenta, los líderes del sector empresarial fueron los industriales y capitales que florecieron a la sombra del Estado; en los sesenta y los setenta, ocuparon el sitio de honor banqueros y financieros; Televisa y el establecimiento privado de la comunicación masiva, se constituyó en efectiva vanguardia empresarial a partir de la nacionalización bancaria en 1982.

Las clases medias

Si uno quisiera describir sintéticamente lo que ha pasado con las clases medias en los últimos cuarenta años de México, tendría que decir que el manejo de su conducta y de su ideología ha dejado de ser materia exclusiva de las tradiciones católicas y la Mitra, para empezar a ser materia de las universidades, el consumismo, la comunicación masiva y la burocracia estatal. Es quizás uno de los movimientos profundos decisivos de la sociedad; a partir de la industrialización de los años cuarenta y cincuenta se ha ido constituyendo una nueva mayoría social. No es la mayoría tradicional del México viejo, esa mayoría rural, provinciana, católica o indígena; tampoco es una nueva mayoría proletaria. Es una nueva mayoría urbana, tiene que ver a la vez con los muchachos del 68 y con los votantes de la oposición de los ochenta; tiene que ver con la nueva sociedad de masas mexicana, con los campesinos que emigran a las ciudades y se descampesinizan o tienen aquí ya una generación; es expresión de la pirámide demográfica de jóvenes, ya plenamente urbanos, para los que no parece haber horizontes y que empiezan a encontrar sus propias formas organizativas bárbaras en la violencia juvenil organizada en bandas, en las colonias populares de las grandes ciudades.

Desde hace unos años, México vive una nueva época de juvenilización de sus costumbres y sus manifestaciones sociales. La expresión de ese hecho está a la vista en las bardas de la ciudad pintadas por las pandillas, en las cifras demográficas, en la industria de la conciencia que ha puesto a circular con éxito inigualables grupos musicales infantiles y juveniles en las pantallas de televisión, los teatros, la radio y las paredes de los cuartos de millones de adolescentes mexicanos. El rostro de esta nueva mayoría que México ha incubado en sus últimas décadas no parece responder ni a las tradiciones orgullosamente mexicanas ni a los clichés folklóricos o restauracionistas con que generalmente intentamos aprehenderla. Es una nueva mayoría para la cual el PRI y el corporativismo político del viejo sistema serán cada vez menos atractivos; una nueva mayoría integrada a la perspectiva de modernización y norteamericanización de la vida y del gusto, una nueva mayoría sin tradición, laica, urbana y masiva, sin cuya historia social y mental es imposible comprender el México que vivimos, ni imaginar, aproximadamente siquiera, el México que vendrá.

Los partidos políticos

Un noveno actor son los partidos políticos. Han pasado en estos cuarenta y cuatro años de la oposición leal al horizonte bipartidista. No hay mucho que agregar a esto. El pluripartidismo mexicano fue siempre una especie de mascarada indispensable, una forma de vestir a la realidad casi dictatorial del partido dominante, el partido del Estado. Y sin embargo, fue también la forma que encontró el Estado para canalizar y legitimar la participación de fuerzas que en algún momento le parecieron incontrolables. La reforma política de mediados de los setenta fue, en buena medida, una reforma hecha para la participación de la izquierda, porque los años anteriores habían sido de rebelión antiinstitucional desde la izquierda: el movimiento estudiantil, la insurgencia sindical, la clandestinidad guerrillera. Quieren los acomodos de la conciencia y los fracasos del sistema que el signo actual de la reforma política sea claramente favorable a la derecha.

Las elecciones de julio de 1988, trajeron a la escena política la novedad mayor de los últimos años: una competencia política mal entre los partidos y la conversión de las elecciones en el nuevo paradigma de legitimidad del país. El reclamo ciudadano por elecciones transparentes y la conflictiva posición del PRI ante electores cada vez más exigentes y demandantes, parecieron abrir a México a su sistema de partidos creíbles y competido a finales de los ochenta. Tanto que en 1989, por primera y desde la fundación del PNR, sesenta años atrás, un candidato de oposición falló una gubernatura: Ernesto Ruffo Appel, del PAN, en Baja California Norte

La opinión pública

Un escenario clave donde ha sido ganada la lucha por el fortalecimiento del sistema de partidos y la democratización es la opinión pública, que dejó de tener en la prensa y en el cine sus medios formativos por excelencia, y empezó a tenerlos, a partir de los setenta y durante los ochenta, en la radio y la televisión. Es la hora mexicana de la aldea global, una transformación fundamental de la vida política y social de México. Desde 1982, por primera vez en la historia del país, existe un sistema de comunicación capaz de uniformar, o de difundir uniformemente, el mismo mensaje a todo el país. La televisión y la radio se han vuelto los medios preferentes de interlocución del gobierno y del Estado, en detrimento de la prensa. Hay aquí un proceso fundamental en el campo de la lucha ideológica y de la formación de la conciencia nacional, que ninguna historia política de los años recientes podría dejar de narrar y analizar.

La iglesia

También en el derrotero del fortalecimiento conservador se inscribe el cambio de la iglesia católica, que ha dejado de ser en los últimos cuarenta años la Iglesia del silencio y ha empezado a ser la Iglesia del micrófono. La Iglesia vivió en los años cuarenta y cincuenta una especie de acuerdo institucional con el Estado. A cambio de su sumisión y su silencio, dejó de ser atacada y se la dejó prosperar en varios frentes civiles, particularmente en el educativo, donde hizo avances con eficacia singular (cuarenta años después de aquel acuerdo vemos acceder al poder público un alto porcentaje de gente que se formó en escuelas privadas religiosas).

A partir del ascenso al poder de Juan Pablo II y su visita a México en 1978, ha empezado a perfilarse en el país una nueva Iglesia activista, una Iglesia que, en palabras del obispo de Hermosillo Carlos Quintero Arce, debería intentar en México "la vía polaca". Esto es, que la Iglesia mexicana, tal como la polaca, se vuelva un polo de organización de la sociedad civil, para hacerle frente a un Estado muy ramificado y amplio pero que, como el Estado polaco, parece tener amplias zonas de ilegitimidad, falta de credibilidad, penetración y apoyo en la sociedad.

Luego de cuatro décadas de fortalecimiento silencioso, la Iglesia mexicana parece dispuesta a secundar la decisión política, venida también desde Roma, de ir ganando o recobrando su independencia como un foco de poder y de organización de la sociedad. No será fácil, porque, a semejanza del país, la Iglesia tiene sus propios límites. La situación de los seminarios, la formación de sus sacerdotes, la calidad de sus cuadros en general, deja bastante que desear; es imposible que de esas escuelas provenga una clase dirigente de largo aliento. A diferencia de lo que pasa con la burocracia estatal,en donde hay una tecnificación y un refinamiento cada vez mayores, en la Iglesia, el nivel de las élites y los instrumentos para formarlas tiende a descender.

El ejército

El ejército mexicano ha pasado en los últimos cuarenta años de la institucionalidad civilista al despertar de un desafío geopolítico en la frontera sur. Como la burocracia en general, ha vivido una modernización. Ha dejado de existir la "generación revolucionaria", la de los militares que participaron en la revolución o en alguna de sus secuelas armadas de los veinte y los treinta (de la rebelión delahuertista en 1923 a la cristiada). El último secretario de defensa con esas características fue Marcelino García Barragán (1964-1970).

Vienen ahora a ocupar los puestos claves generaciones más recientes del instituto armado, cuadros más técnicos, egresados del Colegio Militar o egresados de alguna de las numerosas instituciones educativas que componen la Universidad de las fuerzas armadas, etc., y luego diplomados de Estado mayor en la Escuela Superior de Guerra.

Paralelamente, el ejército ha vivido una estimulación técnica y presupuestal, aunque sigue siendo relativamente pequeño. En los años setenta, la guerrilla y el narcotráfico evidenciaron a un ejército, por así decirlo, prehistórico, con armamento muy inferior, por ejemplo, al que se empleaba en el circuito del narcotráfico, debilidad que costó la vida de un buen número de soldados y oficiales. En el reconocimiento de ese atraso empezó una nueva época de presupuesto y de atención a la parte propiamente militar del ejército. El aspecto central en ese resurgimiento, sin embargo, y el que dominará los años por venir, es que con la revolución nicaragüense y la guerra centroamericana apareció para México una nueva realidad geopolítica, a la vez inesperada y conflictiva en su frontera sur. Hay ahí refugiados, guerra y la posibilidad real, varias veces evitada, de una invasión estadunidense a El Salvador y Nicaragua. Parece imposible hacer política con seriedad en este escenario sin una mínima capacidad de respuesta militar.

La influencia norteamericana

El otro desaparecido habitual de los análisis políticos, pese a la evidencia histórica de su participación activa y a menudo intervencionista en los asuntos de México, es la influencia norteamericana. Entre 1940 y 1984, las relaciones de México con Estados Unidos han cruzado por varias fases cuyos extremos son el acuerdo para la guerra de los años cuarenta y cincuenta (la guerra caliente y la guerra fría), el impacto de la revolución cubana en los sesenta, el tercermundismo echeverrista en los setenta y la política exterior activa iniciada por José López Portillo, de cara al conflicto centroamericano y las posibilidades de influencia internacional por el auge petrolero mexicano, en la segunda mitad de los setenta. Con mayor moderación, las gestiones del Grupo Contadora a principios de los ochenta buscan encauzar una negociación política al borde de la guerra centroamericana.

La relación con Estados Unidos toca también una cuestión central que debiera revisarse a fondo: el tema del nacionalismo mexicano, que quiere decir, fundamentalmente, una lucha por conservar identidad y autonomía frente a Estados Unidos. El análisis de la relación con el gobierno norteamericano debería describir ampliamente la hilera no interrumpida de problemas que han definido en estos cuarenta años la relación conflictiva creciente con Estados Unidos: la caída de Allende, el tercermundismo echeverrista y, finalmente, la política de potencia petrolera o potencia media, desarrollada por López Portillo al filo de la Revolución nicaragüense y la expansión del conflicto centroamericano. Ese trayecto configura un cambio importante en la política defensiva y tiene que empezar a ser, por razón de los acontecimientos militares en su terreno inmediato, una política activa.

Los años ochenta, bajo un gobierno norteamericano dominado por el ala conservadora del Partido Republicano, presencian también un giro en la política norteamericana hacia México. Los efectos para México de esa nueva orientación general de la política internacional de los Estados Unidos, han sido resumidos así por el especialista Wayne Cornelius:

> Los problemas locales y las actitudes políticas de ambas naciones se han convertido en las principales influencias para las relaciones mutuas. Las políticas —algunas voluntarias, otras dictadas por las realidades económicas del momento— son, en muchos sentidos, antitéticas, y han puesto a ambos países en el rumbo de una confrontación que ya produjo un cambio molesto en las actitudes públicas y en las respuestas oficiales a lo que sucede en México; se ha pasado de una "indiferencia be-

nigna" a un "proteccionismo unilateral", aparejado con un renovado impulso intervencionista. El deseo estadunidense de conformar y manipular la política exterior y local mexicana de manera más activa, se convertirá en una fuente importante de tensión entre México y los Estados Unidos. Las crisis económicas mexicanas de 1975-1976 y 1982-1984, a la par que los reveses sufridos por Estados Unidos tanto en el interior como en el extranjero, han aumentado de manera significativa la tensión y desconfianza en las relaciones. En particular, la crisis económica de los ochenta reveló las maneras en que Estados Unidos se puede ver afectado en forma negativa por los acontecimientos en México. Siendo los bancos comerciales de Estados Unidos los principales acreedores de México, la salud de todo el sistema financiero estadunidense parecía amenazada por la falta de solvencia de México, así como por su incapacidad para pagar su deuda externa de 82,000 millones de dólares (hoy 105 000 millones de dólares).
La entrada ilegal de mexicanos en busca de trabajo a los Estados Unidos aumentó en más de un 40% y la mayoría de estadunidenses parecía convencida de que éste era el principio de una nueva ola de inmigración mexicana permanente. El final del largo "milagro económico" mexicano (crecimientos sostenidos con faja inflación) provocó gran escepticismo en los Estados Unidos sobre la capacidad de la economía mexicana para absorber a la actual y a la futura generación de trabajadores mexicanos, y para ofrecerles un empleo productivo que representara una alternativa viable a la búsqueda de trabajo en los Estados Unidos, incluso a pesar del descubrimiento de enormes reservas de petróleo en México. Por último, las fallas obvias del gobierno mexicano, junto con su defensa de los regímenes y movimientos revolucionarios en América Central, generaron dudas entre los funcionarios estadunidenses sobre la estabilidad política mexicana y la capacidad de los líderes mexicanos de conducirse de manera tal que no dañara los intereses económicos y de seguridad vitales para los Estados Unidos.

La mecánica del consenso

Ningún análisis sobre las condiciones históricas generales de la segunda mitad del siglo XX mexicano podría ser completo sin incluir al menos unas palabras sobre dos cuestiones que terminan por resultar enigmáticas. Primero, lo que habría que llamar la mécanica del consenso: ¿cuáles son los elementos que han permitido vivir en paz a una sociedad tan desigual como la mexicana, una sociedad cuyo notorio desarrollo económico no ha podido paliar y a veces ha ahondado esas desigualdades? ¿Cómo ha podido sostenerse este consenso en la base de la sociedad dentro de un sistema que no parece capaz de responder a las necesidades elementales de la mayoría de esa sociedad?

Hay razones históricas y razones institucionales. En el trasfondo de este enigma de la paz mexicana, podría quizás encontrarse la persistencia de una cultura política colonial, en la cual los privilegios y las desigualdades son vistos, en la cúpula tanto como en la base de la pirámide, como "naturales". Hay elementos de esa misma cultura que se repiten en el siglo XX mexicano, y que quizás ayudarían a explicar algunas de las mecánicas del consenso. Hay primero, el hábito de un tutelarismo autoritario en donde el poder se presenta como una instancia venerable, indesafiable y superior destinada a proteger al pueblo, y el pueblo como una especie de masa inerte y siempre en situación de ser redimido. Segundo, hay una tradición corporativa según la cual toda gestión, todo derecho o toda demanda tiene de alguna manera que procesarse corporativamente : el ciudadano individual no cuenta, sino que cuenta su inserción en algunos de los eslabones de representación o privilegio.

Junto a esta herencia colonial o mezclado con ella, hay un notable establecimiento burocrático de apariencia moderna que, en efecto, va resolviendo cosas concretas y satisfaciendo demandas elementales, día con día. Pasado y presente forman así como un cruce de hábitos, leyes y costumbres en cuyas entrañas, arcaicas y modernas a la vez, se pacta y se impone el consenso.

El otro enigma tiene que ver más directamente con la franja temporal del presente, y es lo que habría que llamar la *mecánica de la inercia.* El establecimiento posrevolucionario se ha ido desgastando lentamente, vive, como hemos apuntado reiteradamente, una gran transición. Incluso de una de sus piezas fundamentales, la institución presidencial, eje del sistema que sin embargo sufre un embate de desprestigio social y recelo ciudadano, vienen ahora propuestas ajenas a la tradición y las costumbres que suponemos características del sistema político mexicano. Dispuesto a abanderar él mismo la transición, el gobierno actual dice buscar el fin de la centralización política y administrativa que ha sido el eje de la estabilidad y el desarrollo del México posrevolucionario; quiere acabar con la corrupción y el patrimonialismo burocrático, que es la tradición por excelencia del Estado corporativo y autoritario mexicano; quiere acabar con los intermediarios políticos y con los subsidios, que han sido piedra de toque de este Estado flojo, laxo, pluriclasista y subsidiador, que administró el pacto histórico de la revolución de 1910-1917; y, por último, quiere acabar con el populismo, que ha sido el instrumento ideológico por excelencia del interclasismo posrevolucionario.

Paralelamente, el país cambia su facha territorial. Aparece con una extraordinaria rapidez un nuevo norte de México, sujeto, cada día con más claridad, a un proceso de reindustrialización y a la integración con Estados Unidos. Ese proceso no tiene mucho que ver con el viejo norte industrial que fue orgullo y vanguardia del milagro mexicano en los años cincuenta y sesenta. Es otro proceso. Mientras el auge productivo recorre la frontera y se instalan plantas que trabajan directamente para el mercado norteamericano, el grupo Alfa, vanguardia de la antigua burguesía norteña industrializadora, no sólo no puede liderear a nadie, sino que con trabajos va a sobrevivir. El país está en crisis, pero en ese nuevo norte hay auge productivo y de empleo —salvo en Monterrey, su antiguo centro económico— mientras el sur no petrolero se hunde en la reiteración de su marginalidad y crece a un ritmo distinto.

En el marco de estas novedades, el tema central de la mecánica de la inercia es que la mayor parte de las fórmulas probadas parece no servir para enfrentar las nuevas situaciones, pero son las únicas fórmulas que tiene la sociedad para entenderse con el Estado y consigo misma. La disputa del SME a que hemos aludido, parece típica de este desencuentro: en 1984, el SME defiende su contrato colectivo de 1936 —el más avanzado de su época— frente a una iniciativa de racionalización productiva que encuentra precisamente en esas fórmulas viejas el obstáculo a la modernización que hoy se requiere.

Resulta una paradoja histórica de gran densidad el hecho de que las exigencias objetivas de la producción, el desarrollo económico y la pluralidad social estén golpeando las únicas fórmulas conocidas que tienen la sociedad y el Estado para manejarse y para organizarse. Ese es el conflicto en profundidad que caracteriza nuestra transición, una transición que, sin embargo, va cayendo cada vez más del lado de allá, de lo que ya viene, y cada vez menos del lado de acá, de lo que está dejando de ser. No se trata ciertamente de un proceso de días ni de semanas, sino de años y a lo mejor de décadas, pero la sociedad mexicana acude al término de un acuerdo fundamental consigo misma, un verdadero cambio de época que hace convivir en nosotros a la vez el desconcierto y la necesidad de cambio, el peso inerte del pasado y el clamor imantado e indefinido del futuro.

Bibliografía general

Obras generales

Bazant, Jan, *Breve historia de México de Hidalgo a Cárdenas, 1805-1940*. (México: Premià, 1980).

Cosío Villegas, Daniel (Coord.), *Historia General de México*. (México: El Colegio de México, 1977).

García, Bernardo, *Historia de México*. (México: Everest, 1985).

Revolución

Aguilar Camín, Héctor, *La frontera nómada: Sonora y la Revolución Mexicana*. (México: Siglo XXI, 1977).

Ashby, Joe C., *Organized Labor and the Mexican Revolution under Lázaro Cardenas*. (Chapel Hill, N.C.: University of North Carolina Press, 1967).

Beteta, Ramón, *Programa Económico y Social de México*. (México: edición del autor, 1935).

Carr, Barry, *El movimiento obrero y la política en México, 1910-1929*, 2 v. (México: Sepsetentas, 1976).

Clark, Marjorie Ruth, *La organización obrera en México*. (México: Ediciones Era, 1979).

Cockroft, James O., *Precursores intelectuales de la Revolución Mexicana*. (México: Siglo XXI, 1971).

Córdova, Arnaldo, *La ideología de la Revolución Mexicana. La formación del nuevo régimen*. (México: Ediciones Era, 1973).

_________ *La política de masas del cardenismo*. (México: Ediciones Era, 1974).

Cosío Villegas, Daniel, *Historia Moderna de México. El Porfiriato*. (México: Editorial Hermes, 1955-1963).

Cumberland, Charles C., *La Revolución Mexicana. Los años constitucionalistas*. (México: Fondo de Cultura Económica, 1975).

Dulles, John W., *Ayer en México*. (México: Fondo de Cultura Económica, 1977).

Falcón, Romana, *Revolución y caciquismo. San Luis Potosí, 1910-1938*. (México: El Colegio de México, 1984).

_________ *La semilla en el surco. Adalberto Tejada y el radicalismo en Veracruz*. (México: El Colegio de México, 1986).

Medin, Tzvi, *Ideología y praxis política de Lázaro Cárdenas*. (México: Siglo XXI, 1972).

Meyer, Jean y Enrique Krauze, *Historia de la Revolución Mexicana. Periodo 1924-1928. Estado y sociedad con Calles*. (México: El Colegio de México, 1978).

Meyer, Lorenzo, *Historia de la Revolución Mexicana. Período 1928-1934. El conflicto social y los gobiernos del maximato*. (México: El Colegio de México, 1978).

Meyer Lorenzo, *México y los Estados Unidos en el conflicto petrolero (1917-1942)* 2a. ed. (México: El Colegio de México, 1972).

Ruiz, Ramón Eduardo, *México: la gran rebelión, 1905-1924*. (México: Ediciones Era, 1984).

Shulgoviski, Anatol, *México en la encrucijada de su historia*. (México: Fondo de Cultura Económica, 1968).

Skirius, John, *José Vasconcelos y la cruzada de 1929*. (México: Siglo XXI, 1978).

Tannenbaum, Frank, *A la paz por la revolución* (s.p.i.).

Townsend, William C., *Lázaro Cárdenas, demócrata mexicano*. (México: Biografías Gandesa, 1959).

Ulloa, Berta, *La revolución intervenida. Relaciones diplomáticas entre México y Estados Unidos (1910-1914)*. (México: El Colegio de México, 1971).

_________ *Historia de la Revolución Mexicana. Periodo 1914-1917. La revolución escindida*. (México: El Colegio de México, 1979).

_________ *Historia de la Revolución Mexicana. Periodo 1914-1917. La encrucijada de 1915*. (México: El Colegio de México, 1979).

Valadés, José C., *El porfirismo, historia de un régimen*. 2 v. (México: Universidad Nacional Autónoma de México, 1977).

Weyl, Nathaniel y Sylvia, *The Reconquest of Mexico: The Years of Lázaro Cárdenas*. (Nueva York, N.Y.: Oxford University Press, 1939).

Womack, John, *Zapata y la Revolución Mexicana*. (México: Siglo XXI, 1969).

Postrevolución

Brandenburg, Frank R., *The Making of Modern Mexico*. (Englewood Cliffs, N.N.O, Prentice-Hall, 1964).

Cumberland, Charles, *México: The Struggle for Modernity*. (Nueva York, N.Y.: Oxford University Press, 1968).

Eckstein, Susan, *El Estado y la pobreza urbana en México*. (México: Siglo XXI, 1982).

González Casanova, Pablo, *La democracia en México*. (México: Ediciones Era, 1965).

Hamilton, Nora, *México: Los límites de la autonomía del Estado*. (México, Ediciones Era, 1983).

Hansen, Judith A,. *Mexico in Crisis*. (Nueva York, N.Y.: Holmes and Meier, 1978).

Hewitt de Alcántara, Cynthia., *La modernización de la agricultura mexicana, 1940-1970*. (México: Siglo XXI, 1978).

Iturriaga, José, *La estructura social y cultural de México*. (México: Fondo de Cultura Económica, 1951).

Johnson, Kenneth, *Mexican Democracy: A Critical View*. (Boston, Mass.: Allyn and Bacon, 1972).

Levy, Daniel y Gabriel Székely, *Mexico, Paradoxes of Stability and Change*. 2a. ed., (Boulder, Colorado: Westview Press, 1987).

Medina, Luis, *Historia de la Revolución Mexicana. Periodo 1940-1952. Del cardenismo al avilacamachismo*. (México: El Colegio de México, 1978).

_________ *Historia de la Revolución Mexicana. Periodo 1940-1952. Civilismo y modernización del autoritarismo*. (México: El Colegio de México, 1979).

Mosk, Sanford A., *Industrial Revolution in Mexico*. (Los Angeles, Cal.: University of California Press, 1950).

Ojeda Gómez, Mario, *Alcances y límites de la política exterior de México*. (México: El Colegio de México, 1976).

Padgett, Vicent, *The Mexican Political System*. 2a. ed. (Dallas, Texas: Houghton Mifflin, 1976).

Paz, Octavio, *El ogro filantrópico. Historia y política, 1971-1978*. 3a. ed. (México: Joaquín Mortiz, 1979).

Pellicer, Olga y José Luis Reyna, *Historia de la Revolución Mexicana. Periodo 1952-1960. En afianzamiento de la estabilidad política*. (México: El Colegio de México, 1978).

_________ y Esteban L. Mancilla, *Historia de la Revolución Mexicana. Periodo 1952-1960. El entendimiento con los Estados Unidos y la gestación del desarrollo estabilizador.* (México: El Colegio de México, 1978).

_________ *The Mexican Profit-Sharing Decision. Politics in an Authoritarian Regime.* (Berkeley, Cal.: University of California Press, 1975).

Reynolds, Clark, *La economía mexicana. Su estructura y crecimiento en el siglo XX.* (México: Fondo de Cultura Económica, 1973).

Scott, Robert E., *Mexican Gobernment in Transition.* (Urbana, Illinois: University of Illinois Press, 1959).

Stevens, Evelyn, *Protest and Response in Mexico.* (Cambridge, Mass.: Massachusetts Institute of Technology, 1974).

Tello, Carlos, *La política económica en México, 1970-1976.* 2a. ed. (México: Siglo XXI, 1979).

_________ y Rolando Cordera, *La disputa por la nación.* (México: Siglo XXI, 1981).

Torres, Blanca, *Historia de la Revolución Mexicana. Periodo 1940-1952. México en la Segunda Guerra Mundial.* (México: El Colegio de México, 1979).

Vernon, Raymond, *El dilema del desarrollo económico de México.* (México; Editorial Diana, 1966).

Warman, Arturo, *Los campesinos, hijos predilectos del régimen.* (México: Nuestro Tiempo, 1972).

La crisis de los ochenta

Castañeda, Jorge, *México: El futuro en juego.* (México: Joaquín Mortiz, 1987).

Cordera Campos, Rolando, Raúl Trejo Delarbre y Juan Enrique Vega (Coord.), *México: El reclamo democrático,* (México: Siglo XXI, 1988).

Cornelius, Wayne A., Judith Gentleman y Peter H. Smith (eds.), *Mexico's Alternative Political Futures.* (San Diego, Cal.: Center for U.S. Mexican Studies, University of California, 1989).

_________ y Ann L. Craig, *Policis in Mexico: An Introduction and Overview.* (San Diego, Cal.: Center for U.S. Mexican Studies, University of California, 1988).

Krauze, Enrique, *Por una democracia sin adjetivos.* (México: Joaquín Mortiz, 1986).

Loaeza, Soledad y Rafael Segovia (comps.), *La vida política mexicana en la crisis.* (México: El Colegio de México, 1987).

Trejo, Raúl, *El futuro de la política industrial en México.* (México: El Colegio de México, 1987).

Villa, Manuel, *¿A quién le interesa la democracia en México?: Crisis del intervencionismo estatal y alternativas al pacto social*. (México: Editorial Porrúa-UNAM, 1988).

Relaciones Internacionales

Castañeda, Jorge y Robert Pastor, *Límites en la amistad*. (México: Joaquín Mortiz, 1989).

Clendenen, Clarence C., *The United States and Pancho Villa: a Study in Unconventional Diplomacy*. (Ithaca, N.Y.: Cornell University Press, 1961).

Cline, Howard F., *The United States and Mexico*. (Cambridge, Mass.: Harvard University Press, 1953).

Comisión sobre el Futuro de las Relaciones México-Estados Unidos, *El desafío de la Interdependencia*. (México: Fondo de Cultura Económica, 1988).

Cornelius, Wayne A., *Immigration and U.S. Mexican Relations*. (San Diego, Cal.: Working Papers in U.S. Mexican Studies, no. 1, University of California, 1979).

Dunn, F.S., *The Diplomatic Protection of Americans in Mexico*. (Nueva York, N.Y.: Columbia University Press, 1933).

Fabela, Isidro, *Historia diplomática de la Revolución Mexicana*. 2 v. (México: Fondo de Cultura Económica, 1958-1959).

Grayson, George W., *The United States and Mexico*. (Nueva York, N.Y.: Praeger, 1984).

Grieb, Kenneth J., *The United States and Huerta*. (Lincoln, Nev.: Nebraska University Press, 1969).

Haley, P. Edward, *Revolution and Intervention The Diplomacy of Taft and Wilson with Mexico. 1910-1917*. (Cambridge, Mass.: The Massachusetts Institute of Technology, 1970).

Katz, Friederich, *The Secret War in Mexico. Europe, The United States and the Mexican Revolution*. (Chicago, Illinois: The University of Chicago Press, 1981).

McBride, Robert H. (ed.), *Mexico and the United States*. (Englewood Cliffs, N.Y.: Prentice-Hall, 1981).

Meyer, Lorenzo, *México y los Estados Unidos en el conflicto petrolero, 1917-1942*. (México: El Colegio de México, 1972).

Ojeda, Mario, *Alcances y límites de la política exterior de México*. (México: El Colegio de México, 1976).

Purcell, Susan Kaufman. (ed.), *Mexico in Transition. Implications for U.S. Policy*. (Nueva York, N.Y.: Council on Foreing Relations, 1988).

Raat, W. Dark, *Mexico's Rebels in the United States. (1903-1923)*. (College Station, Texas: Texas A&M University Press, 1981).

Roett, Riordan. (ed.), *Mexico and the United States*. (Boulder, Colorado: Westview Press, 1988).

Schmitt, Karl M., *Mexico and the United States, 1821-1973. Conflict and Coexistence*. (Nueva York, N.Y.: J. Wiley, 1974).

Sepúlveda, Bernardo y Antonio Chumacero, *La inversión extranjera en México*. (México: Fondo de Cultura Económica, 1973).

Smith, Peter, *Mexico: The quest for a U.S. Policy*. (Nueva York, N.Y.: Foreign Policy Association, 1980).

Smith Robert F., *The United States and Revolutionary Nationalism in Mexico, 1916-1932*. (Chicago, Illinois: The University of Chicago Press, 1977).

Vázquez, Josefina Z. y Lorenzo Meyer, *México frente a Estados Unidos. Un ensayo histórico, 1776-1980*. (México: El Colegio de México, 1982).

Wionczek, Miguel S., *El nacionalismo mexicano y la inversión extranjera*. (México: Siglo XXI, 1967).

Zorrilla, Luis G., *Historia de las relaciones entre México y los Estados Unidos de América, 1800-1958*. (México: Editorial Porrúa, 1966).

Indice

Noticia 7

I. Por el camino de Madero. 1910-1913 9

La ruptura agraria 13
Caminos cerrados 16
Territorio minado 17
Naufragio en Río Blanco 18
La aparición del norte 19
Nuevas ramas, añosos troncos 21
1908: La siembra del derrumbe 23
La oposición y la presbicia 25
La grieta en la presa 27
La revuelta 28
La doma del tigre 31
El pleito arriba, la resistencia abajo 33
Ultrajes en el sur 35
La pérdida del arriero 37
Un ejército triunfante 39
La democracia golpista 41
De la embajada al paredón 43

II. Las revoluciones son la Revolución. 1913-1920 47

El hilo de la historia 50
Las razones de Sonora 52
Los motivos de Villa 54
La oleada y los gringos 57
Heridas internas 59
Fin de época: la Convención 61
1915 64
La aparición de México 66

Canastas vacías 68
La guerra civil: por un gobierno sin banquetas 69
La guerra civil: andamios de la hegemonía 70
La guerra civil: banquetas del futuro 72
La guerra civil: batallas 74
Año cero: la disputa constituyente 75
La restauración carrancista 78
La hora del caudillo 81
Camino a Tlaxcalantongo 83

III. Del caudillo al Maximato. 1920-1934 85

Diez años después 87
Los gobernantes 90
Cámara rápida 92
El equilibrio catastrófico 95
La sombra de Washington 96
La rebelión conciliadora 98
La cristiada 100
El congreso o las armas 103
La sombra de Washington, II 105
Hermanos enemigos, 1927 107
De La Bombilla *a las instituciones* 109
La sombra de Morrow 112
La tienda de Anzures 114
La reconstrucción material 116
Bancos, caminos y presas 118
La deuda imposible 120
Los reclamantes 122
El crack de 29 123
Los partidos de la Revolución 125
El partido del gobierno 127
La administración de las masas 130
Sueño y realidad de Morelos 132
El surco en el Golfo 134
El triunfo de la moderación 136
El trayecto obrero 138
Laborantes y dirigentes 141
Rumbo a la Depresión 143
El camino de Lombardo 145

IV. La utopía cardenista. 1934-1940 149

Adiós al Maximato 151
La purga 153
La nueva alianza 154
La utopía cardenista 156
El bienestar invisible 157
Las palancas financieras 158
Los límites comerciales 160
La utopía cardenista, II 161
Todo el poder a la organización: los obreros 162
Dialéctica del estabón más débil 164
Principio y fin de fiesta 165
La vocación ejidal 167
Tierras mayores 168
El ala campesina 169
Desgajamientos 170
El Partido del presidente 172
El partido de la Revolución 174
La expropiación petrolera: historia 175
La expropiación petrolera: el conflicto 177
La expropiación petrolera: el rayo 179
La expropiación petrolera: el boicot 180
La sucesión conservadora 182
La disputa y el reflujo 184

V. El milagro mexicano. 1940-1968 187

La Revolución como legado 189
Un eterno futuro 191
El gran viraje 192
La zona inmóvil 193
El callejón de la posguerra 195
Del entusiasmo a la represión 196
Un adiós sin regreso 197
El desarrollo estabilizador 199
Fisuras y precipicios 201
La estructura social: todo cambia pero todo sigue igual 206
El colchón de enmedio 208
Las permanencias 211
La máquina de los silencios 213

La oposición reformada 215
Disonancias 217
La lava de Nava. San Luis Potosí, 1959 217
En el subsuelo campesino 218
Los hijos del riel 219
La noche de Tlatelolco 221
Política y bombín. Los empresarios frente al Estado 223
Del ostracismo a la cooperación 225
Los beneficios de la guerra 227
Buena y mala vecindad 228
Espaldas mojadas 229
El fin de la relación especial 231
Puertas al campo 233

VI. El desvanecimiento del milagro. 1968-1989 237

Dos ritmos 239
Las avanzadas de la crisis 243
La agitación y la Tendencia 244
La apertura democrática 247
La conquista del futuro 249
Los límites del presente 251
La quinta opción 252
El claroscuro 254
La nacionalización de la banca 255
Tierra de nadie 257
El ojo de la crisis 258
La explosión que no llegó 261
La restauración 262
Las cuentas de Contadora 264
Moldeando a México 265
Democracia y no 266
Los costos del ajuste 268
La política exterior 273
Las elecciones: de la irrelevancia a la centralidad 279
La elección de julio y los primeros meses del Gobierno 283
El nuevo gobierno 285
Corto y largo plazo 288
Desigualdad y democracia 290

VII. La transición mexicana 293

Las últimas décadas 295
La presidencia 297
La burocracia 299
El Partido Nacional Revolucionario 300
La élite política y burocrática 301
El campesinado 303
Obreros y empresarios 303
Las clases medias 305
Los partidos políticos 306
La opinión pública 307
La iglesia 307
El ejército 308
La influencia norteamericana 309
La mecánica del conseso 310